Perfformio'r Genedl

Ar Drywydd Hywel Teifi Edwards

golygwyd gan

Anwen Jones

Gwasg Prifysgol Cymru
2017

www.gwasgprifysgolcymru.org

Mae cofnod catalogio'r gyfrol hon ar gael gan y Llyfrgell Brydeinig.

ISBN   978-1-78683-034-0
e-ISBN   978-1-78683-035-7

Cysodwyd yng Nghymru gan Eira Fenn Gaunt, Caerdydd.
Argraffwyd gan CPI Antony Rowe, Melksham.

CYNNWYS

Cynnwys

Rhagymadrodd Golygydd y Gyfrol

Anwen Jones

Yn 2008, cyhoeddodd Gwasg Gomer gyfrol deyrnged i Hywel Teifi Edwards o dan y teitl *Cawr i'w Genedl: Cyfrol i gyfarch yr Athro Hywel Teifi Edwards*.[1] Ynddi, ceir casgliad o erthyglau gan arbenigwyr sy'n flaengar yn eu dewis-feysydd ac yn rhannu diddordeb Edwards yn y cyfnod hanesyddol a aeth a'i fryd; y bedwaredd ganrif ar bymtheg. Dichon mai fel arbenigwr ar Gymru'r bedwaredd ganrif ar bymtheg yr adwaenir Edwards yn bennaf ac heb os nac onibai, mae ei afael ar y cyfnod hwnnw yn gadarn. Yn wir, mae'r gyfrol gyfarch yn dystiolaeth iddo osod conglfaen astudiaethau hanesyddol o bob agwedd ar y diwylliant a'r meddylfryd Cymraeg a Chymreig yn y cyfnod Fictorianaidd. Pan luniwyd y gyfrol, roedd Edwards yn wyneb cyfarwydd ar y cyfryngau, yn llais adnabyddus yn y wasg ac yn dal i weithio gyda'i egni arferol tuag at gyhoeddiadau pellach yn y Gymraeg. Erbyn heddiw, rydym wedi colli'r hanesydd ac wedi ein hamddifadu o gyfaredd ei berson a'i bersonoliaeth. Ysywaeth, nid cyfrol goffa na chyfrol gofiannol mo'r gyfrol hon.

Ysfa ganolog y gyfrol hon yw datgan ein hawl ar yr hyn a ddywedodd Edwards am ddrama, am theatr ac am berfformio yng Nghymru, ac yn y Gymraeg, a'i ddefnyddio i ysbarduno ymateb cyfredol, cyfoes a chyffrous i un o fyfyrdodau ysgolheigaidd mwyaf treiddgar yr ugeinfed ganrif o'r cyflwr a'r *psyche* Cymreig. Ysgrifennodd Edwards lawer, yma a thraw, ar y ddrama, y theatr ac ar berfformio yng Nghymru. Hyd yma, ni fu ymgais i gydlynu'r gwahanol agweddau ar y drafodaeth honno a'u dwyn ynghyd. Nid yw'r cyffro yn deillio yn gymaint o'r cyfraniadau gwahanol i'r gyfrol hon ond yn hytrach i'r gwaith a fu'n sail iddi – hebddo ni fyddai yma ddim.

Mewn adolygiad yn *Golwg*, yn 1990, ymatebodd Edwards i gynhyrchiad theatrig o *Val* gan Dyfan Roberts ac *Yma o Hyd* gan Mair Tomos Ifans. Roedd hi'n gwbl eglur i destun y dramâu yn ogystal â'u dull cyflwyniadol blesio'r adolygydd ac iddo brofi gwefr wrth wrando, clywed, gweld a gwylio; '[D]au actor yn llefaru dros harddwch perthyn, dros hunan-barch, dros ymrwymiad Cristnogol'.[2] Wrth rheswm, adolygiad byr mewn cylchgrawn poblogaidd o noson o adloniant theatraidd, byrhoedlog a geir yma ac amhriodol fyddai gosod arno ormod o bwys yng nghyd-destun ehangach y swmp o waith ysgolheigaidd a gynhyrchwyd gan Edwards dros ddegawdau lawer. Eto, mae'r adolygiad teimladwy hwn yn bwysig yn nermau gwelediaeth beirniadol Edwards o hanes a chyflwr cyfredol ei genedl. Mae hefyd yn arwyddocaol yng nghyd-destun amcan ac uchelgais y gyfrol hon. Daw'r adolygiad â ni wyneb yn wyneb â'r ffaith bod y dramataidd, y theatraidd a'r perfformiadol o bwys yng ngolwg a phrofiad Edwards. Er nad oedd yn hanesydd y theatr na chwaith yn arbenigwr ar y ddrama, ysgrifennodd Edwards yn huawdl am y dramatig, y ddrama a'r theatr yng Nghymru mewn nifer o ddarlithoedd, erthyglau a chyfrolau. Ar wasgar, yma a thraw, mewn gweithiau megis *Yr Eisteddfod* (1976), *Baich y Bardd (1978)*, *Yr Eisteddfod Genedlaethol a Phwllheli 1875, 1925 a 1955* (1987), *Codi'r Hen Wlad yn ei Hôl: 1850–1914*, (1989), *Llew Llwyfo: Arwr Gwlad a'i Arwrgerdd* (1990), *Codi'r Llên* (1998), *Gŵyl Gwalia* (2008) a *The National Pageant of Wales* (2009),[3] ceir gwelediagaeth dreiddgar o gyfraniad yr elfennau perfformiadol ar fywyd a phrofiad y Cymry i dwf a datblygiad hunaniaeth genedlaethol, ac i dwf a datblygiad y ddrama a'r theatr fel celfyddyd genedlaethol o bwys.

Mae'r adolygiad yn *Golwg* yn arwydd o gydnabyddiaeth Edwards o le drama, y theatr a pherfformio yn ei fywyd a'i brofiad ac ym mywyd a phrofiad y genedl – ffaith y gellid, yn rhwydd ddigon, ei cholli am nas cyflwynir gwelediagaeth gyfansawdd ganddo o bwysigrwydd a chyfraniad y cyfrwng yn ei waith. Mae'r adolygiad hefyd yn dod â'r darllenydd wyneb yn wyneb â dryswch neu, efallai, ddatguddiad arall. Rhaid cyfaddef ei bod hi'n anodd cysoni agwedd ac ymdeimlad yr adolygydd hwn gyda'r hanesyddiaeth beiddgar a beirniadol sy'n nodweddiadol o gynnyrch ysgolheigaidd Edwards. Yn ôl y beirniad Simon Brooks, nodweddir astudiaeth Edwards o Gymru'r bedwaredd ganrif ar bymtheg gan ddau beth.[4] Yn gyntaf, presenoldeb ymdriniaeth dreiddgar a thrylwyr o genedligrwydd o safbwynt ôl-oleuedig – peth tra anarferol, chwedl Brooks, o ystyried natur bragmataidd beirniadaeth llenyddol Gymraeg. Yn ail, fe'i nodweddir gan gydnabyddiaeth a dathliad o amlder y profiad Cymraeg. Sut felly mae dehongli gwerthfawrogiad Edwards, yn ei adolygiad, o'r weithred o berfformio ymlyniad rhamantus, os nad rhyfygus, wrth ddiwylliant cenedlaethol, Cristnogol, brawdgarol gyda'i feirniadaeth di-flewyn ar dafod o'r prosiect i hyrwyddo gwerthoedd goleuedig yng Nghymru fodern, ôl-Lyfrau Gleision? Bron nad ymddengys ei gyfaddefiad iddo deimlo, yn ystod orig fer y perfformiad, 'ar ei brawf gerbron dau a wyddai eu gwerth fel aelodau o hen genedl ac arni ddyletswydd i wneud ei rhan dros warineb a thegwch byw'[5] yn anghyson â'i daerineb mai trwy, 'hybu ideoleg neilltuol yn enw Cymreigtod [y] cyfyngir ar y Cymreictod hwnnw'.[6]

Wrth gloi ei adolygiad, dywed Edwards, 'Yr hyn y carwn ei nodi yw i mi, fel llawer un arall y noson honno . . . brofi feitaliti ein diwylliant yn llifo drwof a theimlo i'r mêr pa mor enbyd fyddai trigo mewn gwlad heb y feitaliti hwnnw'.[7] Mae'r clo hwn, i'm tyb i, yn datgelu llawn arwyddocâd y ddrama, theatr a pherfformio i Edwards ac yn esbonio sut y bu iddo drochi, dro ar ôl tro, hyd ei figyrnau, yn nyfroedd bas y ddrama a'r theatr yng Nghymru heb unwaith blymio'n llwyr i'r dŵr a chyhoeddi gweledigaeth gyfansawdd, awdurdodol o'r maes. Dywedodd Edwards am un o arwyr ei astudiaethau hanesyddol, Llew Llwyfo, iddo fyw i berfformio a pherfformio i fyw. Mae ei astudiaeth yn cydnabod cyfyngderau'r math o adloniant gwerinol, myfïol a gynigiai Llew i'w gynulleidfaoedd eisteddfodol, eiddgar ac eto mae'n llawn edmygedd o'i sgiliau a'i fenter perfformiadol, ei allu i daflunio'i bersonoliaeth ar gefnlen ei genedl. Yr hyn a werthfawrogai Edwards yn hanes a pherson Llew Llwyfo oedd ei feitaliti a'i allu i rannu'r cyfryw nerth ac egni carismataidd trwy weithgaredd creadigol, cymunedol, neu trwy berfformio i gynulleidfa. Yr un oedd y wefr a gafodd Edwards wrth gyfranogi yn y cyflwyniad theatraidd o *Val* ac *Yma o Hyd*. Yno, fe brofodd, fel aelod unigol o gynulleidfa luosog wefr feitaliti'r actorion a ddatguddiai, yn ei dro, wefr feitaliti'r diwylliant cymunedol roeddent yn ei ddathlu a chyfaredd perthyn i ddiwylliant cenedlaethol Cymraeg a Chymreig. Dyma, i'm tyb i, sydd wrth wraidd ei driniaeth aml ond anghyson o'r ddrama a'r theatr yng Nghymru – ysfa i afael yn y feitaliti sy'n deillio o weithred gymunedol o berfformio gyda ac i gynulleidfa, feitaliti y byddai ymdriniaeth hanesyddol, beirniadol trylwyr yn y traddodiad ysgolheigaidd, cyfrifol wedi ei llesteirio, os nad ei ddifa.

Pennaf nod y gyfrol hon yw archwilio a chloriannu dylanwad meddylfryd a gwaith Edwards ar ein hymwybyddiaeth a'n dealltwriaeth o bwysigrwydd y ddrama a'r theatr yng Nghymru fel agwedd ar weithgarwch celfyddydol, cenedlaethol ystyrlon. Hawlir rôl weithredol i Edwards yn y broses o fathu, datblygu a saernïo'r ddrama a'r theatr fodern yn sgil ei gyfraniadau amrywiol mewn meysydd eraill perthnasol a'i ymroddiad gwaelodol i werthfawrogiad o ddawn yr artist yn ei holl waith. Yn gyntaf, olrheinir trywydd llinyn arian sy'n ymwthio i'r golwg yn gyson yng ngweithiau amrywiol Edwards – dylanwad y dramatig, y ddrama a'r theatr ar ddatblygiad hunaniaeth genedlaethol y Cymry o drothwy'r bedwaredd ganrif ar bymtheg hyd at ganol yr ugeinfed ganrif. Yn ail, dangosir perthnasedd y cyfryw drafodaeth hanesyddol i astudiaeth o gyflwr *presennol* y ddrama a'r theatr yng Nghymru'r unfed ganrif ar hugain trwy gyfrwng ymateb creadigol awduron y cyfraniadau amrywiol yn y gyfrol i'w feddwl a'i waith am ddrama, theatr a pherfformio yng Nghymru fodern.

Mae'r cyfraniad agoriadol i'r cyhoeddiad hwn yn gosod cywair y gyfrol at ei gilydd, sef ymgais i ymateb i ddatganiadau, trafodaethau ac ysgogiadau Edwards am natur, twf a datblygiad y ddrama a'r theatr yn Ngymru gyda hyder llwyr yng ngadernid presenolrwyddd y presennol. Mae awdur y cyfraniad, Gareth Evans, yn dadlau bod trafodaethau a damcaniaethu deallusol am y ddrama a'r theatr yng Nghymru wedi cychwyn a chyniwair o dan gysgod gormesol y cysyniad o gyfreithloni; cysyniad a'n cymellodd i sefydlu llinyn cyswllt, neu'n hytrach, llinyn bogail rhwng drama a theatr ein gorffennol a chynnyrch a gweithgaredd dramataidd a theatraidd y presennol a'r dyfodol. Mae'r ysfa i hawlio a sicrhau dyfodol i'r agwedd hon ar greadigrwydd a chynnyrch diwylliannol Cymru, dadleua Evans, wedi arwain at gyplysiad diog o theatr a drama sydd, yn ei dro, wedi dibrisio natur hollbresennol y weithred theatraidd ar y naill law, a breinio sefydlogrwydd llinynol y ddrama ar ei wedd destunol ar y llaw arall.

Adleisia Evans y farn a fynegwyd eisoes yn y rhagymadrodd hwn, sef cydnabyddiaeth nad ysgolhaig theatr oedd Edwards ac nas bwriadwyd ei waith yn y maes fel astudiaeth awdurdodol o fath yn y byd. Yn hytrach, cydnabyddir ei brif gyfraniad gan Evans yng nghyd-destun ei ysfa a'i allu i ysbarduno ymchwil pellach yn y maes. Wrth drafod ei waith ar yr eisteddfod yng Nghymru a thu hwnt, dywedodd Edwards ei hun nad oedd ei ymchwil ond wedi agor cil y drws ar astudiaeth gynhwysfawr pellach, a ddeuai, efallai, pan syrth grawnsypiau'r sêr, chwedl Evans ac Aled Jones Williams! Dadleua Evans bod y prosiect i sefydlu a sefydlogi cysyniad awdurdodol o draddodiad ac arferiad theatraidd yn y Gymraeg wedi tueddu i ddehongli theatr fel drama ac i wadu, o ganlyniad, y perfformiadol. Dywed ymhellach taw dangos yn hytrach na dehongli a wnaeth Edwards a hawdd derbyn ei haeriad o feddwl am natur gyfareddol-ddisgrifiadol cyfrolau megis, *The National Pageant of Wales, Codi'r Hen Wlad yn ei hôl: 1850-1914* a *Codi'r Llen*. Mae cyfraniad Evans yn dadlau o blaid datblygu estheteg beirniadol newydd i drin a thrafod y ddrama a'r theatr yng Nghymru, un a all gwmpasu a chroesawu'r aml-hymarus. Breinio'r perfformiad a wna dadl Evans dros theatr *queer*, theatr a rydd y gorau i ddyfodoldeb o blaid ymroddiad synhwyrus i'r presennol, presennol sy'n dathlu'r ymdeimlad o gymuned a gaiff ei feithrin yn ystod gweithred berfformiadol. Nid yw, wrth rheswm, yn dadlau nad aeth y ddrama a'r theatr Gymraeg eto i'r afael â'r cysyniad a'r arfer o berfformio, ond yn hytrach, bod yma le a chyfle i ddatblygu synwyrusrwydd beirniadol newydd a fedrai ofyn, yn wastadol, o'r newydd, beth sy'n digwydd nawr? A nawr? A nawr?

Trwy ddathlu'r ffaith nas cynigiodd Edwards weledigaeth drwy-adl, gyfansawdd o'r ddrama a'r theatr yng Nghymru ei gyfnod, na Chymru ei orffennol, ac na bu iddo chwaith ddarogan dyfodol sicr i'r ddrama a'r theatr yng Nghymru, mae Evans yn datgelu gwir natur a gwerth cyfraniad Edwards i'r maes. Yr hyn a wnaeth Edwards oedd cydnabod feitaliti'r cyfrwng, feitaliti a'i rwymai wrth y presennol yn gymaint yn nermau ei fethiant, neu ei wrth-odiad, i'w ddehongli'n llawn, a'i lawn werthfawrogiad ohono ym moment ei brofi. Ei waddol i ninnau yw'r cwestiwn cyson a bair, wedi distewi ei lais a chilio ei bresenoldeb cyfareddol: beth sy'n digwydd i'r ddrama a'r theatr yng Nghymru nawr? A nawr? A nawr? Yn y nawr hwnnw, mae awr anterth y gyfrol hon.

Wrth drafod yr her o ddirnad ymarfer esthetig penodol ar sail tystiolaeth weledol o berfformiadau a pherfformio'r ugeinfed ganrif gynnar yng Nghymru, cyfeiria Evans at y gyfrol unigryw, *Codi'r Llen*. Trafodir y gyfrol gan Evans o safbwynt y ddadl am freinio'r testun dros y perfformiad neu gynhyrchiad, ond y mae triniaeth Roger Owen o'r un gyfrol yn cyflwyno gweledigaeth herfeiddiol am ei arwyddocâd yng nghyd-destun gweledigaeth ac ymarfer Edwards fel hanesydd yn ogystal ag yng nghyd-destun gweledigaeth Evans o natur hanfodol bresennol y weithred theat-raidd, neu, yng ngeiriau Owen, am arwyddocâd theatr yng nghyd-destun y modd y medrid dod i gwrdd â realiti'r presennol. Mae Owen yn derbyn dadl Brooks bod yna wrthdaro rhwng diddordeb Edwards mewn pynciau diwylliannol, amrywiol, prawf o'i werth-fawrogiad o luosogedd ôl-oleuedig a'i driniaeth o'r cyfryw bynciau yn unol â dull dadansoddol hanesydd goleuedig da. Eto, dadleua Owen bod Edwards yn dewis trin pynciau y mae eu gafael ar y dychymyg yn gwrthweithio methodoleg ei driniaeth resymegol ohonynt. Dadleua bod ganddo ddiddordeb mewn perfformio, yn y celfyddydau ac mewn agweddau ar fywyd cyhoeddus, nodwedd sy'n datgelu rhyw ysfa ynddo i fod yn annheyrngar i'r traddodiad emperaidd-oleuedig.

Hanesydd yn ymddiddori mewn profiadau oedd Edwards, chwedl Owen, ond un na fynnai ddefnyddio dull ffenomenolegol o gyfleu ei ddiddordeb i'w ddarllenwyr rhag ofn llesterio'r berthyn-as honno. Mae ymdriniaeth Edwards o'r ddrama a'r theatr yn dystiolaeth o blaid dadl Evans bod yna dueddiad cyffredinol ymysg ysgolheigion i ddibrisio'r digwyddiad theatraidd ar sail y ffaith yr ystyrir testun yn dystiolaeth gadarn, oesol o natur a hanes y traddodiad perfformiadol yng Nghymru. Mae Owen yn cysegru swmp ei erthygl i'r gyfrol *Codi'r Llen*, a hynny am mai yma, dadleua, y cyflwyna Edwards rhethreg weledol amgen sy'n gwyro'r driniaeth o'r pwnc at y goddrychol, y ffenomenolegol a'r uniongyrcholbresennol. Trwy gydnabod a chyflwyno amwysedd anystywallt y ffotograff i'w ddarllenwyr, cydnabu Edwards rôl ddeongliadol, ddadlenol i hanesyddiaeth ddadadeiledig. Wrth gloi ei gyfraniad, mae Owen yn trafod haeriad Edwards nad oedd y gyfrol ond yn waddol gogleisiol i ysgolheigion y dyfodol mewn modd sy'n dwyn agwedd beirniadol Evans o'r elfen o ddyfodoldeb a welodd yntau ynghlwm â thrafodaethau am y ddrama a'r theatr yng Nghymru i gof. Awgryma Owen y dylid herio'r ddelwedd a baentia Edwards ohono fe'i hun, wedi iddo gyflwyno a chyflawni *Codi'r Llen*, yn syllu'n obeithiol i'r dyfodol, gyda darlun arall ohono'n hawlio cyfanrwydd gweledigaeth y gyfrol a'r ffotograffau rhwng ei chloriau am fod y chwarae llwyfan, yn uniongyrchedd eithaf ei gyflwyno, yn fodd i Edwards ei hun, yn gymaint ag i'r actorion yn ei ffotograffau, afael yn y math o lawenydd a ddeillia o ryddid anheyrngarwch.

Mae cyfraniad Ioan Williams yn cyflwyno gweledigaeth sy'n wrthgyferbyniol i gysyniad Owen ac Evans o wefr a phwysigrwydd y presennol theatraidd neu berfformiadol – dadl sydd, mewn difri, nid yn unig yn hawlio lle i ddyfodoldeb yn hanesyddiaeth y ddrama a'r theatr yng Nghymu, ond yn honni y dylid gwreiddio'r cyfryw ddyfodoldeb yn y gorffennol. Nid presennol sy'n amneidio tua'r dyfodol sydd o ddiddordeb i Williams, ond yn hytrach presennol sy'n llawn gydnabod y cyswllt hanfodol rhwng yr hyn a fu a'r hyn a fydd. Mae ymdriniaeth Williams o'r ddrama a'r theatr hefyd yn wahanol i'r eiddo Evans ac Owen a hynny am nad yw'n ysgaru elfennau gwahanol y cyfanwaith theatraidd mor bwrpasol ffurfiol ag y gwna'r ddau feirniad arall. Does dim dwywaith nad yw'n trafod y busnes o berfformio, a hynny ar raddfa eang ac mewn dyfnder, ond ni ddefnyddia fethodoleg ffenomenolegol wrth wneud. Gellid dadlau nad yw cyd-destun hanesyddol y drafodaeth yn hwyluso dadansoddiad o'r elfennau perfformiadol neu theatraidd ar weithgaredd y mudiad drama oherwydd tawedogrwydd y math o gofnodion ffotograffig a gasglwyd ynghyd yn y gyfrol *Codi'r Llen*. Boed a fo am natur ac ansawdd y dystiolaeth, yr hyn sydd wrth fodd Williams yw dadansoddi effaith a dylanwad gweithgaredd a gweithgarwch y mudiad drama ar ddiwylliant Cymru. Gwna hynny yn bennaf trwy archwilio trafodaeth rhwng deallusion ac ymarferwyr y ddrama a'r theatr yng ngwasg gyhoeddus y cyfnod.

Fe'n cyfeirir yn gynnar yn erthygl Williams at gysyniad y sosiolegydd Edward Shills, bod yna ddwy garfan ymysg deallusion y cyfnod modern, sef y sawl y mae eu gweledigaeth a'u hyfforddiant wedi ei selio ar gysyniad parhaol o gynnydd a'r sawl sy'n wynebu goblygiadau'r newid sydd eisoes wedi eu goddiweddu. Gosodir Edwards yn y categori cyntaf gan Williams a hynny ar sail ei wrthwynebiad i gysyniadau o gadwraeth a cheidwadaeth a oedd wrth wraidd ymdrech a llwyddiant y mudiad drama ac a ymgnawdolwyd i raddau helaeth ym mherson J. Tywi Jones, golygydd y *Darian*, gweinidog yn un o gymoedd y De a dramodydd parod ei wasanaeth i selogion y mudiad drama amatur. Ysgwydd yn ysgwydd ag Edwards, saif Saunders Lewis a D. T. Davies, cynrychiolwyr to newydd o raddedigion prifysgol, tra bod Jones, a Williams ei hun, mi dybiaf, yn ddiogel yng nghanol yr ail gategori. Llwyfanna Williams y drafodaeth ddwys a difyr rhwng arwr cadwraeth, Jones, ar y naill law, ac arwyr cynnydd, Lewis a Davies, ar y llaw arall. Wrth gloi'r drafodaeth, gwnaiff ymgais i rhesymoli a rhesymegu'r hyn a ddisgrifia fel tuedd Edwards i gymryd yn ganiataol mai'r math o gynnydd a gynigid gan Lewis a Davies oedd yr unig ddrws ymwared i genedl a wingai yn hualau diwylliant ceidwadol y capeli Ymneilltuol. Awgryma Willliams bod Edwards, yn yr 1990au, yn wynebu sefyllfa tra gwahanol i'r hyn a wynebai Jones, dros hanner canrif ynghynt. Bryd hynny, meddai Williams, nid oedd y frwydr yn erbyn seciwlariaeth a dwyieithrwydd eto wedi ei cholli. Gwahaniaeth hanfodol yn yr amgylchfyd diwylliannol, felly, oedd yn gyfrifol am fethiant Edwards i gydymdeimlo â safbwynt Jones, gwahaniaeth a amlygai ei hun yn gymaint yng nghyd-destun cyflwr y ddrama a'r theatr yng Nghymru ag y gwnai yng nghyd-destun statws crefydd a'r iaith Gymraeg. Wedi'r cyfan, erbyn cyrraedd degawd ola'r ugeinfed ganrif, roedd Saunders Lewis wedi gweddnewid statws a natur y ddrama a'r theatr Gymraeg mewn modd nas gellid ond ei ddychmygu ganol yr ugeinfed ganrif. Law yn llaw â cholledion yng ngwaddol ieith-yddol a chrefyddol Cymru, daethai ennillion sylweddol yn natur ei bywyd celfyddydol a hynny yn ganlyniad i weledigaeth drama-taidd Lewis fel y'i mynegir yn ei ddramâu a'i ysgrifau am y ddrama a'r theatr yng Ngymru ac Ewrop fodern.

Wrth gloi ei gyfraniad, cynigia Williams gyd-destun penodol yn gefnlen i wrthodiad Jones o'r gwirioneddau crefyddol, ieithyddol a diwylliannol a oedd i'w amlygu eu hunain yn ystod hanner ola'r ugeinfed ganrif. Dadleua taw'r modd mwyaf cadarnhaol o dde-hongli taerineb Jones i werthoedd oedd yn prysur ddiflannu yw trwy dderbyn natur y byd roedd yn rhan ohono a natur ei ddeall-twriaeth gwrthrychol o'r byd hwnnw. Mae erthygl Williams hefyd yn cynnig mewnwelediad treiddgar i ni i agwedd ar feddylfryd diwylliannol Edwards ar foment penodol yn ei yrfa a'i brofiad. Dichon na allodd Edwards, bryd hynny, groesawu'r argyfwng a wynebai Jones mor gadarn-benstiff, ac na fynnai, chwaith, ymroi i'r cyflwr anghysyrus hwnnw pan fo credoau mwyaf gwaelodol unigolion yn anghyson â'r realiti cymdeithasol sy'n gynyddol ymgnawdoli o'u cwmpas. Ond oni ellir dadlau bod Edwards yntau yn ei ymroddiad i feitaliti'r cyfrwng theatraidd – yn gymaint yng ngoleuni'r hyn a ddywedodd a'r hyn *na* ddywedodd am y maes – yn osgoi perthyn i'r naill na'r llall o gategoriau Shills ond yn hytrach yn gofyn, boed hynny'n betrusgar ac yn ysbeidiol, beth sy'n digwydd nawr? A nawr? A nawr?

Mae cyfraniad Wynn Thomas hefyd yn herio gweledigaeth Evans ac Owen o oruchafiaeth y weithred berfformiadol dros y testun dramataidd ac o wefr digymar y foment greadigol, gymunedol. Rhanna Thomas ganfyddiad Williams o rôl y ddrama a'r drama-taidd mewn proses gymdeithasol, gymhleth a arweiniodd yn ara' deg gydol yr ugeinfed ganrif at newid hanfodol yn niwylliant Cymru. Rhydd Thomas ei fys ar foment o newid yng nghanfyddiad a phrofiad gwleidyddol Cymry'r cyfnod modern. Dadleua bod nofel o eiddo'r dramodydd a'r gohebydd-olygydd Beriah Gwynfe

Evans, *Dafydd Dafis: sef Hunangofiant Ymgeisydd Seneddol* (1898),[8] yn perfformio trawsffurfiad gwleidyddol sy'n arwain at amlygiad o fath newydd ar genedligrwydd. Yn wir, gellir dadlau bod Thomas yn sefyll yn sgwar yn nannedd yr ysgaru a gafwyd gan Owen ac Evans, wrth iddynt drafod y perfformiadol-byw ar y dde a'r dramataidd-destunol ar yr aswy. Wrth drin a thrafod nofel Evans yng nghyd-destun cysyniad Judith Butler am natur berfformiadol ymddygiad cymdeithasol bob dydd, mae Thomas yn dadlau o blaid dehongliad perfformiadol o'r nofel. Wrth rheswm, mae cryn dipyn o ddychan yn nofel Evans ac fe'i amlygir yn ffraeth gan Thomas wrth iddo ddisgrifio cyfres o *faux pas* ieithyddol ar ran Dafis ochr yn ochr â chyfrwystra di-wardd ei wraig, Claudia. Mae'n croesawu cyrhaeddiad Evans wrth iddo lunio nofel sy'n amlygu grym y perfformiadol ar ei mwyaf gwaelodol; fel agwedd ar ymddygiad cymdeithasol, gwâr, neu, yn amlach na pheidio yn achos y nofel hon, digon anwar. Ar yn union yr un pryd, mae hefyd yn feirniadol o ddiffyg haelioni Evans ei hun wrth iddo groesawu dyfodiad y gwleidydd newydd o Gymro tra'n gwingo rhag caniatáu iddo gymar cydradd ymysg merched Cymry! Yn ôl Thomas, cynnyrch cyfnod o chwyldro cymdeithasol oedd *Dafydd Dafis: sef Hunangofiant Aelod Seneddol*, ac yn ystod cyfnodau o'r fath mae metamorffosis cymdeithasol yn datguddio i unigolion oddi fewn i'r gymdeithas eu gallu i drawsffurfio nes bod bywyd ei hun yn berfformiad sydd, yn ei dro, yn galluogi newid o un cyflwr cymdeithasol i un arall. Dyna pam, efallai, awgryma Thomas, y gwnaeth mudiad Cymru Fydd – mudiad â'i fryd ar weddnewid cymdeithas gyda golwg ar genhedlu cenedl newydd – esgor ar nofel theatrig Beriah Gwynfe Evans wrth i'r bedwaredd ganrif ar bymtheg ddirwyn i ben. Tybed hefyd nad dyma pam y bu i'r nofel ddramatig hon adael ei harwr a'i hawdur mewn cyflwr o fraw, wrth iddynt fethu a rheoli hyd a lled y newid ac iddynt weld tyfu patrymau o ymddygiad newydd ymysg y rhyw deg a oedd yn bygwth gwthio'r newid y tu hwnt i'r hyn y gallai naill ai Dafis neu Evans ei dderbyn yn llwyr? Rhagflas o berygl grym y perfformiadol efallai?

Dwy ferch sy'n trin a thrafod gwaith Edwards ar yr Eisteddfod a'r Orsedd, Cathryn Charnell-White a Rowan O'Neill. Yn gyson

ag uchelgais y gyfrol, mae'r ddau gyfraniad yn ymateb yn greadigol
i waith a gweledigaeth Edwards am yr Eisteddfod, y naill o saf-
bwynt hanesyddol a'r llall o safbwynt cyfredol. Mae Charnell-White
yn cyflwyno gweledigaeth o berfformadwyedd yr Orsedd fel y'i
canfyddwyd gan Iolo Morganwg (Edward Williams), gan ddadlau
bod yr elfennau perfformiadol ar yr Orsedd yn hyrwyddo disgwrs
gwrth-Brydeinig a chenedl-ganolog rhwng Williams a'i gyd-Gymry
eisteddfodol. Cyflwynir ddadansoddiad hanesyddol o weledigaeth
ac arferion gorseddol Williams fel ymateb creadigol, ffantasïol
hyd yn oed, i'r arfer o begynu diwylliannol a oedd yn agwedd
mor orthrymus ar gyd-destun ôl-drefedigaethol Prydain ei gyfnod.
Datgymalir gweithgaredd Williams wrth iddo fwrw ati trwy
gyfrwng ei ddefodau gorseddol a'i weledigaeth farddol ehangach;
Barddas, i gyfansoddi naratif hanesyddol, llinol a roddai urddas
i genedl ei greadigaeth. Er y defnyddir dull dadansoddiadol,
hanesyddol gan Charnell-White wrth drin a thrafod cynnyrch a
gweithgaredd Williams, amlygir hefyd yr elfen ddychmygus ar ei
weledigaeth a'i waith a dadleuir bod y cyfryw ddychymyg yn
hanfodol berfformiadol neu theatrig. Mae'r disgrifiad o'r asio
creadigol, rhyfeddol a impiodd ddisgwrs cyntefigiaeth, ynghyd â
disgyrsiau amrywiol anachronistaidd ac ymddangosiadol ang-
hymarus ar gyff y traddoddiad barddol Cymraeg, sef derwydd-
iaeth, Jacobiniaeth, diwinyddiaeth Undodaidd, Dwyreinioldeb,
Saeryddiaeth Rydd ac *Arthuriana*, yn amlygu beiddgarwch cread-
igol Williams, chwedl Charnell-White. Dadleua bod y dychmygus-
rwydd hwn yn cyfrannu at allu disgwrs a ysgogwyd ac a fynegwyd
gan Orsedd y Beirdd i greu yn hytrach na disgrifio. Aiff yn ei blaen
i honni bod disgwrs berfformiadol mewnol yn digwydd trwy
gyfrwng y berthynas rhwng elfennau perfformiadol allanol yr
orsedd – gwisg, safle, ymarweddiad a.y.y.b. – a'r testunau a datgan-
iadau testunol a erys yn dystiolaeth wrthrychol o sgript y ddefod
ehangach.

Yn ôl Charnell-White, creu neu gonsyrio hunaniaeth o gyd-
destun disgyrsiol a wnaeth Williams trwy gyfrwng ei orseddau
a gwerthfawrogwyd hynny gan Edwards. Yr hyn na werthfawr-
ogai Edwards, ychwanega, oedd y modd y bu i gynulleidfaoedd
eisteddfodol Cymru oes Fictoria fewnoli'r disgwrs ymerodrol,

Brydeinig y bu crëwr Gorsedd y Beirdd mor ddiwyd yn ymwrthod
â hi. Yn yr un modd ag y digiodd Edwards wyneb yn wyneb
â delfrydiaeth geidwadol J. Tywi Jones, fe'i cythruddwyd hefyd
gan y modd y bu i orsedd ac eisteddfodau oes Fictoria hyrwyddo
darlun rhamantus o Gymru, gan rhoi i'r Gymraeg ddelwedd iaith
ymadawedig – ymateb taeog i'r canfyddiad Seisnig o farbareidd-
iwch Cymru a bedlerwyd mewn cyhoeddiadau megis y Llyfrau
Gleision (1847) a'u tebyg. Gosod cyd-destun i wrthwynebiad
Edwards i ddelwedd y bardd, yr orsedd a'r eisteddfod yn oes
Fictoria a wneir yn y cyfraniad hwn, ond o ystyried y cyd-destun
a'r gwrthwynebiad hwnnw ar gefnlen y gyfrol at ei gilydd, diddorol
yw gofyn a oes yma rhybudd am beryglon ymroi yn ormodol i
nawr y perfformiadol? Ai methiant neu wrthodiad i gynnal y
disgwrs rhwng testun y ddrama – testunau oedd yn radical ddigon
o safbwynt cynnwys fel y dangosa Charnell-White – a pherfformiad
y digwyddiad theatraidd, a alluogodd i orseddau'r bedwaredd
ganrif ar bymtheg ddirywio, yng ngolwg Edwards, yn ddefodau
gwasaidd o safbwynt gwleidyddol, ieithyddol a diwylliannol?

Dilyna O'Neill hithau'r trywydd eisteddfodol ond er iddi drafod
canfyddiad beirniadol Edwards o eisteddfodau hanesyddol y
ddeunawfed ganrif, cynigia ei dehongliad beiddgar hi'i hun o
arwyddocâd yr eisteddfod i ddyfodol y genedl yn yr unfed ganrif
ar hugain. Dywed O'Neill ei bod am ddefnyddio disgwrs Edwards
yn y maes fel sbardun neu garreg hogi i'w thrafodaeth yn unol ag
ysbryd ac amcan y gyfrol at ei gilydd. Eto, diddorol nodi bod yna
berthynas rhwng ei gweledigaeth hithau o botensial eisteddfodau
cenedlaethol yr unfed ganrif ar hugain i gynnig ymgorfforiad
celfyddydol, rhyngwladol i'r diwylliant a'r iaith Gymraeg ac ym-
rwymiad Edwards i ddatblygu a chynnal yr elfennau celfyddydol
a'r dylanwadau ryngwladol ar eisteddfodau ei gyfnod ei hun. Mae
O'Neill yn cyflwyno trosolwg o wahanol ysgrifau gan Edwards
sy'n trin a thrafod datblygiad hanesyddol yr eisteddfod yn ogystal
â'i gyflwr a'i swyddogaeth yn ystod ei gyfnod yntau. Fframwaith
y drafodaeth yw ymgais Edwards i wneud yr eisteddfod yn faes
astudiaeth ysgolheigaidd er mwyn gwrthweithio dibristod y Cymry
ohoni. Oddi fewn i'r cyfryw fframwaith, cydnabyddir ei feirniad-
aeth o ddiwylliant eisteddfodol y bedwaredd ganrif ar bymtheg hyd

at yr ugeinfed ganrif gynnar. Serch hynny, nodir cyflwyno'r rheol Gymraeg yn 1950 fel trobwynt o safbwynt canfyddiad Edwards o werth diwylliannol yr eisteddfod genedlaethol. Daw'r sylw hwn â ni at drobwynt allweddol yng nghyd-destun erthygl O'Neill a'i datblygiad o weledigaeth anturus o eisteddfodau'r dyfodol. Try O'Neill feirniadaeth ddeifiol Caradoc Evans o'r eisteddfod ar ei ben wrth iddi gyflwyno gweledigaeth amgen o garnifal fel y'i bathwyd gan yr athronydd Hakim Bey, sef math o barth ymreolaethol, celfyddydol dros dro. Mae erthygl O'Neill yn fentrus ac yn eang ei hapêl. Er iddi gyflwyno ei themâu canolog yng nghyd-destun gwaith perthnasol Edwards ar yr Eisteddfod, mae hi hefyd yn mentro ymhellach, o bosibl, na'r un cyfrannwr arall wrth gamu tua'r dyfodol. Mae dilyn ei thrywydd wrth iddi symud, gam wrth gam, trwy wahanol gymalau ei dadl yn heriol i ddarllenydd ond hefyd yn brofiad o ddarganfyddiad gwirioneddol. Gan ddechrau gyda'r cyd-destun cymharol a osodir gan Edwards mewn darlith yn Eisteddfod Genedlaethol Llanelli ar droad y mileniwm, sef bod tranc y Gymraeg yn gyson â thranc cannoedd o ieithoedd yn y byd cyfoes, mae O'Neill yn ein harwain at ddarlith David Crystal, gosodiad celfyddydol Rachel Berwick a pharotiaid llwyth coll y Maypure! Dadleuir o blaid pwysigrwydd cysylltu a chysylltiadau cyhoeddus i barhad ieithoedd lleiafrifol a rhoddir ffigwr creadigol yr artist wrth wraidd y weithred o ddadlenu ieithyddol ar raddfa ryngwladol. Aiff ffigwr yr artist a'r cysyniad canolog o gelfyddydau perfformiadol cyfranogol, cyfryngol newydd â ni i drafodaeth o brosiect celf yn Aberteifi ar gefnlen sylwadau Edwards am arwyddocâd y dref i'r sefydliad Eisteddfodol ei hun. Mae aml i gam arall i'w dadl ac amryw leoliad arall i ymweld ag ef ar hyd y daith ond ar derfyn y dydd, defnyddir gwaith a disgwrs Edwards am yr eisteddfod i resymoli gweledigaeth mentrus ohoni fel parth ymreolaethol dros dro sy'n cynnig ymgnawdoliad celfyddydol o'r iaith Gymraeg trwy gyfrwng celfyddyd ryngwladol. Tipyn o fenter? Chwaethach, tipyn o gamp! A champ y byddai Edwards wedi ei chroesawu'n afiaethus, mi dybiaf.

Mae'r gyfrol yn cloi gyda chyfraniad y golygydd; astudiaeth o waith swmpus olaf Hywel Teifi Edwards, *The National Pageant of*

Wales (2009). Yng ngolwg Anwen Jones, mae'r cyhoeddiad hwn yn brawf di-amod o feitaliti gwaelodol gwaith Edwards a'r waddol anghyflawn, anghymarus y mae wedi ei adael i ninnau. Aiff y cyfraniad i'r afael â chyfres o gwestiynau canolog; pam y bu i Edwards ymroi, ar ddiwedd, ac o bosibl, ar uchafbwynt ei yrfa ysgolheigaidd, i astudiaeth o gyfrwng poblogaidd fel y pasiant, cyfrwng heb y parchusrwydd amlwg a berthyn i ffurfiau eraill ar gelfyddyd destunol neu berfformiadol, yn wir, cyfrwng nad oedd fawr mwy na dawns gwisg ffansi, mawreddog? Boed a fo am hygedredd celfyddydol y cyfrwng ei hun, mae Jones yn dadlau bod i Basiant Cenedlaethol Cymru fwy na'r rhelyw o wendidau a'i bod, o'i chymharu â chynnyrch Louis Napoleon Parker, tad chwedlonol y pasiant Parkeraidd, yn frith o fympwy, rhagfarn, rhamant a rhyfyg! Ymhlith yr anawsterau a nodir gan Jones mae'r tensiynau sy'n clystyru o gylch y tueddiadau imperialaidd a ddadlennir gan y Pasiant, y defnydd o fframwaith Prydeinig i asesu a datgan natur cenedligrwydd Cymreig a'r duedd i ganiatâu i'r Saesneg dra-arglwyddiaethu ar y Gymraeg yn sgript y Pasiant, yn ogystal â gwamalrwydd ei seiliau hanesyddol. Yn wir, mae disgrifiad Wynn Thomas o'r Pasiant yn ei drafodaeth yntau ar nofel ddramatig Beriah Gwynfe Evans yn cyd-fynd gyda gweledigaeth Jones yma. Gresyna Thomas at:

> [d]diniweidrwdd y pantomeim mawr a lwyfannwyd yng nghysgod waliau Castell Caerdydd – diniwedirwydd a ymylai ar dwpdra ar brydiau – yn gwarantu i bwysigion y 'Gymru newydd' (y Gymru ddiwydiannol Saesneg) bod modd creu dolen gyswllt ddiogel rhyngddynt a gorffennol cythryblus eu gwlad. Drwy ddiberfeddu hanes a'i ramantu yn y fath fodd, fe fedrent sicrhau na fyddai ei cenedlgarwch tila'n pergylu eu hymrwymiad i'r Goron, y Sefydliad, y Fyddin, a'r Ymerodraeth Brydeinig.

Ac eto, er gwaetha'r heriau llu sy'n wynebu'r darllenydd modern wrth fynd i'r afael â Phasiant Caerdydd, heriau y mae triniaeth Edwards yn eu cydnabod gydag afiaeth sy'n ein atgoffa o'i agwedd rhadlon tuag at lwyfannu, reiat y cnawd ar feysydd Smithfield, mae Jones yn dadlau bod y Pasiant ac astudiaeth Edwards ohoni yn gyfraniad allweddol i ddisgwrs a gyflwynwyd gan y beirniad ffeministaidd Susan Bennett, ac a gychwynodd ar broses o wedd-newid hanesyddiaeth ar droad y mileniwm. Wrth ateb y cwestiwn, beth oedd a wnelo Pasiant Cenedlaethol Caerdydd â Chymru'r unfed ganrif ar hugain ar y naill law â gwaith Edwards fel hanes-ydd cymdeithasol ar y llall, mae Jones yn dadlau bod gwaith olaf Edwards yn rhoi iddo rôl arweiniol mewn proses a allai draws-ffurfio hanesyddiaeth yr unfed ganrif ar hugain yng Nghymru. Honna Jones i Edwards ddewis cysegru ei gyfrol olaf i'r pasiant, ac i Basiant Cenedlaethol Caerdydd yn benodol, *am* ei fod yn eith-redig, yn israddol, yn gelfyddyd eilradd – y gynulleidfa yn oddefol, y gelfyddyd yn wan, y methodoleg hanesyddol yn wamal ac, ar ben hynny, yn ymgorffori agweddau dadleuol ar bersonoliaeth Rhoscomyl, y Pasiant-feistr ei hun, imperialaeth, misogynistaeth a thuedd i fawrygu agweddau barbaraidd bywyd. Mae cyfraniad Jones yn rhoi clo ar gyfrol sy'n hawlio pwysigrwydd newydd i waith Edwards ar sail ei rychwant a'i amrywiaeth amlharus gan ddadlau, fel y gwna holl gyfranwyr y gyfrol, ei fod yn gyfredol berthnasol, nid yn y bedwaredd ganrif ar bymtheg, na'r ugeinfed chwaith, ond yn hytrach nawr a nawr a nawr.

Nodiadau

[1] Tegwyn Jones a Huw Walters (goln), *Cawr i'w Genedl: Cyfrol i Gyfarch yr Athro Hywel Teifi Edwards* (Llandysul: Gwasg Gomer, 2008).

[2] Hywel Teifi Edwards, 'Sydd yn Gelwydd Oll? Hywel Teifi a dramâu dewrder a malais', *Golwg*, 20 (1990), 21.

[3] Hywel Teifi Edwards, *Yr Eisteddfod: Cyfrol ddathlu wyth ganmlwyddiant Yr Eisteddfod, 1176–1976* (Llandysul: Gwasg Gomer, 1976).

— *Baich y bardd* (Llandysul: Gwasg Gomer, 1978).

— *Gŵyl Gwalia: Yr Eisteddfod yn oes aur Victoria 1855–1868* (Llandysul: Gwasg Gomer, 1980).

— *Yr Eisteddfod Genedlaethol a Phwllheli 1875, 1925 a 1955* (Pwllheli: Clwb y Bont, 1987).

— *Codi'r Hen Wlad yn ei Hôl: 1850–1914* (Llandysul: Gwasg Gomer, 1989).

— *Codi'r Llen* (Llandysul: Gwasg Gomer, 1998).

— *Llew Llwyfo: Arwr Gwlad a'i Arwrgerdd* (Llanrwst: Gwasg Carreg Gwalch, 1999).

— *The National Pageant of Wales* (Llandysul: Gwasg Gomer, 2009). Am lyfryddiaeth llawn, gweler Tegwyn Jones a Huw Walters (goln), *Cawr i'w Genedl: Cyfrol i Gyfarch yr Athro Hywel Teifi Edwards* (Llandysul: Gwasg Gomer, 2008), tt. 283–304.

4   Simon Brooks, *O Dan Lygaid y Gestapo* (Caerdydd: Gwasg Prifysgol Cymru, 2006).

5   Hywel Teifi Edwards, 'Sydd yn Gelwydd Oll?', 21.

6   Hywel Teifi Edwards, 'Lloi Pasgedig Smithfield', *Golwg*, 17 (1990), 22.

7   Hywel Teifi Edwards, 'Sydd yn Gelwydd Oll?', 21.

8   Beriah Gwynfe Evans, *Dafydd Dafis: sef Hunangofiant Ymgeisydd Seneddol* (Gwrecsam: Hughes a'i Fab, 1898).

1

Ymlaen mae Canaan: Dyfodoldeb yn Hanesyddiaeth y Theatr Gymraeg

Gareth Llŷr Evans

Yn y ddrama *Ta-ra Teresa* gan Aled Jones Williams, ar noswyl achlysur priodas ei mab Robat Hefin, mae Eirwen, dynes weddw ganol oed, yn ymbilio'r geiriau canlynol i'r nos:

> Dwi isio marw withia. Dwi isio mynd yn ôl i ddoe er mwyn i mi ga'l newid rhei petha. A phan syrth grawnsypiau'r sêr. A dwi isio i chi ofalu 'i bod hi'n noson ola' leuad iddyn nhw. Y lleuad wen fel tu mewn i gragen wystrysen. Fel petai'r byd heb wae na dwyfol drasiedi.[1]

'A phan syrth grawnsypiau'r sêr': brawddeg hyfryd. A 'phan': rhagenw amodol ond eto sydd yn llawn addewid; yn gaddo cynhaeaf, ffrwythlondeb a digonedd. Ystum o atgenhedlu ac o barhad yn ymestyn tuag at y dyfodol ac at yr hyn sydd i ddod. Ond yn wahanol i gadernid diriaethol wystrysen a'i gwynder a chnydau a thyfiant, efallai, mae cynhaeaf a ddaw o'r sêr yn wahanol: yn dod o du hwnt i'r byd, yn haniaethol, yn amwys, a dragwyddol du hwnt i'w gafael.

Cyflwyniad

Mae'r bennod hon am y presennol. Nid presennol ei hysgrifennu; nid presennol ei hawdur o flaen ei gyfrifiadur ac nid y presennol fel cyflwr amseryddol penodol. Ond y presennol fel lleoliad; y presennol sy'n dynodi'r fan hyn – y pwynt sy'n tragwyddol fodoli ar y dibyn rhwng gorffennol llinol gorffenedig, a photensial amwys di-ben-draw aml-lwybrog y dyfodol sydd o hyd ar gychwyn. Yn ogystal â bod am y presennol, mae'r bennod hon yn bennaf am theatr, am ddrama, ac am berfformio. Yn benodol, am theatr, am ddrama, ac am berfformio yn y Gymraeg. Mae'r bennod hon hefyd am hanes ac am hanesyddiaeth. Am dynghediaeth. Am ddyheu. Am chwant. Am bleser. Sosialaeth a theori *queer* a ffuglen wyddonol. Am ffalasi y drefn symbolaidd ac am beryglon breinio'r plentyn fel eicon. Hefyd, efallai, trwy hyn oll, mae'r bennod hon am obaith.

Nid wyf yn nodi hyn i gyd ar y cychwyn er mwyn eglurdeb nac er mwyn mapio'r ddadl fydd maes o law yn cael ei datgelu gair wrth air, brawddeg wrth frawddeg, paragraff wrth baragraff. Fy ngobaith, nawr, yma, trwy'r geiriau hyn, yw mynnu mwy o'r presennol. Gareth 'dwi. Ac rwy'n perfformio fy hun ar eich cyfer, ac yn eich cyfarch yn uniongyrchol fel ein bod yn cydnabod ein gilydd o'r cychwyn. Erbyn i chi ddarllen hwn, fe fyddaf yn gaeth i hanes; bydd presennol ysgrifennu'r geiriau hyn wedi hen fynd heibio, gan adael dim ond adfeilion ar ddudalen i'w profi ym mhresennol eu darllen. Ond trwy gydnabod o'r dechrau fod yma ymgais i blethu sawl presennol cydamserol i bresennol y ddadl, i bresennol y geiriau hyn ar ddudalen fydd (efallai) yn darlledu eu hystyr i'r dyfodol pob tro y byddent yn cael eu darllen, rwy'n datgan bod ein dyfodol ni'n dau, gyda'n gilydd, o hyd ar fin cychwyn.

Barod?

Yn anad dim, mae'r bennod hon am ddyfodoldeb;[2] y cyflwr o fod yn y presennol tra eto fod yn ymwybodol o'r hyn sydd ar ddod; o ffydd yn addewid a phosibilrwydd y dyfodol. Byddaf yn dadlau bod dyfodoldeb wedi bod yn elfen greiddiol y prosiect tymor hir i sefydlu traddodiad ac arferiad theatraidd yn y Gymraeg, ac yn benodol fel rhan o brosiect i sefydlu traddodiad dramataidd; traddodiad sydd ran amlaf wedi ystyried y cysyniad o theatr i fod yn gyfystyr â drama. O ganlyniad, byddaf yn awgrymu bod y cysyniad hanesyddiaethol o theatr yn y Gymraeg wedi'i gyfyngu gan yr angen i'w blethu â'r ddrama, a bod parhad y cyplysiad diog o theatr a drama yn llesteirio. Gan ystyried y theatr fel arferiad perfformiadol yn hytrach nag un dramataidd, byddaf yn awgrymu bod gogwydd amgen, ymylol a *queer*, o bosib yn fwy buddiol ar gyfer arferiad celfyddydol sydd yn ei hanfod yn ymwrthod â'r angen i fodoli yn unrhyw le ond y presennol.

Hywel Teifi Edwards

Nid damcaniaethydd theatr oedd Hywel Teifi Edwards. Er ei bwysigrwydd, ei statws a'i gyfraniad diymwad i'r prosiect parhaus o gofnodi a chloriannu cofnod hanesyddol o'r ddrama Gymraeg, amlygu yn hytrach na dadansoddi'r hanes a wnaeth yr hanesydd. Nid beirniadaeth yw hyn, ac fe gredaf mai'i gyfraniad mwyaf i faes hanes theatr a drama yng Nghymru yw ei fod wedi arloesi am iddo sefydlu cyd-destun priodol ar gyfer gwaith haneswyr ac academyddion a ddaeth ar ei ôl. Cyfyngedig oedd ei waith oedd yn ymdrin yn uniongyrchol â'r theatr, yn benodol *Codi'r Llen*[3] ac *Wythnos yn Hanes y Ddrama yng Nghymru*.[4] Ond oblegid ehangder ac ystod ei waith fel hanesydd gellir darllen y cyfrolau hyn, ynghyd â'i agwedd tuag at bwysigrwydd y theatr, fel rhan o brosiect hanesyddiaethol ehangach: prosiect oedd yn creu cyd-destun diwylliannol, gwleidyddol a chelfyddydol ar gyfer lleoli hunaniaeth Gymreig fodern. Trwy olrhain ei waith cychwynnol ar y theatr, gallwn ystyried Edwards fel y ffigwr a lwyddodd i sefydlu ystod hanesyddiaethol ar gyfer cofnodi hanes y theatr Gymraeg yn ei gyfanrwydd.

Er ni fu iddo gynnig 'dadansoddiad' fel y cyfryw o'r theatr Gymraeg, fe lwyddodd fwy nag unrhyw hanesydd arall i ddangos yn union y cyd-destun hanesyddol a esgorodd ar arferiad theatr Gymraeg, a hynny'n llythrennol yn *Codi'r Llen*. Sylwedd y gyfrol yw casgliad o wahanol luniau, yn cloriannu gweithgarwch theatraidd yng Nghymru o ddiwedd y bedwaredd ganrif ar bymtheg hyd yr 1950au. Nid yn unig ceir yma gofnod o ddiwylliant theatraidd, ond hefyd o arferiad cymdeithasol; ceir mwy o luniau o aelodau cwmnïau drama wedi'u gosod yn daclus mewn rhesi o flaen y camera na cheir o unrhyw gynyrchiadau, er bod rhai yn eistedd mewn gwisgoedd a cholur, ac er bod rhai o'r lluniau yn dangos y cwmni o flaen set eu cynhyrchiad. Yn ddieithriad, mae'r lluniau wedi'u cymryd o'r blaen, gyda'r cwmni yn eistedd yn wynebu tuag at lens y camera. Maent wedi'u gosod fel ein bod yn eu gweld trwy brosceniwm y llwyfan, hyd yn oed pan nad ydynt yn perfformio.

Er amrywiaeth y lluniau a geir yn *Codi'r Llen*, anodd yw ceisio manylu ar nodweddion arddulliadol y cyfnod. Gan gofio mai amaturaidd oedd y mwyafrif o'r gweithgarwch theatraidd yn y Gymraeg hyd ail hanner yr ugeinfed ganrif, hawdd yw diystyru'r ffurf amlygir yn y gyfrol fel un cyntefig ac anghynnil. Gellir gweld y llinyn sy'n clymu'r barf, y dodrefn fflat wedi'u peintio ar gefnlen, ac mae wynebau'r actorion yn aml wedi'u cuddio gan haen o golur trwchus. Yn y lluniau sy'n dogfennu ennyd o berfformiad, mae cyrff y perfformwyr yn aml yn lletchwith; yr ystumiau corfforol wedi'u gorliwio rhyw ychydig, y cyhyrau yn cael eu dal yn rhy dynn i fod yn naturiol, a gwelwn nifer o gegau yn gegrwth mewn syndod melodramataidd.

Yr hyn sy'n gyffredin am y lluniau, fodd bynnag, yw eu bod i gyd yn cofnodi perfformiadau dramataidd. Hynny yw (gan gyffredinoli), yr arferiad o lwyfannu testun sydd ag iddo blot a chymeriadau, gyda'r llwyfan wedi'i boblogi gan ffigyrau sydd yn adrodd geiriau wedi'u hysgrifennu gan y dramodydd ac yna wedi'u dysgu gan yr actorion. Er nodir teitl cynhyrchiad islaw pob llun, gan mai casgliad o luniau llonydd a geir yn *Codi'r Llen*, gyda'r mwyafrif ohonynt ddim hyd yn oed yn luniau o berfformiadau, mae'r sgriptiau a'r union sefyllfaoedd dramataidd sy'n gynsail i'r delweddau yn bennaf yn absennol. Y cwbl sydd ar ôl yw arwyddion sydd yn cyfeirio at y digwyddiad theatraidd; ynteu yn ennyd y digwydd, neu gan i'r cwmni ddod ynghyd i goffáu'r cynhyrchiad trwy dynnu llun, cyn neu ar ôl y perfformiad.

Gellir ystyried y cofnod hanesyddol a geir yn *Codi Llen* i fod felly yn gydgymeriad o unrhyw weithred theatraidd sy'n seiliedig ar lwyfannu testun dramataidd. Fel y gyfrol, gallwn afael yn y testun dramataidd yn ein llaw, ac er iddo fod yn ymddangosiadol yn debyg i'r hyn ddychmygwn oedd neu a fydd y peth go iawn, nid yw'n gyfystyr â'r digwyddiad.

Fel unrhyw sgript ddramataidd, mae semioteg y ddogfen yn awgrymu sut beth fydd y digwyddiad neu sut beth oedd y digwyddiad, ond ni fydd byth yn llwyddo i gyfleu'r wefr neu'r pleser o'r hyn oedd neu bydd y digwyddiad theatraidd byw.

Yn ei ragymadrodd, nodai Edwards, bod 'yr angen am ymdriniaeth gynhwysfawr gyhoeddedig â'r ddrama Gymraeg hyd at ddiwedd yr 1950au, yn dal heb ei gyflenwi'. Aiff ymlaen i ofyn, 'Am ba hyd, tybed, y bydd yn rhaid dal i aros?'[5] Erbyn hyn gellir ateb: nid yn hir iawn. Ers 1997, bu twf sylweddol yn nifer y cyhoeddiadau sydd nid yn unig wedi llwyddo i gloriannu hanes y theatr Gymraeg hyd nes yr 1950au, ond hefyd wedi cynnig ystyriaeth eang o'i hanes hyd at y presennol ac wedi'i ddehongli mewn amryw ffurf. Yn 2006, cyhoeddwyd cyfrol Ioan Williams, *Y Mudiad Drama yng Nghymru 1880–1940* gan gyflawni'r dyhead am 'ymdriniaeth gynhwysfawr'. Ymysg y corff arwyddocaol o gyhoeddiadau eraill sydd wedi dadansoddi'r theatr Gymraeg, byddwn yn ystyried *Ar Wasgar: Theatr a Chenedligrwydd yn y Gymru Gymraeg 1979–1997* gan Roger Owen (2003), *National Theatres in Context* gan Anwen Jones (2007), a chyfrol golygedig Hazel Walford Davies, *Y Theatr Genedlaethol yng Nghymru* (2007). Er ei gyhoeddi yn 1995, ac felly cyn yr her a osodwyd gan Edwards, dylid ystyried *Saunders Lewis a Theatr Garthewin*, eto gan Hazel Walford Davies, fel cyhoeddiad arall o bwys yn y grŵp cyfyngedig ond arwyddocaol hyn o gyhoeddiadau sy'n ymdrin â hanes y theatr Gymraeg.[6] O ganlyniad i'r holl gynnyrch gymharol newydd yma, gellir datgan bod yna bellach gofnod hanesyddol hygyrch, cynhwysfawr, dadansoddol ac awdurdodedig o'r theatr Gymraeg, a hynny o'i ddechreuad.

Gan fod cyfoeth o gyhoeddiadau wedi dod i glawr yn ystod yr ugain mlynedd diwethaf, mae modd bellach ffurfio naratif sy'n cloriannu datblygiad y theatr Gymraeg. Fodd bynnag, diffinnir yr hanes gan naratif cymharol syth a llinol; mae'r cyfrolau uchod i gyd yn unigol yn goleuo gwahanol ogwyddau a chyfnodau o'r hanes, ond ymddengys eu bod i gyd yn perthyn i'r un naratif hanesyddol. Dyma yw canlyniad hanesyddiaeth y theatr Gymraeg; dim ond un stori sydd i'w hadrodd, a gallwn olrhain y stori o'r presennol yr holl ffordd yn ôl i'r cychwyn yn 1880.

Yn ei bennod 'Towards National Identities: Welsh Theatres' yn y *Cambridge History of British Theatre*,[7] mae Ioan Williams yn cynnig tacsonomeg ar gyfer y naratif trwy'i rannu i dri chyfnod gwahanol: Y Mudiad Drama (1911–39), Theatr o Gonsensws Cenedlaethol (1949–76), a chyfnod y Trydedd Theatr (1976–90). I grynhoi, yn fyr: roedd cyfnod y Mudiad Drama yn bennaf yn un amatur ac mae Williams yn pwysleisio yn ei gyfrol o 2006 bod y symbyliad cymdeithasol tros sefydlu cwmnïau a gwyliau drama'r un mor bwysig i'r mudiad ag oedd unrhyw uchelgeisiau esthetig neu gelfyddydol.[8] Roedd cyfnod y Theatr o Gonsensws Cened-laethol yn un o broffesiynoli ac aeddfedrwydd, gan gyrraedd uchafbwynt yn llwyddiannau Cwmni Theatr Cymru yn yr 1970au. Am y tro cyntaf, roedd yma gwmni theatr genedlaethol lwydd-iannus a phoblogaidd, gyda'i arlwy wedi'i ffurfio gan ganon o weithiau dramataidd yn y Gymraeg, gan gynnwys cynyrchiadau o glasuron y canon Ewropeaidd wedi'u cyfieithu i'r Gymraeg. Yn olaf, dynodwyd cyfnod y Trydedd Theatr gan foddau theat-raidd oedd yn rhoi llai o bwyslais ar y testun ac ar gonfensiynau dramataidd, ac yn hytrach yn blaenoriaethu'r perfformiadol. Yn lle cyfleu ffuglen, roedd yma fwy o bwyslais ar bresenoldeb corfforol, ar y defnydd o lais, ynghyd â chydnabyddiaeth o'r digwyddiad perfformiadol fel un cyfranogol oedd yn cynnwys pawb sy'n bresennol yn y gofod perfformio. Cyfeirir yn aml at waith cwmni Brith Gof fel yr enghraifft amlycaf o esthetig a ffurf cyfnod y Trydedd Theatr.

Rwy'n cydnabod fod y grynodeb uchod yn cyffredinoli'n eofn. Fodd bynnag, mae'n amlygu rhai agweddau arwyddocaol o'r cofnod hanesyddol. Yn gyntaf, mae'r cyfnodau'n dynodi'r hyn oedd yn 'brif ffrwd' yn ystod y blynyddoedd dan sylw; at hynny, ymddengys na fu yma ymarfer ymylol neu arbrofol. Yn wir, lle bu cyfnod theatr arbrofol yn Gymraeg yn ystod yr 1980au a'r 1990au, roedd y gweithgarwch yn ganolog i weithgarwch theatraidd cened-laethol, yn hytrach na'n bodoli ar y cyrion. Yn ail, byr iawn – o gymharu ag unrhyw draddodiad theatraidd tu hwnt i Glawdd

Offa – yw'r arferiad theatraidd Cymraeg. O ganlyniad, ac yn drydedd, prin yw'r dystiolaeth bod traddodiad dramataidd cadarn wedi'i sefydlu ar hyd y tri chyfnod. Maent yn bodoli bron yn annibynnol, heb wneud fawr o ddefnydd o destunau neu gonfensiynau ac arferiadau'r cyfnodau blaenorol.

Credaf bod un elfen gyffredin ymhob un o'r cyfnodau, fodd bynnag, sef yr ysfa i sefydlu theatr a thraddodiad theatraidd a fyddai rywfodd yn un cenedlaethol. Nid yw hyn o reidrwydd yr un peth â cheisio sefydlu cwmni cenedlaethol, ond efallai'r un yw'r symbyliad: i greu arferiad theatraidd, sydd a'i ddull a'i ganon ei hun a hynny yn y Gymraeg. Yn ogystal, roedd yr ymdrechion i sefydlu arferiad theatraidd Cymraeg yn seiliedig ar awydd i efelychu ffurf theatraidd oedd eisoes yn bodoli ac yn boblogaidd yn Lloegr ac yn Ewrop. Gellir ystyried tri chyfnod hanes y theatr Gymraeg fel cyfres o brosiectau ailadroddol; ac er eu llwyddiannau unigol, nodweddir yr hanes gan anallu a methiant y mudiadau i sefydlu neu gynnal unrhyw arferiad neu draddodiad tymor hir cymharol.

Erbyn hyn, ymddengys mai 'blip' hanesyddol oedd cyfnod y Trydedd Theatr, gan fod y theatr Gymraeg ers 1990 yn bennaf wedi dychwelyd i gofleidiad cyfarwydd y testun dramataidd. Nid amhriodol yw hynny, efallai, gan gofio llwyddiannau sylweddol Cwmni Theatr Cymru a'r modd bu iddo lwyddo trwy efelychu'r arferiad dramataidd prif ffrwd Brydeinig ac Ewropeaidd. Ategwyd pwysigrwydd y ddrama yn arlwy Theatr Genedlaethol Cymru dan arweinyddiaeth Cefin Roberts hyd 2010, gan i'r cwmni gynnig rhaglen o ddramâu – 'clasuron', cyfieithiadau, a rhai newydd – oedd nid yn annhebyg i'r un gynigwyd gan Gwmni Theatr Cymru dan arweinyddiaeth Wilbert Lloyd Roberts.

O fewn y ddadl bresennol, mae llwyddiant Cwmni Theatr Cymru yn arwyddocaol gan fod y cofnod hanesyddol yn awgrymu mai dyma oedd cyfnod euraid y prosiect theatr genedlaethol yng Nghymru, gan gynrychioli efallai uchafbwynt gwireddiad amryw brosiectau'r hanes ar ei hyd. Am y tro cyntaf cafwyd cwmni theatr gydnabyddedig genedlaethol yn cyflwyno'n hyderus corff o waith oedd yn perthyn i ganon cydnabyddedig o destunau dramataidd. Ond hyn yn oed bryd hynny, cymharol fyr bu ei lwyddiant.

Perfformio Presennol Theatr y Gorffennol

Os bu prosiectau'r theatr Gymraeg yn gyfres o 'fethiannau', oes modd mentro mai camsyniad yw'r gred mai'r ddrama destunol yw priod ffurf y theatr Gymraeg? Yn wir, mae addewid y ddrama destunol o hyd yn bodoli mewn rhith amseryddol; gall y geiriau sydd wedi'u cofnodi ar bapur fod yn ddogfen sy'n dyst o'r perffformiad theatraidd sydd eisoes wedi digwydd, ac ar yr un pryd maent hefyd yn cynnig map ar gyfer ei ail-greu a'i ail-wysio yn y dyfodol. Mae'r ddrama destunol yn symbol teilwng, efallai, o'r cysyniadau cymhleth sy'n ymddangos i fod yn gynsail i'r theatr Gymraeg rhithiol, o hyd yn bodoli rhwng dau fyd, rhwng yr atgof a'r gobaith am wireddiad ddyfodolgar.

Nid difrïo'r ddrama lwyfan yw'm bwriad. Wedi'r cyfan, mae'r ddrama – fel arferiad diwyllianol a chymdeithasol – yn atyniadol ac yn ddealladwy gan ei fod fel ffurf yn cynnig cyfle i adlewyrchu'r byd. Ni olygaf hyn yn themataidd neu'n drosiannol, nac mewn modd Brechtaidd lle ystyrir y llwyfan i fod yn ofod gwleidyddol lle gellir codi drych yn ôl at gymdeithas. Yn hytrach, ystyriaf yr 'adlewyrchiad' yma i fod yn efelychu, ble mae semioteg arwyddion y llwyfan yn cydymffurfio â'r hyn ddeallir i fod yn unol â bywyd go iawn. O ganlyniad, mae confensiynau'r theatr ddramataidd yn deillio o ddisgwyliad bod byd y llwyfan yn gweithredu'n ôl yr un rheolau â'r byd real.

Awgrymir bod y Mudiad Drama[9] wedi gwir dwyn ffrwyth ar ôl llwyddiant poblogaidd cyfres o addasiadau o nofelau Daniel Owen. Yn y dramâu hyn, gellir dirnad egwyddorion theatraidd sydd efallai yn parhau i daflu'u cysgod, er iddynt bellach ymddangos yn hynafol a chyntefig. Yn nhudalennau blaen addasiad J. M. Edwards o *Rhys Lewis*,[10] ceir 'Cyfarwyddiadau'; pymtheg o ganllawiau ar gyfer llwyfannu a pherfformio'r ddrama. Nid ydynt yn gyfarwyddiadau sy'n awgrymu theatr naturiolaidd o bell ffordd, ond maent fodd bynnag yn gyfarwyddiadau sy'n awgrymu y dylid efelychu'r hyn sy'n ymddangos yn real: 'Na safed neb fel dyn pren, neu un wedi ei windio. Gwneler popeth yn *true to nature*, a phob symudiad yn naturiol' (t. v). Ategir natur beunyddiol y ddrama yn y cyfarwyddiadau eraill: dylai'r perfformwyr ymddangos yn gartrefol, 'fel ar yr aelwyd'; dylent gadw eu hwynebau tuag at y gynulleidfa; dylent lefaru'n hyglyw, ond 'yn bwyllog a heb frys', gan mai 'pechod parod y dibrofiad yw siarad yn gyflym'; dylai pob actor dalu sylw i'r hyn ddyweded gan y cymeriadau eraill. Pwysleisir hefyd mai '[p]obl lanwaith oedd yr hen Gymry – portreadir hwy felly ar y llwyfan' (t. v).

Nid wyf yn rhestru'r cyfarwyddiadau hyn er mwyn bod yn ddilornus[11] ohonynt nac o arddull y cyfnod. Er iddynt bellach ymddangos yn hynod o rwystredig ac yn gyntefig, mae'n debygol eu bod wedi bod yn ddefnyddiol a hyd yn oed yn allweddol ar ddechrau cyfnod o ffurfioli arferiad diwyllianol newydd. Yn wir, gellir ystyried nifer o'r awgrymiadau bellach i fod yn gwbl hunan-amlwg, er eu symlrwydd trwsgl. Diddorol hefyd yw bod y cyf-arwyddiadau yn gwrthddweud ei gilydd, gan fod y ddrama lwyfan yn creu problem na ellir mo'i datrys gan gyfarwyddiadau o'r fath. Er pwysleisio'r angen i fod yn 'wir i natur', mae hynny'n amhosib pan ddisgwylir i berfformwyr fynegi'u hunain yn eiriol mewn cyfrwng sydd yn mynnu bod y weithred yn wastadol yn cael ei fframio fel anwiredd annaturiol. At hynny, esblygodd y ddrama Gymraeg i oresgyn cyfyngiadau ymddangosiadol cyfarwyddiadau o'r fath, gan lwyddo i fynegi testunau ac arddulliadau llawer mwy cymhleth, cywrain a ffurfiol; ni fyddai disgwyl i unrhyw ddrama ddiweddar neu gyfoes gael ei berfformio yn dilyn yr un con-fensiynau.

Ond eto, teimlaf fod yma gnewyllyn cyfres o ragdybiaethau sy'n parhau i ddylanwadu ar y modd poblogaidd ystyrir yr hyn y dylai theatr fod. Mae hyn yn ein camarwain i ystyried bod y 'theatr' yn gyffredinol yn gyfystyr â'r ddrama lwyfan. Hyd yn oed mewn cynhyrchiad sy'n (gan ddefnyddio'r ystrydeb) 'arbrofol' efallai, rhith confensiynau'r ddrama sydd wrth wraidd unrhyw linyn mesur beirniadol. Adlewyrchir disgwyliadau cynulleidfa nid yn unig yn arddull y llwyfannu, ond yn fwy sylfaenol yn nramatwr-giaeth y theatr a'r modd y mae'n gweithredu fel digwyddiad. Rhagflaenir yr arferiad o efelychu'r profiad o fod yn y byd gyda phobol eraill, a hynny mewn modd lled-adnabyddus. Teimlaf fod y disgwyliadau hyn, efallai, hyd yn oed yn fwy sylfaenol na'r drindod Aristotelaidd o weithred, lle ac amser, gan fod y cysyniad o estheteg drama lwyfan yn seiliedig yn bennaf ar arddull yn hytrach na ffurf; o gyrff ar lwyfan yn cyfathrebu gyda'i gilydd trwy gyfrwng geiriau, yn hytrach na thrwy ymwybyddiaeth o strwythurau mewnol y 'ddrama dda'. Nid beirniadaeth mo hyn, ond ymgais i nodi hanfodion; byddai tensiwn dramataidd unrhyw ddrama (yr elfen ddramataidd yn y ddrama) yn deillio o densiynau a ddaw i'r amlwg trwy gyfathrach ryngbersonol a fynegir trwy gyfrwng geiriau gan y cyrff sy'n poblogi'r llwyfan.

Beth felly a ystyrir yn 'theatr'? Pobol yn siarad â'i gilydd ar lwyfan, a hynny o flaen cynulleidfa. Hyd yn oed trwy'i ddisgrifio yn y termau symlaf, gellir cydnabod rhagdybiaethau'r theatr ddramataidd. Gan fod y perfformwyr mewn gofod sydd wedi'u benodi fel un gwahanol i un y gynulleidfa, awgrymir eu bod yn preswylio mewn gofod gwahanol, yn gorfforol neu'n amseryddol. Rydym yn adnabod yr anwiredd. Maent yn gyrff go iawn ond rydym yn cymryd eu bod yn cynrychioli cyrff eraill: mae yma gymeriadau. Yn barod, mae'r digwyddiad yn gweithredu yn ôl rheolau sy'n mynnu dealltwriaeth o drosiadau fyrdd: mai ffuglen sydd yma, nad pobol na gweithredoedd real sydd yma, ac mae'u bodolaeth yn ddibynnol ar allu'r gynulleidfa i'w cyd-destunoli a'u cydnabod yn drosiadol ac yn gynrychiadol. Yn ogystal, rhaid cydnabod eu harwyddocâd a'u swyddogaeth o fewn strwythur y digwyddiad yn ei gyfanrwydd; ynteu fel rhan o naratif, yn themataidd, neu hyd yn oed yn symbolaidd. Mae confensiwn y ddrama lwyfan destunol felly yn gorfodi'r gwyliwr i dderbyn ffalasi'r digwyddiad fel un real. Ategir hyn gan Keir Elam yn ei gyfrol *The Semiotics of Theatre and Drama*:

> Dramatic worlds are hypothetical 'as if' constructs, that is, they are recognized by the audience as counterfactual (i.e. non-real) states of affairs but are embodied *as if* in progress of the actual here and now'.[12]

Yn ogystal â'r rhagdybiaethau uchod sydd yn rhan o ffwythiant y ddrama lwyfan, credaf fod haen gydnabyddol ychwanegol yn bresennol pan gynhelir y digwyddiad trwy gyfrwng iaith leiafrifol. Os yw'r gallu i dderbyn byd y llwyfan yn seiliedig ar ddealltwriaeth bod realaeth byd y ddrama yn cyfateb i'n dealltwriaeth o'r byd go iawn, bydd yr ennyd hunan-gydnabyddol llawer mwy grymus os yw'r cymeriadau ar y llwyfan hefyd yn rhannu elfen amlwg o hunaniaeth y gynulleidfa. Tra bod y gynulleidfa Gymraeg yn byw o ddydd i ddydd mewn byd ble mae'r iaith yn un lleiafrifol, gall byd ffuglen y ddrama ymddangos fel un ddi-os ble mae'r byd yn gyfan gwbl yn y Gymraeg. Gan gymryd bod y theatr Gymraeg o'r cychwyn wedi anelu i arwyddocáu diwylliant cenedlaethol Cymreig, trwy dderbyn y ffuglen fimetig sydd o'n blaen, gall y theatr gynnig gweledigaeth iwtopaidd.

'Yr ydych yn awr yn un o chwaraedai Theatr Genedlaethol Cymru'

Yn *Wythnos yng Nghymru Fydd*,[13] cyfrol ffuglen wyddonol Islwyn Ffowc Elis a gyhoeddwyd yn gyntaf yn 1957, ceir dau ddarlun o Gymru'r dyfodol. Mae Ifan Powell yn teithio ddwywaith o Gymru 1957 i Gymru 2033, gyda'r daith gyntaf yn ei arwain i baradwys iwtopig sosialaidd heddychlon ble mae iaith a diwylliant Cymraeg wedi ffynnu, a'r ail yn ei arwain i amharadwys dystopig ble mae'r iaith Gymraeg a phopeth Cymreig, ynghyd â Chymru gyfan, wedi mynd yn angof a bellach yn bodoli fel 'Gorllewin Lloegr'.

Wedi'i chyhoeddi gan Blaid Cymru, mae modd dehongli'r nofel fel mynegiant mewn ffuglen o faniffesto'r blaid ac fe wneir hynny'n amlwg trwy gyfrwng arddull naratif Elis. Wrth i Ifan deithio trwy Gymru, ceir enghreifftiau niferus lle disodlir arddull led-naturiolaidd y gyfrol gan areithiau maith sy'n esbonio'r modd mae busnesau a sefydliadau yn gweithredu yn y Gymru fydd iwtopig, gan gynnwys cwmnïau brics a llechi, addoldai, tai bwyta, a gwaith coed, dim ond i enwi rhai. Gofynnir i Hywel, goruchwyliwr Hufenfa Meirion, 'Hywel, eglurwch dipyn ar waith yr Hufenfa i Ifan'.[14] Ceir yna ddisgrifiad maith tros ddwy dudalen o fodelau busnes llwyddiannus cwmnïau llaeth a chig Cymru 2033. Er effeithiolrwydd y gyfrol fel cyfrwng ar gyfer mynegi gweledigaeth wleidyddol benodol (ac mi dybiaf, un sydd hefyd yn hynod o atyniadol i'w darllenwyr) mae'r modd mynegir *minutiae* polisïau economaidd yn hynod o drwsgl. Fel nofel *genre*, mae plotio rhan olaf anturus y nofel yn llawer mwy cyffrous, yn rhannol gan nad oes bellach angen atal llif y naratif er mwyn manylu ar bolisïau llywodraethol.

Er mor glogyrnaidd yw'r darnau disgrifiadol hyn, mae manylder y disgrifiadau yn ddiddorol, yn rhannol efallai gan ein bod, blwyddyn wrth flwyddyn, yn agosáu at 2033. Wrth i'n presennol agosáu at flwyddyn Cymru fydd Elis, mae modd ystyried y gyfrol nid fel maniffesto iwtopaidd ar gyfer y dyfodol sydd dri chwarter canrif i ffwrdd, ond fel glasbrint cyraeddadwy ar gyfer dehongli'n sefyllfa bresennol. Mae hyn yn hynod o ddiddorol o ystyried y modd llunir theatr yn nyfodol y nofel.

Ymysg y sefydliadau mae Ifan yn ymweld â hwy y mae un o chwaraedai'r Cwmni Theatr Cenedlaethol. Tra'n ymwelydd â Chaerdydd 2033, mae Ifan yn lletya gyda Doctor Llywarch a'i wraig; mae'u merch, Mair Llywarch, yn actores gyda'r cwmni cenedlaethol. Yn unol ag arddull trwsgl y nofel, ceir disgrifiad hynod o fanwl o'r theatr, o waith y cwmni, ynghyd ag awgrym o arwyddocâd a swyddogaeth ddiwylliannol y theatr mewn cymdeithas waraidd a llewyrchus.

Ni roddir enw i'r ddrama a welir gan Ifan yng Nghymru 2033. Fodd bynnag, nodir bod y ddrama yn cael ei pherfformio yn y Chwaraedy Cymraeg, un theatr ymhlith nifer yn rhwydwaith y Cwmni Theatr Cenedlaethol, gyda rhai eraill wedi'u hadeiladu ym Mangor, Wrecsam, Aberystwyth ac Abertawe. Nodir bod y cwmni hefyd yn llwyfannu cynyrchiadau tu allan i ganolfannau fetropolaidd, gan i berfformiadau deithio i neuaddau gwledig yn ogystal. At hynny, mae'r Chwaraedy Cymraeg yng Nghaerdydd wedi'i adeiladu cefn-gefn â'r Chwaraedy Saesneg yn yr un adeilad, y ddau'n wynebu ar ddwy stryd gyfochrog: 'Mantais y cynllun oedd fod y gweithdy rhyngddynt, ac y gellid symud y setiau i'r naill lwyfan neu'r llall heb drafferth'.[15] Ymddengys bod y ddau gwmni cenedlaethol yn annibynnol, ond yn rhannu'r un adnoddau. Perfformir y ddrama yn y Chwaraedy Cymraeg am gyfnod o dair wythnos, cyn teithio i chwaraedai eraill hyd a lled Cymru.

Mae i'r cwmni staff o ddau gant, ac fe'i hariennir at swm o £500,000 y flwyddyn gan Lys Celfyddyd y Llywodraeth yng Nghymru. Er i Ifan awgrymu i'w gyfaill bod hanner miliwn y flwyddyn yn gryn swm i wlad mor fach ei neilltuo ar gyfer dibenion cynnal theatr, mae Llywarch yn ymateb trwy nodi nad yw'n unrhyw fwy o faich nag ar wledydd bach eraill. Ond yn arwyddocaol, ychwanega 'Cofiwch nad oes gyda ni ddim lluoedd arfog i odro'n pocedi, a dim trethi ymerodrol i'w talu'.[16] Yn wir, dyletswydd a braint cenedl annibynnol a heddychlon yw cael noddi'r celf- yddydau.

Mae'r Chwaraedy Cymraeg yn dal cynulleidfa o dri chant, ac mae iddo lwyfan proseniwm. Nodai Ifan fod 'yn dda gennyf weld llenni o flaen y llwyfan, a deall mae drama "draddodiadol" a chwaraeid yma heno.'[17] Er diffyg teitl, rhoddir disgrifiad manwl o naratif ac arddull y cynhyrchiad. Ymddengys bod yma ddrama naturiolaidd a'r dull perfformio yn adlewyrchu hynny: 'Gan fod y chwaraedy'n fychan a'r glywedigaeth yn rhagorol, nid oedd angen i'r actorion godi fawr mwy ar eu llais na phetaent yn ymddiddan mewn tŷ preifat' (tt. 49–50). (Da gweld bod cyfarwydd- iadau J. M. Edwards yn dal i gael eu harddel yn y Gymru fydd!) Gallwn ystyried bod y traddodiadol felly yn gyfystyr â drama naturiolaidd sy'n cyfleu profiad mimetig o'r byd, yn ddibynnol ar blot a chymeriad, ac nid yw'n angenrheidiol i berfformwyr feddu ar sgiliau sy'n anghydnaws â'r hyn gallwn ystyried yn ymddygiad dyddiol, amherfformiadol. Dyma yw'r traddodiad theatraidd yng Nghymru 2033.

Mae ceidwadaeth theatr y Gymru fydd yn dipyn o syndod, fodd bynnag, yn enwedig o gymharu â'r modd darlunir ffurfiau celf- yddydol eraill, megis cerddoriaeth, yn y gyfrol. Nodir bod 'Cerdd- dantata' ('*Kerdantata* yn Llundain a New York, *Querdantate* ym Mharis')[18] cyfuniad o rythmau *jazz* a cherdd dant, bellach wedi'i allforio i'r byd. Mae cerddoriaeth Cymru yn egsotigeiddio'r wlad ac yn ei gwneud yn atyniadol; ystyrir Cerdd-dantata i fod yn cyfleu 'the popular traditional rhythm of wild and wonderful Wales' (t. 89) yn yr Unol Daleithiau. Ochr yn ochr â chyfuniad rythmau *jazz* a cherddoriaeth draddodiadol, llonydd a ffurfiol yw theatr y cyfnod. Y ddrama naturiolaidd sy'n parhau i gael ei chlodfori fel priod ffurf. Perfformir dramâu mewn chwaraedai (*playhouses*) – adeiladau wedi'u codi'n bwrpasol ar gyfer drama (*play*) – yn hytrach nac unrhyw ffurf theatraidd arall. Yn bwysicaf oll, breinir y testun ieithyddol uwchlaw popeth arall; awgrymir bod safon iaith y testun yn cyfateb â safon a llwyddiant y perfformiad. Ar ôl nodi 'actio gloyw a hyderus y cwmni' (t. 49), dywed Ifan, 'Peth arall a'm trawodd oedd eu Cymraeg llwyfan llithrig. Gwyddwn y byddai unrhyw ddrama Gymraeg a glywn i eto yn fy oes fy hun yn glogyrnaidd ei hymadrodd yn ymyl hon. Yr oedd y Gymraeg wedi tyfu'n iaith llwyfan' (t. 50).

Ar un agwedd, mae ceidwadaeth y theatr a ddisgrifir gan Elis yn ymddangos ychydig yn hynafaidd, yn enwedig wrth gofio bod rhai agweddau eraill a nodir gan yr awdur wedi bod yn hynod o broffwydol. Yn wir, yr hyn sy'n hynod o drawiadol am theatr y Gymru fydd yw ei bod mewn amryw ffyrdd wedi cael ei gwireddu cyn diwedd yr ugeinfed ganrif, a hynny mewn cyd-destun diwylliannol ac ariannol llawer mwy amodol o gymharu â sefydlogrwydd iwtopia 2033. Mae'r 'rhwydwaith' o theatrau a ddisgrifir gan Elis yn hynod, gan eu bod mwy neu lai i gyd yn cyfateb i ble adeiladwyd theatrau newydd yng Nghymru rhwng 1972 a 1984: Theatr y Werin yn Aberystwyth yn 1972, Theatr Clwyd yn y Wyddgrug (os nad yn Wrecsam) yn 1976, Theatr Gwynedd ym Mangor yn 1978, a Theatr Taliesin yn Abertawe yn 1984. Ac er nad yw'r ddau ofod perfformio yn Theatr y Sherman yng Nghaerdydd (1973) wedi'u hadeiladu cefn-gefn, mae yma theatr ddwyieithog yn y brifddinas. Ymhen llai nag ugain mlynedd, efallai mai ym mhrif awditoriwm y Sherman y bydd Ifan Powell yn cymryd ei sedd ar gyfer perfformiad o'r ddrama draddodiadol ddienw.

Nid gwerthuso gallu Islwyn Ffowc Elis i ddarogan datblygiad y theatr Gymraeg yw fy mwriad, ac nid yw'r cofnodion hanesyddol yn awgrymu bod unrhyw fudiad theatraidd wedi defnyddio'r disgrifiadau manwl a geir yn *Wythnos yng Nghymru Fydd* fel glasbrint pwrpasol ar gyfer datblygu diwylliant theatraidd cenedlaethol proffesiynol. Serch hynny, mae'r tebygrwydd rhwng yr hyn ddisgrifiwyd gan Elis a'r hyn ddaeth, maes o law, i ddiffinio gweithgarwch theatraidd yn y Gymraeg yn drawiadol, yn enwedig gan fod yr uchelgais i gael theatr genedlaethol a Theatr Genedlaethol wedi bod yn un sydd wedi diffinio datblygiad y theatr Gymraeg ers diwedd y bedwaredd ganrif ar bymtheg.

Gareth Llŷr Evans

Perfformio Iwtopia

Dim ond un sefydliad ymhlith nifer yn antur Ifan Powell yw'r
Cwmni Theatr Cenedlaethol ond mae'i swyddogaeth a'i arwydd-
ocâd yn unigryw wrth ystyried cenadwri wleidyddol y gyfrol,
ynghyd â'i hynodrwydd fel maniffesto ar ffurf naratif ffuglen. Er
y cyfeirir at ffurfiau diwylliannol eraill fel elfennau hanfodol ar
gyfer bywyd celfyddydol cyfoethog gan genedl aeddfed a hyderus,
hyderaf fod i'r theatr arwyddocâd arbennig; arwyddocâd sydd hyd
yn oed uwchlaw pwysigrwydd unrhyw bolisi uniongyrchol gwleid-
yddol neu economaidd mae'r nofel hefyd yn eu hamlinellu.

Ar ddiwedd y gyfrol, ar ôl iddo ddychwelyd i 1957 am y tro olaf,
breuddwydiai Ifan ei fod 'yn sefyll mewn tyrfa fawr, a thân gwyllt
yn ariannu'r awyr, a'r dyrfa'n torri i ganu am fod Cymru wedi
dod yn rhydd'.[19] Dyma linellau olaf y nofel, ond ni cheir unrhyw
gyfeiriad at sut na pham mae'r dyrfa wedi dod ynghyd a pham
fod Cymru nawr yn rhydd. Mae epilog y gyfrol yn gosod her i'w
darllenydd: Dyma'r freuddwyd; ewch allan i'r byd i'w gwireddu.
Wrth ffurfio dyfodol(au) amgen, mae delfrydiaeth *Wythnos yng
Nghymru Fydd* yn ei rwystro rhag bod yn faniffesto gan mai dangos
y modd mae'r Gymru newydd yn gweithredu mae'r gyfrol, yn
hytrach na dangos sut gellir ei gwireddu. Os oes yma her, gwa-
hoddir y darllenydd i ddychmygu'r iwtopia Gymraeg, ac yna i
weithredu trosto'i hun.

Ond profiad personol yw darllen nofel; profiad unig, hyd yn
oed. Mae'r her yn llawer mwy, gan fod y weithred ddychmygol
yn un fewnol ac yn un feddyliol, a rhaid cael strategaeth neu
fframwaith allanol a all gefnogi dyhead yr unigolyn i weithredu
fel rhan o dorf. Ceir gwagle rhwng y cynnig ideolegol a'r gallu i
weithredu'r ideoleg. Ond nid yw hyn yn wir am y weithred a'r
profiad theatraidd, gan ei fod yn barod yn un sy'n cael ei brofi fel
rhan o gymuned; mae'r theatr, yn fwy nag unrhyw ffurf ddiwyll-
iannol arall, yn caniatáu holl gyfranogwyr y digwyddiad i ym-
gorffori ac i gyd-ddychmygu'r iwtopia yn ennyd y digwyddiad
gan fod hanfod y ffurf yn mynnu ei fod yn digwydd yn y presennol.
Er i ddehongliad o'r digwyddiad theatraidd tragwyddol fod yn
un personol a goddrychol, mae'r theatr o hyd yn ymgorffori'r

potensial o iwtopia. Er ei fyrhoedledd amodol, mae'r theatr yn cynnig potensial o wireddiad y sefyllfa iwtopaidd, hyd yn oed os mai dim ond dros dro cynigir hynny.

Os yw'r Gymru rydd lewyrchus a hyderus a lunnir yn *Wythnos yng Nghymru Fydd* yn teimlo fel breuddwyd amhosibl, mae theatr yn ein galluogi i ddychmygu'n wahanol. Dywed y beirniad Jill Dolan:

> The very present-tenseness of performance lets audiences imagine utopia not as some idea of future perfection that might never arrive, but as brief enactments of the possibilities of a process that starts now, in this moment of the theatre.[20]

Mae'r dyfodol o hyd ar gychwyn, ond yn y theatr gallwn gyd-gamu i'r dyfodol gyda'n gilydd. Yn benodol ar gyfer ymarferiad diwyll-ianol mewn iaith leiafrifol, mae 'gweithredoedd byr' y theatr yn gweithredu yn ôl cyfres o ragdybiaethau, gan gynnwys y disgwyl-iad bod mwyafrif (os nad pawb) yn y gynulleidfa ac ar y llwyfan yn perthyn i'r un grŵp ieithyddol.

Anodd ac annoeth fyddai ceisio cyffredinoli disgwyliadau gwyl-wyr oherwydd eu demograffig ieithyddol, ac anoddach byth fyddai ceisio darganfod pam eu bod yn mynychu'r theatr yn y lle cyntaf. Ond nid yw'n amhriodol ystyried y weithred o fynychu digwydd-iad perfformiadol – un ai yn y theatr neu beidio – yn y Gymraeg fel un wleidyddol. I ddyfynnu Dolan eto:

> The politics lie in the our willingness to attend or to create perform-ance at all, to come together in real places – whether theaters or dance clubs – to explore in imaginary spaces the potential of the 'not yet' and the 'not here'.[21]

Trwy ddod ynghyd mewn 'gofodau dychmygol', mae'r theatr Gymraeg ers ei chychwyn wedi rhoi modd i ragweld ac i brofi'r un bywyd Cymraeg y bu i Ifan Powell ei fwynhau yn iwtopia 2033. Mae cymundod ieithyddol y cyflwr theatraidd yn rhoi cyfle amodol i dorf Gymraeg allu dychmygu'r iwtopia. Gellir dychmygu, am awr neu ddwy, bod y digwyddiad yn cael ei gynnal yn iaith y mwyafrif, er bod dealltwriaeth o natur fregus ac amodol y cytundeb theatraidd yn elfen anorfod o'r ffurf.

Ond mae ffalasi'r freuddwyd iwtopaidd yn ddibynnol ar ffurf. Yn yr enghraifft uchod – ac mi gredaf yn hanesyddol yn y ddrama Gymraeg – y ffurf rhagosodedig yw'r ddrama naturiolaidd. Neu, i fod yn fwy manwl, y ddrama lwyfan sydd o hyd yn ddibynnol ar gynnal rhith o'r naturiol a'r beunyddiol. Mae hynny'n parhau yn 2033. Bron yn ddieithriad yn y Gymru newydd, ystyrir theatr, fel gofod ac fel defod, i fod yn gyfystyr â drama destunol. Dyma'r priod-ddull theatraidd: gweithred sy'n fynegiant o sgript, o naratif ac o gymeriadau, yn seiliedig ar y weithred o gael pobl yn dynwared pobl eraill, ac wrth wneud hynny yn anwybyddu'r cyrff sy'n eistedd yno'n eu gwylio tu hwnt i'r bedwaredd wal.

Fodd bynnag, amhriodol byddai disgwyl i theatr gario baich breuddwydion cenedl, gan ei fod, yn ei hanfod, yn gyfrwng diflanedig. Yn ôl dyfyniad enwog y damcaniaethydd perfformio Peggy Phelan, 'Performance's being . . . becomes itself through disappearance';[22] unwaith mae perfformio yn pallu a bod yn ddiflanedig, mae'n peidio â bod yn berfformiad. Yn hytrach, fe'i troir yn rhywbeth arall: yn sgript, yn ddogfen, yn ddogfennaeth; yn rhywbeth y gellir efallai ei ail-adrodd dro ar ôl tro. Mae perfformio yn bodoli yn ennyd y presennol o hyd, ac yn diflannu ar union yr un pryd y daw i fodolaeth.

Iwtopia Syth Heteronormadol

Er bod arddull naratif trwsgl *Wythnos yng Nghymru Fydd* yn ymddangosiadol anghonfensiynol ac er hynodrwydd y naratif ffuglen wyddonol, y symbyliad hynaf oll – a'r un mwyaf cyntefig – yw cynsail naratif y gyfrol. Nid iaith neu degwch economaidd sy'n cyflyru Ifan Powell i ddychwelyd i'r dyfodol. Yn hytrach, yr hyn sydd wrth wraidd unrhyw 'ddrama' yn naratif y gyfrol yw'r ffaith ei fod, mewn cyfnod o bum diwrnod, yn disgyn mewn cariad gyda Mair Llywarch. Mae Mair hefyd mewn cariad gydag Ifan, ac er y bu ganddi sawl cariad cyn iddi gwrdd â'n protagonydd, 'Doeddwn i ddim yn caru'r un ohonyn' *nhw*'.[23]

Er i'r naratif rhamantus simsanu dan bwysau ystrydebau llen-yddol y garwriaeth ('Helpwch fi i fod yn ddewr, Ifan'[24] dywed Mair cyn i Ifan adael), credaf fod y berthynas yn arwyddocaol wrth ystyried y nofel fel glasbrint ar gyfer sut gellir mynegi gweledigaeth wleidyddol benodol. Trwy leoli'r antur ar ddyddiad penodol yn y dyfodol, mae'r gyfrol yn cynnig llwybr sydd a'i ddiwedd eisoes wedi'i fapio. Nid yw dyfodol 2033 yn amwys neu'n annelwig, ond fe'i gosodir ar derfyn taflwybr sy'n cychwyn yn 1957 ac mae'r gyfrol felly yn cynnig llinach rhagbaratoadol yn barod i'w phoblogi. Pe byddai modd i Ifan aros yn ei iwtopia, mae confensiynoldeb y garwriaeth yn awgrymu byddai'r ddau yn priodi (mewn seremoni grefyddol), ac yn gwneud eu rhan gan atgenhedlu a sicrhau parhad a ffyniant diwylliant, iaith a phopeth arall a ddaw yn sgil creu babis. Er ystrydebau geiriau Ifan a Mair, nid perygl o golli cariad sydd yma, ond y perygl o beidio cael y cyfle i gael rhyw, o beidio gallu atgenhedlu, o beidio gallu parhau'r hil a phoblogi'r dyfodol. Nid amhriodol yw ystyried hynny yng nghyd-destun *Wythnos yng Nghymru Fydd*; ymddengys bod gwerthoedd cymdeithasol yr iwtopia'n parhau i fod yn gymharol geidwadol er unrhyw flaen-garwch economaidd.

Cymhlethir hyn yn y nofel gan awgrymiad amwys Meistr Llywarch bod yr wyrth wyddonol sydd wedi caniatáu i Ifan ymweld â'r dyfodol yn ei wneud yn anaddas i fod yn gymar i Mair: 'Rych chi wedi neidio o un pwynt mewn amser i bwynt arall, a rhwng y ddau bwynt y mae wyth deg o flynyddoedd. Fe lwydd-asoch i ddal y naid, heb wneud niwed i'ch corff nac i'ch meddwl' (t. 169). Mae amheuaeth Meistr Llywarch fodd bynnag yn awgrymu bod yr annealladwy yn rhywbeth peryglus; nid yw'r anghyffredin neu'r haniaethol werth y risg. Aiff yn ei flaen:

Dym ni eto ddim yn gwybod digon am y peth a alwech chi'n Amser-Ofod i'ch diogelu chi rhag unrhyw effeithiau niweidiol a all ddilyn chwarae ag amser fel hyn . . . Fe allai Amser eich cipio o'i hymyl wrth yr allor, o'i breichiau unrhyw noson . . . A'i gadael yn weddw heb unman i droi, heb gorff i'w gladdu, hyd yn oed (tt. 169–70).

Ymddengys bod pryderon Meistr Llywarch yn ddeublyg. Nid yn unig y mae'n mynegi pryder tadol tros hapusrwydd Mair pe byddai Ifan yn sydyn ddiflannu, ond ceir awgrym hefyd y byddai hynny yn tarfu ar drefn symbolaidd benodol. Dywed 'Os ydych chi'n caru Mair, fynnech chi ddim iddi briodi dyn a allai ddiflannu o'i bywyd fel ffantom heb eiliad o rybudd' (t. 170). Nid hapusrwydd Mair sydd yn y fantol, ond potensial Ifan i allu cynnal ac ymlynu'n rhwydd i werthoedd cymdeithasol Meistr Llywarch. Byddai bodolaeth amodol Ifan yn bygwth parhad cyfres o ddefodau sydd yn arwyddocáu trefn symbolaidd benodol (a Gorllewinol): seremoni briodas sy'n arwain at berthynas sefydlog ac unwreigiol lle gellir magu teulu, sydd yna'n parhau hyd nes gwahanir y ddau gan farwolaeth. Mae dyfodoldeb yn rhan greiddiol o'r drefn symbolaidd arddelir yn araith Meistr Llywarch. Yr hyn sydd dan fygythiad yw dyfodol heteronormadol Ifan a Mari, ac mae bodolaeth ansefydlog ein protagonydd o'r gorffennol yn ei wneud yn ffigwr anaddas i gynnal sefydliad sydd yn llwyr ddibynnol ar ymrwymiad i ddyfodoldeb.

Mae'r un drefn symbolaidd i'w weld yn hanes y theatr Gymraeg. Nid wyf yn awgrymu bod y theatr Gymraeg o reidrwydd yn un 'syth' neu yn un heteronormadol. Ond gallwn gydnabod mai'r un yw'r ysfa ddyfodolgar i efelychu cyfres o ddefodau, i greu fframwaith cydnabyddedig sy'n briodol ar gyfer ysgogi epil, ac i sicrhau sefydlogrwydd y dyfodol; dyma'r ysfa ideolegol sydd wedi bod yn gyson bresennol trwy gydol hanes y theatr Gymraeg. Gellir ystyried ei hanes fel cyfres o garwriaethau aflwyddiannus, o hyd yn dychmygu llinach yn ymestyn yn bell i'r dyfodol, ond ar ôl hir fflyrtio yn darganfod rhyw anallu i weithredu'n ôl anghenion yr achlysur.

Fel Ifan a'i ysfa i ddychwelyd i'r dyfodol, cyflyrwyd y theatr Gymraeg yn dragwyddol gan ddyhead i ddilyn trywydd Mair Llwyrach a'i chwmni theatr, yn ysu am ddyfodol sydd wedi'i boblogi os nad gan blant, yna gan ddramâu. A dramâu a gaiff eu perfformio ym mynwes sefydliad cadarn cydnabyddedig. Ond rhith yw'r plentyn sydd yn gaeth i'r dyfodol. Ategir hyn gan y canon dramataidd Cymraeg, canon a gredaf nad sydd ond yn cynnwys un awdur, yn wirioneddol, sef Saunders Lewis. Yn ganolbwynt i'w brif weithiau (sef prif weithiau'r llwyfan Cymraeg a'r canon dramataidd) mae'r fam a'i hepil, neu bregusrwydd yr epil a'i symbolaeth. Tiriogaeth y fam yw'r llwyfan Gymraeg: Siwan, Blodeuwedd ac Esther, ill tair yn gaeth i sefyllfa ddramataidd sydd mewn gwahanol ffyrdd yn mynnu eu bod yn talu gwrogaeth i ddyfodoldeb. At hynny, theatr hunan-broffwydol yw'r theatr Gymraeg, yn dramateiddio'i obsesiwn gyda'i barhad.[25]

Awgrymaf felly bod y theatr Gymraeg a'i bwyslais ar y ddrama destunol fel priod ffurf wedi'i ddiffinio, yn ei hanfod, gan ddyfodoldeb: o fod yn y broses o greu ac o sefydlogi ffurf a chanon dramataidd a fydd, rhyw ddydd, yn cynnig cyfoeth o destunau lle gellir eu hail-berfformio yn rhwydd. Cyfoeth a fydd yn ddigonol ar gyfer y Theatr Genedlaethol yn 2033, er mwyn gallu arddel polisi 'o gyflwyno drama draddodiadol bob yn ail â drama gyfoes, ddi-olygfeydd a di-lenni'.[26]

Trwy ystyried hanesyddiaeth y theatr Gymraeg fel cyfres o ymdrechion cymharol aflwyddiannus i sefydlu canon dramataidd, nid yw'n amhriodol felly i fynnu bod angen ideoleg amgen neu strategaeth newydd. Un sydd efallai yn llai normadol ac sy'n ymwrthod â'r pwyslais ar ddyfodoldeb. Naw wfft i'r plentyn. Dim plant, dim dyfodol; mwy o bleser y presennol. Llai o ryw o fewn sefydliadau cyfreithiol caniataëdig a mwy o garu'n rhydd: mae angen theatr amlhymarus. Ac yma, mae damcaniaeth *queer* yn cynnig modd o weithredu, ac yn gwneud hynny o safbwynt cyd-destun diwylliannol sydd yn aml, mewn amryw ffurf, yn ystyried ei hun fel un ymylol.

Tuag at Iwtopia Queer

Ond wrth gwrs, pwy a fyddai'n mentro gwadu'r dyfodol neu'n herio'r cysyniad o ddyfodoldeb? Ymddengys bod ffydd yn y dyfodol ac ym mhendantrwydd dyfodoldeb wrth wraidd bodolaeth ddynol, ac nihilistiaeth llwyr byddai ymwrthod â'r wireb hynny. Fodd bynnag, cymhlethir y cysyniad o ddyfodoldeb gan ddamcaniaeth *queer* gan ei fod, yn nhraddodiad damcaniaethau ôl-strwythurol eraill, yn cwestiynu'r hyn ystyrir yn aml i fod yn

Gareth Llŷr Evans

ddiamheuol ac yn ymddangosiadol naturiol. Gan fod damcaniaeth *queer* yn benodol yn ymdrin â rhywedd, rhywioldeb a strwythurau heteronormadol, mae i'r maes berthnasedd arbennig wrth feddwl am ddyfodoldeb.

Efallai y dylid nodi yma nad yw damcaniaeth *queer* o reidrwydd yn gyfystyr â chyfunrywiaeth neu rywioldeb nad sy'n heterorywiol. Yr hyn mae damcaniaeth *queer* yn ei gynnig yw fframwaith ar gyfer dadansoddi'r hyn yr ydym yn ystyried i fod yn naturiol neu'n normal trwy ddatgelu'r modd y cynhelir ac ymledir gwerthoedd sy'n dynodi'r normadol. Mae damcaniaeth *queer* yn esblygu'r traddodiad ffeministaidd o ddinoethi perfformadwyedd, ac yn benodol perfformadwyedd iaith, yn y modd y mae'r unigolyn yn llunio'i hunaniaeth trwy gyfrwng rhywedd a rhywioldeb.[27]

Nid yw gogwydd *queer* yn gosod ei hun fel gwrthwynebiad deuaidd i'r normadol, gan fod hynny'n ddibynol ar gydnabod y normadol fel canolbwynt penodedig; trwy'i gydnabod fe'i cyfreithlonir. Nid dau begwn wedi'u ddynodi gan y canol a'r ymylol sydd yma. Trwy fabwysiadau safwynt *queer*, gellir ystyried mynegiant amgen a rhyddfreiniol, un sy'n hylifol ac sy'n gwrthod cael ei ddiffinio gan strwythurau cydnabyddedig.

Gall synwyrusrwydd *queer* ymwrthod â'r ysfa i freinio dyfodoldeb mewn amryw ffurf. Nid yw perthynas *queer*, o reidrwydd, yn caniatáu'r posibilrwydd o atgenhedlu, nac ychwaith yn ei flaenoriaethu. At hynny, hyd yn oed pe byddai perthynas *queer* yn creu epil, nid yw synwyrusrwydd *queer* yn disgwyl i'r epil gynnal a pharhau amcanion a dyheadau'r rhai a oedd yn gyfrifol am ei g/chenhedlu yn y lle cyntaf. Hefyd, gan i ddamcaniaeth *queer* ddod i fodolaeth yn ystod degawd oedd yn parhau i fod yn dyst i gyflafan HIV ac Aids, sefydlwyd y maes mewn cyfnod lle ystyriwyd y dyfodol i fod dan warchae, os nad wedi'i ddiddymu'n llwyr.

Nid wyf am fentro awgrymu bod naratif hanesyddol Cymru'r ugeinfed ganrif, na hanes y theatr Gymraeg, yn cyfateb i naratif hanesyddol *queer*. Serch hynny, rwy'n credu bod yma rai syniadau creiddiol gellir eu harddel wrth feddwl am y modd y mae'r theatr Gymraeg wedi lleoleiddio'i hun mewn perthynas â'r ddrama destunol. Credaf, yn syml, y byddai'r theatr Gymraeg ar ei hennill trwy fod yn llai normadol ac yn fwy *queer*.

Yn ei chyfrol *Queer Phenomenology*, agwryma Sara Ahmed bod modd defnyddio synwyrusrwydd *queer* i leoli'r unigolyn ymylol mewn perthynas â rhagdybiaethau systemaidd sy'n diffinio diwylliant; rhagdybiaethau sydd yn aml yn fwy na'r unigolyn. Trwy fanylu ar wahanol ddiffiniadau o'r gair *orientate*,[28] noda Ahmed nad yw'r term yn cyfeirio at leoliad yn unig ond hefyd at gyfeiriad, ac yn fwy na hynny ei fod yn breinio un cyfeiriad yn fwy na'r llall: 'the concept of orientation "points" toward some directions more than others, even as it evokes the general logic of "directionality"' (tt. 112–13). Mae symbyliad ideolegol felly'n perthyn i weithred o 'gyfeirio', gan fod pwynt cychwynnol yn perthyn yn wastadol i bob gweithred o gyfeiriadu ac o fesur tirwedd y byd. O ganlyniad, trwy broses o gyfeiriadu, gan wynebu cyfeiriad penodol mae'r unigolyn yn cymryd rhan 'in a longer history in which certain "directions" are "given to" certain places: they become *the* East, *the* West, and so on' (t. 113).

Gan gyfeirio ac ategu cysyniad Edward Said o Ddwyreinioldeb, aiff Ahmed ymlaen i bwysleisio'r grymoedd sydd yn siapio unrhyw safbwynt cyfeiriadol:

> the making of 'the Orient' is an excercise of power: the Orient is made oriental as a submission to the authority of the Occident. To become oriental is both to be given an orientation and to be shaped by the orientation of that gift.[29]

Gellir ystyried y theatr Gymraeg a'i bwyslais ar y ddrama felly i fod yn arferiad ymostyngol, a hynny'n wirfoddol. Trwy efelychu ffurf theatraidd oedd yn ei hanfod yn un estron, mae traddodiad y theatr Gymraeg wedi bodloni ar gael ei siapio gan gyfeiriadedd y ddrama destunol fel 'anrheg'. Nid beirniadaeth mo hyn; mae'r ysfa yn un ddealladwy. Mae'r dieithr o hyn yn fwy atyniadol na'r cyfarwydd, a rhaid cofio mai ffurf anghyfarwydd oedd y ddrama ar ddiwedd y bedwaredd ganrif ar bymtheg. Hyderaf, yn eu cyfnod, bod addasiadau llwyfan o nofelau poblogaidd Daniel Owen ar ffurf drama destunol wedi ymddangos yn hynod o egsotig i gynulleidfa gyfoes, ac mae'r dyheu am yr anghyfarwydd yn bwysig o fewn y ddadl bresennol. Dywed Ahmed, 'The exotic is not only where we are not, but it is also future orientated, as a place we long for and might yet inhabit' (t. 114).

Gan i'r traddodiad dramataidd gychwyn trwy efelychu ffurf ddiwylliannol estron oedd eisoes yn bodoli, hoffwn awgrymu felly mai proses gyffelyb sydd wedi diffinio hanes y theatr Gymraeg. Mae yma arferiad diwylliannol nid yn unig sydd â'i estheteg yn efelychu'r byd mewn modd fimetig (naturoliaeth, deialog naturiol), ond hefyd yn ôl ei ffurf sydd wedi parhau i geisio efelychu modd a thraddodiad theatraidd 'egsotig' arall. Gan freinio'r ddrama destunol fel gwireddiad iwtopaidd o fwriad diwylliannol, mae prosiectau hanesyddol a chylchol y theatr Gymraeg wedi tanseilio'u hunain, dro ar ôl tro. Dyma sydd yn gwneud dadl Ahmed ynglŷn â'r Arall yn ddiddorol, gan fod deall y berthynas hanesyddol yma rhwng y canol a'r ymyl fel lleoliad *queer* yn hytrach nag un deuaidd yn cynnig modd i allu ymwrthod â'r angen i ymlynu at symbyliad normadol y ddrama.

Y term a ddefnyddir gan Ahmed i wrthsefyll symbyliad o'r fath yw ail-gyfeiriadu. Dadleua bod yma botensial i greu cyfeiriad cymysg ('mixed orientation'): 'an orientation that unfolds from the gap between reception and possession'.[30] Gallwn gyfeiriadu'n hunain i sawl cyfeiriad, gan ein rhyddhau o'r disgwyliad i wynebu un ffordd yn unig, boed hynny'n ddaearyddol (tuag at Loegr) neu'n amseryddol (tuag at y dyfodol). Mae synwyrusrwydd *queer* yn arf ar gyfer herio'r drefn symbolaidd, ac yn benodol fe gredaf fod gan hyn botensial arbennig os ydym am ystyried y modd gall theatr a pherfformio fodloni'r ysfa am iwtopia. Rhaid pwysleisio nad yw Ahmed na damcaniaethwyr eraill yn awgrymu bod cymryd safbwynt *queer* o reidrwydd yn gwadu neu'n condemnio'r dyfodol, ond yn hytrach ei fod yn cwestiynu ac yn amlygu'r confensiynau sy'n cymryd yn ganiataol bod dyfodoldeb a'r llwybr sydd o hyd yn arwain tuag at y dyfodol yn un sy'n gwbl naturiol, ac felly'n anochel.

Fodd bynnag, mae rhai damcaniaethwyr *queer* wedi bod llawer mwy ymosodol o'r dyfodol, sydd wedi arwain eraill i gyhuddo'r beirniad gwyllt hynny o fod yn nihilistaidd. Yn ei gyfrol *No Future – Queer Theory and the Death Drive*, mae'r damcaniaethydd Lee Edelman yn cynnig dadl ffyrnig tros ymwrthod â'r drefn symbol-aidd normadol, trefn sydd, yn ôl Edelman, wedi'i ddiffinio gan duedd cymdeithas i freinio eicon y Plentyn uwchlaw popeth arall. Mae'r Plentyn, yn ôl Edelman, wedi dod i ymgorffori 'the telos of the social order and come to be seen as the one for whom that order is held in perpetual trust'.[31] Symbol yw'r Plentyn yma; rhith o botensial y dyfodol, sydd fodd bynnag yng ngŵydd ei absenoldeb yn dylanwadu ar ddisgwrs wleidyddol gyfredol, gan yr ystyrir popeth nad sy'n ymlynu wrth arwyddocâd y Plentyn i fod yn wrthun i'r drefn symbolaidd: 'we are no more able to conceive of a politics without the fantasy of the future than we are able to conceive of a future without the figure of the Child' (t. 11). Mae'n hawdd ystyried uchafbwynt ffyrnig (ac enwog)[32] dadl Edelman fel ystum *queer* sydd yn amharod hyd yn oed i gydnabod yr angen am edrych tua'r dyfodol, gan fod hynny yn breinio trefn sy'n difrio'r *queer*.

Nid gwadu dyfodoldeb dylid ei wneud, ond ail-lunio'r llinell sy'n arwain tuag at y dyfodol. Gan ymateb i ddatganiad dadleuol Edelman a'i gred mai tiriogaeth y Plentyn yw'r dyfodol yn hytrach na'r *queer*, dywed yr academydd José Esteban Muñoz:

> I respond to Edelman's assertion . . . by arguing that queerness is primarily about futurity and hope. That is to say that queerness is always on the horizon. I contend that if queerness is to have any value whatsoever, it must be viewed as being visible only on the horizon.[33]

Gan ategu syniadau Ahmed, awgryma Muñoz nad trwy ymwrthod â'r llinol y ffurfir *queer*-deb, ond trwy ymfalchïo yn amharodrwydd y gymdeithas i gyrraedd y pwynt haniaethol ar y gorwel, tra eto ar yr un pryd bod yn fodlon cydnabod pwynt y dyfodol. Gallwn lwyddo i edrych i fwy nag un cyfeiriad, o hyd yn y broses o ddod i fodolaeth heb erioed gyrraedd ei diwedd: 'Thus, I wish to argue that queerness is not quite here; it is . . . a potentiality'(t. 21). Nid yw *queer* byth yn orffenedig; mae'n bodoli o hyd yn y presennol.

Mae'r iwtopia a gynigir gan Muñoz felly yn wahanol i iwtopia Ifan Powell, gan nad yw'r iwtopia *queer* byth yn cyrraedd unrhyw fynegiant terfynol. Nid dyna'r nod. Yn hytrach, yr ymdrech barhaus ddiddiwedd i'w wireddu yw'r symbyliad iwtopaidd *queer*, ac mae'r tro ideolegol hynny yn arwyddocaol gan ei fod yn ein rhyddhau o'r angen i gredu bod rheidrwydd cyrraedd pwynt terfynol o gwbwl. Nid siom o fethu'i gyrraedd sydd felly yn ein hwynebu, ond y pleser o'r cyd-deithio yn y presennol:

> We must vacate the here and now for a then and there. Individual transports are insufficient. We need to engage in a collective temporal distortion. We need to step out of the rigid conceptualization that is a straight present . . . What we need to know is that queerness is not yet here but it approaches like a crashing wave of potentiality. And we must give in to its propulsion, its status as a destination. Willingly we let ourselves feel queerness's pull, knowing it as something else that we can feel, that we must feel. We must take ecstasy.[34]

Rhywbeth fel hyn yr hoffwn i'r theatr Gymraeg i fod. Afluniad amseryddol cyfunol! I ddychwelyd at gynefin ennyd y perfformio, heb orfod pryderu am dalu gwrogaeth i draddodiad annelwig neu unrhyw ffurfioldeb esthetig sydd ar ddod.

O Ddrama i Berfformio

Fodd bynnag, er i mi ddatgan bod angen ail-ystyried y theatr Gymraeg o safbwynt rhyddfrydol ymylol, ac wedi llamu trwy ddamcaniaeth *queer* i geisio gwneud hynny, nid wyf yn credu bod yma alw am fath o theatr newydd. Nid os yma alwad i ddiddymu'r ddrama; gall y testun dramataidd barhau i fod yn ganolbwynt. Nid wyf ychwaith yn credu y dylid dychwelyd o reidrwydd i'r cyfnod lle bu i'r brif ffrwd theatraidd yng Nghymru gael ei ddiffinio gan weithiau mwy perfformiadol, corfforol ac ôl-ddramataidd fel y cafwyd yn yr 1980au a'r 1990au. Nid wyf yma'n awgrymu bod un ffurf yn well neu'n fwy priodol na'r llall, neu fod nodweddion arddulliadol penodol yn perthyn i unrhyw briod ffurf honedig.

Os wyf yma'n awgrymu bod angen ystyriaeth newydd o'r theatr Gymraeg, fe wnelo'r ystyriaeth hynny â synwyrusrwydd beirniadol yn hytrach nag estheteg neu ffurf briodol. Yr hyn yr wyf yn ei awgrymu yw bod angen i'r theatr Gymraeg ystyried mwy na'r ddrama normadol theatraidd fel mynegiant o gyflwr perfformiadol sy'n galluogi grŵp o bobol gyd-ddychmygu eu hiwtopia. Hyd yn oed wrth wylio'r perfformiad dramataidd llwyr gonfensiynol, gellir cydnabod ei fod yn digwydd yn y presennol ac o hyd yn ganlyniad i nifer o rag-amodau a phenderfyniadau diwylliannol ac esthetig. Ac yn cofio bod y rhagamodau a'r penderfyniadau hynny yn gallu newid. Nid ffurfioli modd theatraidd sydd ei angen, ond cofleidio a dathlu'r ffaith nad oes angen i theatr fod yn gaeth i ddyfodoldeb ffurfiau diwylliannol eraill.

Ac yn wastadol bod angen gofyn o'r newydd bob tro: beth sy'n digwydd nawr? Beth yw arwyddocâd y digwyddiad yma o'n blaen ni nawr?

Beth sy'n digwydd nawr?

A nawr?

A nawr?

Diweddglo

'A phan syrth grawnsypiau'r sêr.' Brawddeg hyfryd. Brawddeg sy'n taro'r glust fel un trawiadol o hyfryd o'i chlywed yn cael ei mynegi gan gymeriad sydd yn bennaf yn siarad mewn cywair hollol feunyddiol. Yn garcharor i'w sefyllfa, mae Eirwen fel arfer yn mynegi'i hun fel gwraig ac fel mam, gan ddefnyddio geirfa naturiolaidd a domestig. Yna, o'i chaethiwed daw awgrym o'r aruchel.

Wrth Ŵglo 'a phan syrth grawnsypiau', ar frig y canlyniadau mae tudalen o brosiect Cylchgronau Cymru Ar-lein Llyfrgell Genedlaethol Cymru. Daw'r testun o gerdd gan Carneddog, o'r deuddegfed rhifyn o'r nawfed gyfrol y cyfnodolyn *Cyfaill yr Aelwyd*, a gyhoeddwyd ym mis Rhagfyr 1889. Mewn eiliadau, mae gennyf adlun o'r dudalen wreiddiol ar fy nghyfrifiadur ar ffurf ffeil PDF. Yno i mi ei gadw am byth, ei ddarllen, a'i rannu. Teimlaf ryw wefr.

Ni fu fy nhreftadaeth erioed mor hygyrch. Hyderaf na brofodd Ifan Powell, hyd yn oed, ffasiwn ryfeddodau.

Nid yw ymbilio Eirwen yn cyfateb yn union i eiriau Carneddog, ond mae ynddynt atsain eglur; nid yn unig o obaith yn y dyfodol, ond o gadernid presenolrwydd y presennol. Efallai na gyrhaeddwn ein hiwtopia, ond ni ddylai hynny ddifreinio ymdrechion parhaus y presennol:

> Ymlaen at Ffydd a Chariad,
> A wylai'r mewnol byrth,
> Ymlaen i Ganaan; – ac yn hon
> Grawnsypiau aeddfed syrth.[35]

Nodiadau

1   A. J. Williams, 'Ta-ra Teresa', yn N. Ros (gol.), *Disgwl Bỳs yn Stafell Mam: Chwech o Ddramâu Aled Jones Williams* (Caernarfon: Gwasg y Bwthyn, 2006), t. 169.

2   Cyfieithiad o'r gair 'futurity'. Ymddengys mai ychydig iawn o 'ddyfod-oldeb' sy'n bodoli yn y Gymraeg; er iddo gael ei gynnwys yng Ngeir-iadur yr Academi (Bruce Griffiths a Dafydd Glyn Jones, 1995), dim ond un cyfeiriad a geir i'w ddefnydd mewn chwiliad ar-lein. [Cyrchwyd: Awst 2015].

3   Hywel Teifi Edwards, *Codi'r Llen* (Llandysul: Gwasg Gomer, 1998).

4   —— *Wythnos yn Hanes y Ddrama yng Nghymru, 11–16 Mai 1914* (Bangor: Gwasg Carreg Gwalch, 1984).

5   —— *Codi'r Llen*, t. viii.

6   Rwyf yma'n fwriadol wedi hepgor cyfrolau am y theatr Gymraeg sy'n manylu ar waith un dramodydd yn unig, yn hytrach na chynnig dadansoddiad o hanes a datblygiad y theatr. Rwy'n cyfeirio yma er enghraifft at *Y Dyn Theatr* gan Anwen Jones a Myrddin ap Dafydd (goln), (Llanrwst: Gwasg Carreg Gwalch, 2010), *Saunders y Dramodydd* gan Tudur Hallam (Gwasg Pantycelyn: Aberystwyth, 2013) a *Gwenlyn Parry* gan Roger Owen (Gwasg Prifysgol Cymru: Caerdydd, 2013).

7   I. Williams, 'Towards National Identities: Welsh Theatres' yn B. Kershaw (gol.), *Cambridge History of British Theatre Volume III: Since 1895* (Caer-grawnt: Gwasg Prifysgol Caergrawnt, 2004), tt. 242–72.

8   Ceir trafodaeth bellach gan Williams yn ymdrin â'r tensiynau rhwng dyheadau anghydnaws y Mudiad yn 'Ideoleg ac Estheteg yn y Mudiad

Drama', *Gwerddon*, 2, Hydref 2007, 85–100 <*http://gwerddon.org/en/media/main/gwerddon/rhifynnau/Gwerddon_02-(terfynol).pdf*> [Cyrchwyd: 11 Awst 2014].

9   D. Tecwyn Lloyd, 'Gwir gychwyn y busnes drama 'ma', *Llwyfan*, 8 (1973), 5–8.

10 J. M. Edwards, *Drama Rhys Lewis* (Wrecsam: Hughes a'i Fab, 1910), tt. v–vi.

11 Yn wir, gweler: 'Pwynt 10: Na ddyweder un gair amheus, ac na wneler y cysegredig yn watwar.' (J. M. Edwards, *Drama Rhys Lewis*, t. v).

12 Keir Elam, *The Semiotics of Theatre and Drama* (Llundain: Routledge, 2002), t. 91.

13 Islwyn Ffowc Elis, *Wythnos yng Nghymru Fydd* (Caerdydd: Plaid Cymru, 1957).

14 —— *Wythnos yng Nghymru Fydd*, t. 150.

15 —— *Wythnos yng Nghymru Fydd*, tt. 48–9.

16 —— *Wythnos yng Nghymru Fydd*, t. 48.

17 —— *Wythnos yng Nghymru Fydd*, t.

18 —— *Wythnos yn Nghymru Fydd*, t. 88.

19 —— *Wythnos yn Nghymru Fydd*, t. 224.

20 Jill Dolan, *Utopia in Performance: Finding Hope at the Theatre* (Michigan: Gwasg Prifysgol Michigan, 2005), t. 17.

21 —— *Utopia in Performance*, t. 20.

22 Peggy Phelan, *Unmarked: The Politics of Performance* (Llundain, Efrog Newydd: Routledge, 1993), t. 146.

23 Elis, *Wythnos yng Nghymru Fydd*, t. 173.

24 —— *Wythnos yng Nghymru Fydd*, t. 173.

25 At hynny, wrth ystyried arwyddocâd parhad y plentyn yng ngwaith Saunders Lewis, mae ffawd Dewi yn *Cymru Fydd* (1967) ac eironi'r teitl yn drawiadol.

26 Elis, *Wythnos yng Nghymru Fydd*, t. 49.

27 Daw'r cysyniad o 'berfformadwyedd' (*performativity*) yn y cyd-destun hwn yn bennaf o waith Judith Butler (1993). Mae Dafydd James, fodd bynnag, yn cynnig defnyddio'r term 'perfformiaeth', gan ystyried pwisgrwydd syflaenol iaith yn y broses o gyfrieithloni'r normadol. Gweler erthygl James hefyd am grynodeb yn y Gymraeg o ddamcaniaeth *queer*: Dafydd James, 'Y Queer yn Erbyn y Byd', *Taliesin*, 151, Gwanwyn 2014, 66–85.

28 Gweler Sara Ahmed, *Queer Phenomenology* (Durham, NC, Llundain: Gwasg Prifysgol Duke, 2006).

29 —— *Queer Phenomenology*, t. 114.

30 —— *Queer Phenomenology*, t. 154.

[31] Lee Edelman, *No Future: Queer Theory and the Death Drive* (Durham, NC, Llundain: Gwasg Prifysgol Duke, 2004), t. 11.

[32] I gynnig dyfyniad cryno: 'Fuck the social order and the Child in whose name we're collectively terrorized . . . fuck the whole network of Symbolic relations and the future that serves as its prop' (Edelman, *No Future:*, t. 29).

[33] José Esteban Muñoz, *Cruising Utopia: The Then and There of Queer Futurity* (Efrog Newydd, Llundain: Gwasg Prifysgol Efrog Newydd, 2009), t. 11.

[34] —— *Cruising Utopia: The Then and There of Queer Futurity*, t. 185.

[35] O 'Natur' gan Carneddog. Cyfieithiad o 'Nature' gan. E. Littlewood, o *Cyfaill yr Aelwyd*, IX, 12, Rhagfyr 1889, t. 376.

Llyfryddiaeth Gyfeiriadol

Ahmed, Sara, *Queer Phenomenology: Orientations, Objects, Others* (Durham, NC; Llundain: Gwasg Prifysgol Duke, 2006).

Butler, Judith, *Bodies that Matter: On the Discursive Limits of 'Sex'* (Efrog Newydd; Llundain: Routledge, 1993).

Davies, Hazel Walford, *Saunders Lewis a Theatr Garthewin* (Llandysul: Gwasg Gomer, 1995).

Davies, H. Walford (gol.), *Y Theatr Genedlaethol yng Nghymru* (Caerdydd: Gwasg Prifysgol Cymru, 2007).

Dolan, Jill, *Utopia in Performance: Finding Hope at the Theater* (Michigan: Gwasg Prifysgol Michigan, 2005).

Edelman, Lee, *No Future: Queer Theory and the Death Drive* (Durham, NC; Llundain: Gwasg Prifysgol Duke, 2004).

Edwards, Hywel Teifi, *Wythnos yn Hanes y Ddrama yng Nghymru: 11–16 Mai 1914* (Bangor: Cymdeithas Theatr Cymru, 1984).

Edwards, Hywel Teifi, *Codi'r Llen* (Llandysul: Gwasg Gomer, 1998).

Edwards, John Morgan, *Drama Rhys Lewis: Seiliedig ar brif waith Daniel Owen* (Wrecsam: Hughes a'i Fab, 1910).

Elam, Keir, *The Semiotics of Theatre and Drama* (Llundain; Efrog Newydd: Routledge, 2002).

Elis, Islwyn Ffowc, *Wythnos yng Nghymru Fydd* (Caerdydd: Plaid Cymru, 1957).

Hallam, Tudur, *Saunders y Dramodydd* (Caernarfon: Gwasg Pantycelyn, 2013).

James, D., 'Y Queer yn Erbyn y Byd', *Taliesin*, 151 (2014), 66–85.

Jones, Anwen, *National Theatres in Context: France, Germany, England and Wales* (Caerdydd: Gwasg Prifysgol Cymru, 2007).

Jones, Anwen, a Myrddin ap Dafydd (goln), *Wil Sam: Y Dyn Theatr* (Llanrwst: Gwasg Carreg Gwalch, 2010).

Kershaw, B. (gol.), *The Cambridge History of British Theatre: Vol. III – Since 1895* (Caergrawnt: Gwasg Prifysgol Caergrawnt, 2004).

Muñoz, José Esteban, *Cruising Utopia: The Then and There of Queer Futurity* (Efrog Newydd; Llundain: Gwasg Prifysgol Efrog Newydd, 2009).

Owen, Roger, *Ar Wasgar: Theatr a Chenedligrwydd yn y Gymru Gymraeg 1979–1997* (Caerdydd: Gwasg Prifysgol Cymru, 2003).

Owen, Roger, *Writers of Wales: Gwenlyn Parry* (Caerdydd: Gwasg Prifysgol Cymru, 2013).

Phelan, Peggy, *Unmarked: The Politics of Performance* (Llundain; Efrog Newydd: Routledge, 1993).

Ros, N. (gol.), *Disgwl Bŷs yn Stafell Mam: Chwech o Ddramâu Aled Jones Williams* (Caernarfon: Gwasg y Bwthyn, 2006).

Williams, Ioan, *Y Mudiad Drama yng Nghymru 1880–1940* (Caerdydd: Gwasg Prifysgol Cymru, 2006).

2

Codi'r Llen, Ffotograffiaeth a Hanesyddiaeth 'Annheyrngar' Hywel Teifi Edwards

Roger Owen

Yn ei gyfrol tra diddorol ar hanes theori lenyddol yng Nghymru, sef *O Dan Lygaid y Gestapo*,[1] mae Simon Brooks yn trafod y modd y chwyldrowyd sawl agwedd ar ddysg yn y Gymraeg, yn enwedig llenyddiaeth a beirniadaeth lenyddol, gan syniadau a ddeilliodd o'r Oleuedigaeth Ewropeaidd. Hanfod ei ddadl yw fod disgyrsiau'r Oleuedigaeth wedi cyrraedd y byd Cymraeg yn gymharol hwyr o gymharu â diwylliannau Ewropeaidd eraill, a'u bod wedi treiddio i rai agweddau ar y byd hwnnw'n fwy na'i gilydd. Ymdrecha i ddangos bod y cyfryw egwyddorion goleuedig wedi arwain at ymgyrchoedd o blaid rhyddid ac annibyniaeth mewn gwledydd bychain ar hyd a lled Ewrop, ond bod eu dyfodiad hwyr i Gymru wedi golygu mai gwedd ddiwylliannol ar y cyfan, yn hytrach nag un wleidyddol, a roddwyd ar brosiect cyffredinol yr Oleuedigaeth yng Nghymru.

Un o sgîleffeithiau pennaf ac amlycaf y troad at werthoedd goleuedig ym mlynyddoedd cynnar yr ugeinfed ganrif, meddai, fu'r ymdrech i safoni'r iaith Gymraeg a llunio rheolau swyddogol o ran orgraff a sillafu a roddai iddi statws gyfuwch ag unrhyw un o ieithoedd mwyafrifol Ewrop. Ei hachub, mewn geiriau eraill, o afael barbareiddiwch gau-academyddiaeth a rhamantiaeth anfeirniadol a'i darostyngai, boed hynny'n fwriadol neu beidio, i lefel *patois* answyddogol ar dafodau gwehilion. Ond fe fu'n rhaid talu pris sylweddol am yr achubiaeth hon, medd Brooks, sef cymryd bod cysylltiad cynhenid pwerus rhwng ieithwedd 'safonol', oleuedig, a gwirioneddol oesol. Dadleuwyd bod troi at werthoedd goleuedig yn gyfystyr â gwarchod glendid hanfodol iaith, ac fe adleisiwyd ac atgyfnerthwyd y syniad hwnnw mor aml yn ystod hanes diweddar llenyddiaeth Gymraeg, yn enwedig yn ystod y blynyddoedd tua throad yr ugeinfed ganrif a gyfrifir yn aml yn gyfnod ei dadeni modern, nes bod uniongrededd ceidwadol wedi llesteirio'i datblygiad a chyfyngu ar yr hyn a gyfrifid yn briod ddeunydd ar ei chyfer, gan 'osgoi trafodaeth ar rai o'r syniadau mwyaf gwaelodol a ffurfiannol ym mywyd deallusol cyfoes y Gymru Gymraeg.'[2]

Lleisiodd Hywel Teifi Edwards gŵyn tebyg iawn i'r ddamcaniaeth hon o eiddo Simon Brooks am geidwadaeth yr Oleuedigaeth 'an-oleuedig' Gymraeg (t. 73), wrth iddo drafod ymateb Cymry oes Fictoria i'r pardduo a fu ar eu hiaith a'u diwylliant yn sgîl adroddiadau damniol y Llyfrau Gleision yn 1847. Bu'r ymdrech i adfer statws a chymeradwyaeth yr iaith y pryd hwnnw, meddai, yn fodd i gyfyngu ar ei thiriogaeth greadigol yn y tymor hir. Yn 'Cymru Lân, Cymru Lonydd', sef pennod agoriadol gofiadwy ei gyfrol *Codi'r Hen Wlad yn ei Hôl*, fe gystwya'r Cymry am ymserchu mewn rhith-argraff o'u hunain fel 'cenedl o "ddewisol fodau" . . . â'u golygon yn dragwyddol syllu ar bethau uwch'.[3] Nid dim llai na thrychineb fu'r fath hunan-dwyll, meddai Edwards, gan iddo gyfyngu ar rhai o barthau'r iaith Gymraeg, a'i rhwystro rhag medru mynegi ystod eang o brofiadau'i siaradwyr.

Fe ymhelaethir ar yr ymateb hwn o eiddo Edwards i'r argyfwng iaith a diwylliant yn ystod y bennod a ganlyn, ond mae'n werth cychwyn trwy nodi sylwadau Simon Brooks ar Edwards fel hanesydd a sylwebydd ar y diwylliant a'r dychymyg Cymreig. Un o brif orchwylion Edwards, medd Brooks (ac yntau'n dyfynu o eiriau Edwards ei hun), yw ceisio olrhain y rhesymau pam bod yng Nghymru 'ddiwylliant gwarth' Cymreig, 'diwylliant sy'n rhaid iddo wrth gymeradwyaeth diwylliant aliwn cyn y teimla'n siŵr o'i werth cynhenid'.[4] Mae'r broblem, fel yr awgrymwyd eisoes, yn ymwneud â cheidwadaeth y gwerthoedd a gymeradwywyd yn yr adwaith i'r Llyfrau Gleision ac a ledaenwyd fel rhan o'r 'dadeni' llenyddiaeth a dysg ymhlith y Cymry Cymraeg tua throad yr ugeinfed ganrif; ond deil Brooks fod dull Edwards o ddeall a thrafod y diwylliant gwarth hwn – ei epistemeg, yn ôl terminoleg Brooks – yn dangos ei fod yntau wedi'i ddylanwadu gan dueddiadau ceidwadol y fenter honno. Er bod Edwards fel hanesydd (medd Brooks) yn haeru y 'dylai diwylliant Cymraeg gael ei nodweddu gan eclectiaeth fel na ddaw un math o fynegiant diwylliannol yn ffon fesur i genedligrwydd'[5] (ffaith sy'n esbonio'i ddiddordeb mewn pynciau diwylliannol, a'i werthfawrogiad o luosogedd ôl-oleuedig), mae ei ddull o drin y pynciau hynny fel hanesydd – ei hanesyddiaeth – yn dal i ddilyn 'y traddodiad empeiraidd-oleuedig' (t. 117).

Mewn geiriau eraill, deil Brooks fod Edwards, er iddo daranu 'yn erbyn ymdrechion i gadw'r Gymraeg yn iaith "[f]oesol, llednais a rheolus"' (t. 116), a gwrthwynebu 'unrhyw ymgais i ddefnyddio'r Gymraeg er mwyn diarddel ac annilysu agweddau ar y profiad dynol' (t. 116), yn defnyddio technegau trafod a ddilyswyd ac a berffeithiwyd gan yr union garfan a gymeradwyai'r diarddel a'r annilysu hwnnw yn enw glendid iaith a cheidwadaeth deallusol. Fel hwy, ac yn rhinwedd ei alwedigaeth fel hanesydd goleuedig da, mae'n clymu ei drafodaeth yn ddiogel wrth angor ei ffynonellau gwybodaeth hanesyddol ac yn cadw o fewn terfynau cymedroldeb a synnwyr cyffredin wrth fanylu arnynt a'u dehongli. Eithr ffrwydrir y geidwadaeth hon wrth iddo fynnu trin pynciau y mae eu gafael ar y dychymyg yn drech na'r cyfryw gymedroldeb, pynciau sy'n ymosod yn bwerus ar argraffiadau normadol am drefn a gweddustra cymdeithasol. Yn neilltuol, mae ei ddiddordeb mewn perfformio, yn y celfyddydau a diwylliant poblogaidd yn datgelu rhyw awydd ynddo i fod yn annheyrngar[6] i'r traddodiad empeiraidd-oleuedig y mae Brooks yn cyfeirio ato: mae'r meysydd hynny a drafodir ganddo yn *Codi'r Hen Wlad yn ei Hôl*, megis yr Eisteddfod a'r Orsedd, y cantor Eos Morlais, Côr Mawr Caradog, Pasiant Caerdydd 1909, dramâu-gantata Beriah Gwynfe Evans a dramâu newydd 1913–14, oll yn bynciau nas gellid eu gwerthfawrogi'n llawn ond trwy arddel cryn dipyn o ddychymyg wrth geisio dyfalu pa fath o brofiad fuasai bod yno i'w profi ar y pryd; ac yn y dychmygu hwnnw fe lefeinir y deallusrwydd rhesymegol neu wrthrychol ag aflonyddwch mympwyol yr emosiynau a'r synhwyrau.

A chyffredinoli, felly, gellir dweud mai hanesydd â'i ddiddordeb sylfaenol mewn profiadau oedd Hywel Teifi Edwards, a bod y

pynciau y dewisodd draethu amdanynt, a'r cyfnod a fu'n faes
arbenigedd iddo, yn gyfrwng delfrydol ar gyfer trafod cymhleth-
dodau a gwrthdrawiadau'r profiadau hynny. Eithr ni fedrai, neu
ni fynnai, sylwebu yn y modd profiannol wrth drafod ei bwnc –
trwy arddel dulliau beirniadol strwythuriaeth neu ffenomenoleg,
er enghraifft – rhag iddo ddwyn cymlethdodau theoretig i fewn
i'r berthynas rhyngddo a'i ddarllenydd. Er mor daer ei barch at
annheyrngarwch beirniadol yn enw creadigrwydd a chelfyddyd,
teyrngar (gan fwyaf) a fu i foddau disgyrsiol yr Oleuedigaeth yn
ei waith ei hun. Ond fe wnaeth yn iawn am y diffyg neu'r angh-
ydnawsedd hwn i ryw raddau trwy ddod â phrofiad neu bresenol-
deb arall i fewn i'r gwaith, sef ei lais awdurol, ymwthiol a ffraeth
ei hun. Bu hynny'n fodd iddo gyfleu peth o'r ymdeimlad hwnnw
o gyfaredd ac antur a geid, yn gymysg oll i gyd, yn nigwyddiadau
a ffenomenâu diwylliannol Oes Fictoria ac yn ymateb y Cymry
iddynt. Bu hefyd yn fodd iddo arosod rhyw wedd berfformiadol,
neu theatraidd hyd yn oed, ar ei drafodaeth o'r diwylliant hwnnw;
er enghraifft, wrth rwymo gwahanol ddigwyddiadau at ei gilydd
yn *Codi'r Hen Wlad yn ei Hôl*, creodd argraff ddefnyddiol iawn o'r
diwylliant Cymraeg fel rhyw lwyfan cenedlaethol, llwyfan a hawlid
gan y mawr a'r glew gan amlaf, ond a fai'n rhaid hefyd wrth
wrandawiad ac ymyrraeth y cyffredin a'r gwachul.

Ond beth am drafodaeth Edwards o'r ddrama lwyfan? Ac yntau'n
nodedig fel hanesydd a bwysleisiai'r posibiliadau diwylliannol
a geid mewn gweithredu hunan-ymwybodol, uniongyrchol ac
amodol (hynny yw, mewn theatricaliaeth), afraid dweud bod
ganddo ddiddordeb yn y modd yr ymledaenodd poblogrwydd y
Mudiad Drama trwy Gymru tua throad yr ugeinfed ganrif. Er na
chyhoeddodd gyfrol sylweddol ar hanes y Mudiad Drama fel y
gwnaeth yn achos yr Eisteddfod, fe gafwyd sawl pennod ganddo
a sawl cyfeiriad at ddigwyddiadau, cwmnïau ac unigolion a gyf-
rannodd at ddatblygiad y cyfrwng rhwng tua 1880 ac 1940. Yn
Llwyfannau Lleol,[7] er enghraifft, fe drafododd waith Theatr Fach
Aberdâr a'i chyfarwyddwr, y Parch. E. R. Dennis; crynhôdd hanes
Cymdeithas y Ddrama Gymraeg, Abertawe yn y ddarlith gyhoedd-
iedig *Lle Grand am Ddrama* yn 1989;[8] a cheir aml i gyfeiriad ganddo
at y rheini a fu'n arloesi ym myd y ddrama a'r theatr yn ei gyfrolau

cyfansawdd ar gymoedd Cymru. Ceir sawl cyfeiriad at weithgarwch dramataidd yn ei gyfrol *Codi'r Hen Wlad yn ei Hôl* hefyd, lle mae'n sôn (fel y nodwyd eisoes) am arbrofion Beriah Gwynfe Evans ac am Basiant Cenedlaethol Caerdydd; ond efallai mai'r drafodaeth estynedig amlycaf a wnaeth ar hanes y ddrama yw'r bennod a geir yn yr un gyfrol, sef 'Wythnos yn Hanes y Ddrama yng Nghymru (11–16 Mai 1914)'. Yno, fe gyfeiria at fudiad y ddrama newydd, Ibsenaidd ei naws, a ysgubodd trwy Gymru yn ail ddegawd yr ugeinfed ganrif o dan arweiniad cenhedlaeth o ddramodwyr megis W. J. Gruffydd, R. G. Berry, D. T. Davies a J. O. Francis, ac o ganlyniad i ysgogiad y noddwr diflino, yr Arglwydd Howard de Walden. Daeth y mudiad hwn i'w fri yn ystod yr wythnos a nodir yn nheitl y bennod, pan berfformiwyd gwaith y tri dramodydd olaf a rhestrwyd ar lwyfan y New Theatre yng Nghaerdydd; a dyma, yn ôl Edwards, benllanw ymdrech gydwybodol i orseddu drama 'fel cyfrwng celfyddyd a oedd i harddu a difrifoli bywyd y genedl trwy roi iddi olwg onestach ar ei chyflwr a dyfnach amgyffred o'i hangen',[9] gan ddenu miloedd o Gymry cyffredin 'i wynebu her celfyddyd gyfoes, gwestiyngar' (t. 285).

Pennaf rinwedd y ddrama newydd yn ôl Edwards oedd ei gallu i chwalu'r ffantasi ddifäol am 'Gymru Lân, Gymru Lonydd' trwy annog y Cymry i gofleidio 'grymoedd naturiolaeth a realaeth' (t. 16); yn wir, fe resyna'r awdur na wnaed hynny rai degawdau ynghynt, yn ystod yr 1880au a'r 1890au, pan oedd Ibsen ei hun wrthi'n cyfansoddi ei gyfres o ddramâu rhyddiaith ar bynciau cymdeithasol. Ond y peth agosaf at genadwri Ibsenaidd a gafwyd yng Nghymru oedd nofelau Daniel Owen, a geisiai, yn ôl Edwards, dapio'r 'ffynnon fawr o ragith a darddai mewn gwlad fach niwrotig a oedd wedi meistroli'r grefft o gamgymryd "appearance" am "reality"'[10], a heb sylweddoli 'peth mor ddinistriol oedd rhagrith "pobol dda"' (t. 16). Gan hynny, gofynnai, '[o]nid brodyr o'r un bru oedd Ibsen a Daniel Owen?' (t. 288)

Amlygir cryn lawer ynglŷn ag agwedd Edwards tuag at y ddrama fel cyfrwng yn y fan hon. Yn y lle cyntaf, mae'n werth nodi mai trafod potensial y ddrama Gymraeg fel mudiad cymdeithasol y mae wrth gymeradwyo gwaith y to newydd o ddramodwyr ar ôl 1913, ac nid disgrifio'r cynyrchiadau theatraidd neilltuol yr esgorodd y dramâu hynny arnynt. Yn ddiau, er iddo ganmol bwriadau iconoclastig y mudiad, mae'n dueddol o anwybyddu dimensiwn dychmygol y digwyddiadau theatraidd a oedd yn sail iddo, gan lynu yn hytrach wrth drafodaeth o'r elfennau hynny y medrir eu cadarnhau trwy dystiolaeth goncrit (er enghraifft, wrth sôn am W. J. Gruffydd fel ysgogwr ar y ddrama newydd, fe esgusoda'i hun rhag gorfod dadansoddi *Beddau'r Proffwydi* a rhoi cyfrif o'i gwendidau fel drama: 'A dweud y lleiaf, drama anniben ei saernïaeth a niwlog ei chenadwri yw *Beddau'r Proffwydi'*, meddai, 'ond nid dyna sy'n cyfrif yma'.[11] Diau hefyd bod ei haeriadau am rym y ddrama Ibsenaidd yn gorbwysleisio'r elfennau cystwyol a chwestiyngar ynddi, ac yn adleisio'r dehongli gorfrwdfrydig a fu arni gan George Bernard Shaw a'i debyg ar adeg cyfieithu'r dramâu i'r Saesneg. Shaw, yn anad neb, a ledaenodd yr argraff am waith Ibsen fel cyfres o 'problem plays' cymdeithasol, gan anwybyddu oblygiadau'r drafodaeth ddeifiol ar hunaniaeth unigol a goddrych-oldeb a geid ynddynt. Bu'n rhaid i feirniaid, cyfieithwyr a haneswyr ymlafnio am flynyddoedd i geisio datod gweledigaeth Ibsen ei hun o afael Shaw a'i ddilynwyr. At hynny, a dychwelyd at drafod-aeth Edwards, mae lle i ddadlau nad oedd gweithiau'r dramodwyr Cymraeg newydd ar ôl 1913 yn gyson o gwbl ag egwyddorion dramatig Ibsen. Yn ôl Ioan Williams, yn ei astudiaeth gynhwysfawr o weithgarwch cynnar y cwmnïau drama Cymraeg, sef *Y Mudiad Drama yng Nghymru 1880–1940*, nid oedd eu gwaith hwy yn real-aidd, 'nac o ran arddull na thema, [ac mae'r] gymhariaeth gyffredin rhwng eu gweithiau hwy ac eiddo Ibsen yn annilys.'[12]

Cytuna Williams ag Edwards fod y dramâu newydd Cymreig wedi'u dylanwadu gan waith a gweledigaeth Daniel Owen, ond o'r braidd fod hynny'n gymeradwyaeth frwd iawn ychwaith, gan mai un o brif nodweddion Owen fel nofelydd, yn ôl Williams, oedd ei ddiffyg argyhoeddiad personol yn y Galfiniaeth a gymeradwyai fel hanfod yr hunaniaeth Gymreig Anghydffurfiol. Gweithred ddigon gwag gan hynny oedd dadlenni rhagrith y cymeriadau – hyd yn oed y 'bobol dda', chwedl Edwards – gan na ddatgelid unrhyw ddaioni neu wirionedd uwch o ganlyniad i'r dadleniad hwnnw. O gymhwyso'r diffyg hwn trwy estyniad at y mudiad drama, haera Williams nad deffro'r Cymry i gelfyddyd gwestiyngar a wnâi'r dramâu newydd wedi 1913, ond eu suo yn sŵn yr un mythologu difäol a ddisgrifiwyd gan Edwards yn *Codi'r Hen Wlad yn ei Hôl*. Ni lwyddodd y to newydd o ddramodwyr i ddarbwyllo'r gynulleidfa o'r angen am olwg newydd, heriol ar bethau gan y teimlent fod yn rhaid iddynt blesio'u cynulleidfa er mwyn diogelu'r fenter yn y lle cyntaf. Ys dywedasai Samuel Johnson ganrif a mwy ynghynt: 'The drama's laws the drama's patrons give, / For we that live to please, must please to live.'[13]

Digon diffygiol, felly, yn ôl dadleuon Ioan Williams, yw rhesymu Edwards yn *Codi'r Hen Wlad yn ei Hôl* ynglŷn â chryfder a chyfraniad y mudiad drama i gymdeithas Gymraeg y ganrif newydd, ac ynglŷn â pherthynas y mudiad â mentrau celfyddydol modern mewn gwledydd eraill. Ond nid yn y cyfrolau a'r cyhoeddiadau a nodwyd eisoes yn unig y trafododd Hywel Teifi ddatblygiad y ddrama. Mae yna gyfrol arall o'i eiddo, sef *Codi'r Llen*, sy'n cyflwyno'r mudiad mewn ffordd dra wahanol, ac sy'n llwyddo gan hynny i osgoi sawl un o'r problemau a nodwyd eisoes o ran rhethreg ac epistemeg.

Cyhoeddwyd *Codi'r Llen* yn 1998, ac un o'i hynodion amlycaf yw'r ffaith fod cyn lleied o lais rhethregol arferol Edwards i'w chlywed ynddi fel traethydd a dehonglwr. Y rheswm dros dawedogrwydd annodweddiadol yr hanesydd yw'r ffaith seml mai cyfrol o ffotograffau yw hi, a'r ffotograffau eu hunain yw prif draethwyr yr hanes a geir ynddi. Mae Edwards yn cynnig rhywfaint o gyddestun i'r astudiaeth yn ei bennod ragarweiniol ac yn gosod capsiynau ysgrifenedig islaw y ffotograffau, ond fe neilltuir y rhan helaethaf o ofod y gyfrol at y dystiolaeth ffotograffig ei hun. Gan hynny, hoffwn gynnig mai rhethreg *weledol* sy'n sail i *Codi'r Llen* yn ei chrynswth ac nid dadl resymegol neu naratif hanesyddol gonfensiynol. Golyga hyn ei bod hi'n gweithio ar ddeallusrwydd a dychymyg y darllenydd mewn ffordd tra gwahanol i destun ysgrifenedig traddodiadol (empeiraidd-oleuedig, hwyrach, a benthyg term Simon Brooks unwaith eto). Nid yn llinol y mae hi'n darllen, eithr trwy wrthgyferbynu neu adleisio ffigyrau, motifau ac ansoddau gweledol; gan hynny, mae hi'n ymwrthod â bod yn gyfanwaith taclus, ac fe ysgoga drafodaethau amgen lu wrth i'r darllenydd geisio ystyried neu ddyfalu cyd-destun y ffotograffau.

Fel y dywed Clive Scott am waith y beirniad John Berger, mae'r ffotograff yn 'adrodd' mewn dimenswn hollol wahanol i'r testun ysgrifenedig, 'as a medium which can tell radially rather than linearly, which can tell intersubjectively, which can be read as improvisation'.[14] Gwrthgyferbynir y deunydd gweledol ac ysgrifenedig ar hyd *Codi'r Llen*, felly, ac mae hyn ynddo'i hun yn golygu bod y traethu a geir yn y gyfrol yn gyfansawdd neu gymysgryw ac yn awgrymu bod a wnelo'r ddrama lwyfan â lluosogedd cynhenid yr ôl-oleuedig, chwedl Simon Brooks. Trwy lacio'i afael arferol ar ei ddeunydd yn yr achos hwn, felly, fe greodd Edwards rethreg sy'n gwyro'r driniaeth o'r pwnc tuag at y goddrychol, y ffenomenolegol a'r uniongyrchol-bresennol ac i ffwrdd (eithr nid yn gyfan gwbl, ychwaith) o'r dramatwrgaidd a'r testunol.

Sylwer ar un neu ddau o'r lluniau yn y gyfrol er mwyn nodi sut y mae'r gwrthgyferbyniad rhwng y moddau hyn o draethu yn gweithio ar y broses o ddehongli'r deunydd. Ar dudalen 10, ceir ffotograff o '[G]wmni'r Wesle Fach, Pontarddulais (cwmni cynnar Dan Matthews) a fu'n actio *Jack y Bachgen Drwg* yn 1901'; ac islaw iddo, ffotograff 'Cwmni Ponterwyd a ffurfiwyd yn ystod degawd cynta'r ganrif.'[15] Yn yr uchaf o'r ddau, mae cyd-destun y ffotograff yn gymharol lawn, ac mae'r capsiwn yn cynnig arweiniad i ni ynglŷn â'i arwyddocâd. I'r sawl a ŵyr rhywbeth o hanes y ddrama Gymraeg yn ystod yr ugeinfed ganrif, fe fydd yr enw Dan Matthews yn un cyfarwydd, ac mae'r llun yn un difyr a gwerthfawr iawn o safbwynt hanesyddol. Mae'n dangos Matthews yn ddyn ifanc ar ddechrau gyrfa hir a chwbl answyddogol ym myd y theatr amatur a barodd am hanner canrif a mwy, ac a'i gwelodd yn perfformio ar lwyfannau lleol ledled Cymru gannoedd o weithiau. Yn yr ystyr 'empeiraidd-oleuedig' felly, mae'r llun yn cynnig tystiolaeth gadarn ('fynegeiol', a defnyddio term y semiolegydd Peirce) o ymwneud Matthews â Chwmni'r Wesle Fach ar ddechrau'r ganrif. Gan hynny, hoffwn gynnig mai'r capsiwn sy'n llywio ymateb y gwyliwr i'r llun hwn, gan leoli Matthews fel canolbwynt; wedi hynny, gadewir i'r llygad grwydro o'i ddelwedd ef allan at y cynnwys o'i gwmpas ac hyd at ymylon y ffrâm. Fodd bynnag, a derbyn damcaniaeth Scott, mae'r ffotograff ei hun hefyd yn gwrthod y fath ddarlleniad trefnus; a'r celwydd mewn capsiwn yw ei fod yn awgrymu y gall yr wybodaeth ffeithiol a'r ddelwedd weledol gwrdd o gwbl yn rhinwedd y disgrifiad geiriol a roddir. Ys dywed Susan Sontag yn ei chyfrol enwog *On Photography*: 'Photographs, which cannot themselves explain anything, are inexhaustible invitations to deduction, speculation and fantasy.'[16] Fe grwydra'r llygad dros wyneb y llun: nodir osgo'r gwahanol ffigyrau (yn enwedig felly Matthews, a roddwyd i eistedd ar gadair sy'n rhy fach iddo); nodir y 'llwyfan' glaswelltog, anghymarus o dan eu traed; y gefnlen a brofodd yn rhy gul i guddio'r wal gerrig y tu cefn iddynt (yntau ai felly oedd hi? Ynteu a ddewisasant cefnlen gul o fwriad?). Er gwaethaf yr arweiniad iddo a roddir i ni gan gapsiwn Edwards, mae'r hyn *nas gwyddwn* yn dal i fod yn bwerus-bresennol yn y ffotograff ac mae'n ymyrryd ag unrhyw ymdrech o'n heiddio ni i'w ddehongli. Mae'r ffotograff yn gyson annheyrngar i'r capsiwn.

Yn achos y llun o Gwmni Ponterwyd, mae'r capsiwn ei hun yn addef diffyg gwybodaeth: 'Gellir enwi'r actorion', meddir, 'ond gwaetha'r modd ni ellir (hyd yn hyn) enwi'r ddrama. Y mae'n llun ardderchog.'[17] Y *mae'n* llun ardderchog, ond o safbwynt y capsiwn, fe'n gwahoddir i'w edmygu nid fel tystiolaeth uniongyrchol o gydberthynas cymeriadau mewn ffuglen ddramataidd benodol, fel y gwnaed yn achos *Jack y Bachgen Drwg*, ond fel arddangosfa o'r cymeriadau fel teipiau dramataidd stoc neu fel eiconau neill-tuedig. I'r graddau hynny, ac o'i gymharu â'r llun o Gwmni'r Wesle Fach, mae'r ffotograff hwn wedi ymddatod o'i gyd-destun ac yn ymwrthod â'r *milieu* lle y tynnwyd ef er mwyn perthyn iddo'i hun fel delwedd. Ys dywed Scott: 'if the photograph no longer insists on the origin of its taking, its function changes radically. It no longer authenticates or confirms a reality external to it, but floats in a semantic no man's land.'[18] Gan hynny, mae'r llun o Gwmni Ponterwyd yn gwbl gyson â'r disgrifiad a rydd Sontag o ffotograffau fel gwrthrychau swreal, sy'n rhydd o'r ffrwynau arferol a osodir ar y dychymyg gan 'synnwyr cyffredin' empeiraidd a realiti beunyddiol: 'Surrealism lies at the heart of the photographic enterprise', medd hi, 'in the very creation of a duplicate world, of a reality in the second degree, narrower but more dramatic than the one peceived by natural vision.'[19] Fel gwylwyr, fe'n teflir i diriogaeth y swreal nid yn unig gan leoliad rhyfedd y ffigyrau yn y llun – safant yn eu dillad llwyfan yng nghanol rhyw dirwedd creigiog anghydnaws ag unrhyw ddrama gyfoes – ond hefyd gan ryfeddwch y ffigyrau eu hunain, sydd fel petaent yn bwyllog dderbyn eu gwrthrychu, yn cydgynhyrchu'r foment hon o 'reality in the second degree'. Mae'r dieithrio swreal yn ymlithro hyd yn oed o afael y ddelwedd ei hun ac yn ymholi ynglŷn â hygrededd y capsiwn: ai *dyma* 'R. Lloyd Jones (ysgolfeistr)' – y gwrthrych hwn? Ai dyma 'Elizabeth G. Morgan, Iorwerth M. Jones', a fu'n rhannu'r un *reality in the first degree* â ninnau?

Wrth gwrs, mae hyd yn oed enwi'r elfennau hyn sy'n tanseilio realiti'r 'synnwyr cyffredin' empeiraidd a pheri iddo ymddatod fel hyn yn golygu bod rhaid newid, neu ddatod, dull rhethregol yr erthygl hon hithau. Ni allaf drafod yr hyn a bair i'r ffotograff ddatgelu ei ffugod ei hun a'i ryddid mympwyol o hualau awdurdod a threfn ond mewn termau goddrychol; mae'r modd y datgela'r ffotograff ei natur anystywallt ei hun *i mi* yn wahanol iawn (neu fe all fod) i'r modd y gwna hynny i arall. Mae'r cysyniad o'r 'gwyliwr' fel endid gwrthrychol y medrir cyffredinoli ynglŷn â'i ymateb wedi'i ddileu. Rhydd y capsiwn ystyr i'r llun, ond cwbl ofer yw disgwyl i'r ffotograff lynu wrth yr ystyr hwnnw'n unig, a datgelu hwnnw'n unig; mae yma destun o fath, ond ni chrewyd y testun hwnnw er mwyn sicrhau cydsyniad ynghylch ei ystyr. Mewn geiriau eraill, mae yma, yn *Codi'r Llen*, hanesyddiaeth sy'n addef natur ddadadeiledig ei dystiolaeth ei hun.

Ni hawliodd Edwards ei hun ei fod yn bwriadu neilltuo'r rhan helaethaf o'i gyfrol i'r math hwn ar drafodaeth o ddeunydd hanesyddol. Os mynnwn dadogi'r rhethreg ddadadeiledig, weledol hon arno ef, rhaid i ni hawlio mai gwneud hynny'n reddfol, efallai, neu'n *is-ymwybodol* hyd yn oed, a wnaeth. Yn ddiddorol ddigon, mae yna rywfaint o le i ddadlau mai felly y bu, os goddefir i ninnau arddel ein dadansoddiad 'ôl-oleuedig' ein hunain o weledigaeth yr hanesydd. Daeth *Codi'r Llen* i fod yn sgîl galwad gan Edwards am gyfraniadau – sef ffotograffau – gan gymwynaswyr o blith aelodau'r cyhoedd. Wrth apelio am ffotograffau yn y cylchgrawn *Barn* yn 1997, soniodd fel y gobeithiai 'wrogaethu i'r llu mawr o Gymry a wnaeth chwarae drama o'r de i'r gogledd yn ffordd o fywiocáu cymdeithas a megino Cymreictod' ar droad yr ugeinfed ganrif;[20] eithr teimlai ef ei hun nad oedd ganddo mo'r amser i wneud cyfiawnder â'r holl weithgarwch y gellid ei gynnwys mewn cyfrol ar y pwnc. Penderfynodd, serch hynny, 'fod modd gwneud un peth i gydnabod cyfraniad clodwiw selogion y ddrama, un peth na fyddai'n ormod o dreth ar nerth ac amser gŵr â'i lygaid bellach ar y cloc' (t. 31), sef casglu llu o luniau ynghyd.

Pan ddaeth y gyfrol i olau dydd, manteisiodd Edwards eto ar ei gyfle i sôn am yr awydd a'r angen a'i symbylasai yn y lle cyntaf. Ei obaith, meddai, oedd y byddai 'gweld lluniau rhai o'r cwmnïau drama . . . yn ennyn awydd, yn enwedig yn ein colegau, i'w hystyried yn werth astudiaeth.'[21] Gwaetha'r modd, '[e]r pan thatsiereiddiwyd dysg'[22], cyndyn yr ymddangosai colegau Cymru i gyflawni'r gwaith pwysig hwn:

> y mae ysgolheictod wedi'i ddibrisio gan asesiadau sy'n mesur gwerth yn ôl maint y cyflenwad. Y mae prifysgolion a cholegau bellach yn ymffrostio yn amlder a lluosogrwydd cynnyrch fel y byddai selogion prifwyliau Oes Victoria yn ymffrostio yng nghyfoeth 'yr ochr lenyddol' yn ôl pwysau'r cyfansoddiadau – yn llythrennol!'[23]

Bid a fo am union sylwedd y cyhuddiad hwn, mae ei fyrdwn yn ddigon eglur, sef bod y sefydliadau addysg uwch wedi ymroi yn llawen i esgeuluso deunydd astudiaeth gwerthfawr ar eu stepen drws eu hunain er mwyn diwallu 'anghenion' bondigrybwyll y farchnad ddysg: 'Dan oruchwyliaeth o'r fath y mae'r prosiect micro-don yn fuddiolach na'r pwnc sy'n gofyn am ymchwil dyfal cyn y deor – a phwnc o'r math hwnnw yw hanes y ddrama Gymraeg.' (t. viii).

Mae ei sylwadau am darddiad *Codi'r Llen* yn dra diddorol. Yn ôl ei addefiad ei hun, nid gwaith gorffenedig fel y cyfryw fyddai'r gyfrol, eithr rhyw rag-chwarae, ymgais i waddoli deunydd ymchwil at ddefnydd 'ambell fyfyriwr ymchwil ifanc'; fe ddygai'r gyfrol ei phriod ffrwyth rhywbryd yn y dyfodol, mae'n debyg, a hynny mewn astudiaethau nas gwelai ef mohonynt gan ei fod bellach yn 'rywun trigeinmlwydd' a'i '[d]dyddiau'n prinhau'.[24] Ai gwamalu oedd Edwards pan haerodd fod ei feidroldeb ei hun yn rhwystr iddo rhag bwrw ati i lunio trafodaeth gynhwysfawr ar y ddrama Gymraeg? Efallai: ond mae'r ddelwedd a greodd ohono'i hun fel hanesydd o ganlyniad i'r haeriad hwnnw'n un gogleisiol. Fe'i cawn, ar ddiwedd oes (bu fyw am ddeuddeng mlynedd gogoneddus arall, cofier), wedi'i ymneilltuo'i hunan rhag gwerthoedd sathredig ei oes, yn edrych yn hiraethus at diriogaeth y dyfodol ymron fel rhyw Foses ar fynydd Nebo yn mud-syllu at Wlad yr Addewid, ac yn 'gweld o bell y dydd yn dod' pan feddiannid honno yn enw gwybodaeth a hunan-barch dysgedig gan gywysgolhaig egnïol, Joshua'r genhedlaeth nesaf.

Wrth gwrs, fe geid sawl llun o'r Moses hwn ar aelwydydd Cymru ers talwm. Roedd yn dipyn o ffefryn, yn rhan annatod o bropaganda domestig Anghydffurfiaeth yn yr oes a fu'n brif faes llafur i Edwards ar hyd ei yrfa, ac yn gyplysiad nodweddiadol o foesoli ac o ramant. Fel rhyw *memento mori*, fe rybuddid y gwyliwr gan Moses i gofio mai meidrol oedd ef fel pob dyn arall (hyd yn oed yr arwr-broffwyd mwyaf), ac y deuai amser ac ewyllys y Goruchaf ymhen y rhawg i'w drechu ef a'i holl fydol ddawn; eithr ni allai beidio â denu'r gwyliwr i uniaethu â drama'r olygfa hefyd, a'i hudo i gydymdeimlo â'r henwr wrth iddo ddeisyfu un cip bach ar ddyfodol y gwnaeth ef, trwy ymdrech oes, ei waddoli i'r genhedlaeth newydd. Cawn Moses, a chan hynny Edwards ei hun fel awdur *Codi'r Llen*, wedi'u rhewi rhwng ymserchu ac ymatal, â'u llygadrythu mud yn tystio i wrthdaro mawr annatrys. Beth a wnawn ni o'r ffigwr synfyfyriol hwn, yn hir-syllu ar diriogaeth anhygyrch ei ffantasi?

Beth ond ei weld unwaith eto, y tro hwn fel motif ar gyfer clawr *Codi'r Hen Wlad yn ei Hôl* pan gyhoeddwyd honno gan Wasg Gomer yn 1989? Yno, 'Dame Wales' bondigrybwyll y *Western Mail* a welir yn llechu ger craig enfawr, yn syllu trwy ysbienddrych dros ryw bwdel o fôr ar y Gwyddelod yn cyfarch y Brenin Sior V a'r Frenhines Mary ar eu taith i Ddulyn yn 1911. Mae hi'n 'awchu am . . . Ymweliad Brenhinol'[25] cyffelyb i Gymru yn ôl capsiwn y llun, ac yn darogan dyfodol disglair: *'Well done, Ireland! Indeed, now, that is a grand reception; but I will beat it, look you!'* (t. 17) Yr un yw ei hystum hi a'i chymar Beiblaidd, sef sylliad hiraethus at wrthrych pellennig. Wrth gwrs, mae union natur y syllu yn wahanol iawn yn y naill achos a'r llall. Ceir Moses yn syllu ar baradwys ffrwythlon, gwlad o laeth a mêl, lle gall plant darostyngedig Israel – ac eithrio ef ei hun – wireddu'r bywyd a ragluniwyd ar eu cyfer gan Dduw; ar y llaw arall, ceir 'Dame Wales' yn crefu'i darostyngiad, ac yn taer obeithio ennill ffafr ei choncwerwr trwy ymgreinio iddo'n is na'i chyd-ddeiliaid Celtaidd (crynhoir y cyfan yn dwt yn nheitl y cartŵn, sef *'LOYAL RIVALRY'*). Mor llwm a distadl ei hanian hi wrth ochr y Frenhiniaeth wych y ceisiai ffafr ganddo, y 'dwmplen afrosgo' hon o werinwraig 'yn ei phais a'i betgwn a'i chlocs' (t. 17), ac mor debyg ei theyrngarwch gwasaidd, cyffredin-ei-synnwyr i'r ffigyrau truenus a bortreadid yn rhai o luniau cyfoes Oes Fictoria o ddeiliaid egsotig yr Ymerodraeth yn cael eu dyrchafu i daeogrwydd gwâr gan ffafr Ei Mawrhydi. Sonia Edwards am y rhain yn ei bennod, 'Cofféu Llywelyn'; ac yno hefyd mae'n gwrthgyferbynu'r goddefoldeb a arddangosai'r deiliaid hyn (a'r Cymry hwythau) ag egni ymwthiol y brenin Edward I ym mhaentiad Phil Edwards yn 1894, wrth iddo gyflwyno'i fab i'r Cymry fel tywysog newydd arnynt: 'Ystyrier y gwahaniaeth rhwng ystum Edward I, y famaeth ('Myfi sy'n magu'r baban') wrth ei gefn, a'r cŵn (y Cymry gorchfygedig) wrth ei draed. Ac ystyrier y modd y dyrchefir cleddyf cabledd uwchben y babi fel petai'n anfonedig nef.' (t. 215)

Caethiwus ar y gorau yw'r portreadau hyn o'r Cymry. Fel Moses y Fictoriaid, maent yn cymell gweithred nad yw'n weithred, sef – yn yr achos hwn – cyflawni'r ffantasi am fod yn rhydd rhag llid y gormeswr eithr heb weithredu'n groes i'w werthoedd yntau a'i ewyllys. Chwaraewyr di-nod yw'r Cymry hyn yn nrama'r Ymerodraeth, a gweithred anniolch ar y naw yw traethu hanes eu hisraddiad anochel, parod. Hwyrach mai dyna pam yr ymddiddorodd Edwards yng nghynyrchiadau llwyfan y Mudiad Drama, a'r ffotograffau ohonynt; er gwaethaf aneffeithioldeb y cynyrchiadau hyn fel arfau a ddygai unrhyw fath ar ryddid gwleidyddol i'r Cymry (a derbyn barn Ioan Williams am wendidau'r Mudiad), o leiaf fod y chwarae, trwy 'ymrannu yn berfformwyr ac yn gynulleidfa',[26] yn cydnabod y gwrthdroad ynddo ef ei hun ac yn cyflwyno'r gwrthdroad hwnnw, rhywfodd neu'i gilydd, i'r gynulleidfa. Ac at hynny, er bod y weithred o gynyrchioli'r hunan yn y cyfnod modern wedi creu dieithriad problemus a oedd yn

agored i'w gymhathu gan awdurdod y systemau cyfalafol ac
ymerodrol (a chofier bod Sontag wedi nodi bod ffotograffiaeth
fel cyfrwng wedi cyfrannu'n bwerus at y dieithriad hwnnw –
'the camera makes everyone a tourist in other people's reality,
and eventually in one's own'),[27] o leiaf fod y chwarae llwyfan,
yn uniongyrchedd eithaf ei gyflwyno, yn gyfrwng rhyw fath ar
lawenydd a hawliai ei gyfran fach yntau o ryddid annheyrngar cyn
cael ei ddofi. I'r graddau hynny, fe lwyddodd y cwmnïau drama,
'[m]ewn hindda a drycin . . . i gadw cymdeithas yn gymdeithasol,
yn ddynol.'[28]

Yn ôl ei addefiad parod ei hun, ni wnaeth Edwards ond codi'r
llen, fel petai, ar astudiaeth o'r ddrama Gymraeg gynnar. Ond
gobeithiaf fy mod wedi dweud digon yn hyn o eiriau i awgrymu
iddo wneud rhywbeth arall o gryn bwys hefyd, sef 'gollwng y
mwgwd' ar gamera'r dychymyg modern yng Nghymru, gan gyn-
nwys ei ddychymyg hanesyddiaethol ei hun. Er iddo haeru nad
oedd ei gyfrol namyn ernes o drafodaeth ehangach, lawnach
gan un na fyddai'r cyfan yn ormod iddo, eto mae rhesymeg weledol
Codi'r Llen yn berffaith gyson â'r olwg fodern ar bethau a oedd
yn cymell twf y theatr a phoblogrwydd ffotograffiaeth ill dau;
cyfres o ddinoethiadau a geir ynddi, datguddiad ar ôl datguddiad,
damcaniaeth ar ôl damcaniaeth ynglŷn â'r modd y medrid dod
i gwrdd â realiti'r presennol; weithiau (fel yn achos eiconograffi
Rhys Lewis) mae'r llen yn codi, a'r mwgwd yn disgyn, a'r olygfa
yn hen gyfarwydd o ganlyniad i'w hailadrodd droeon; bryd arall,
mae'r olygfa'n wreiddiol, newydd; a phryd arall eto, mae'r cyfan
yn gwbl anesboniadwy, er gwaethaf pob craffu arno. Mae hanes-
yddiaeth y gyfrol yn gwbl gyson â'r camera fel arf praffaf y
dychymyg modern, fel y noda Sontag:

> Through photography, the world becomes a series of unrelated,
> freestanding particles, and history, past and present, a series of
> anecdotes and *faits divers* . . . It is a view of the world which denies
> interconnectedness, continuity, but which confers on each moment
> the character of a mystery.[29]

Pa raid dweud mwy, felly (pa faint mwy y gellid dweud?) wedi:

ymddiried yn y lluniau i siarad drostynt eu hunain wrth bwy
bynnag a chanddynt glustiau dychymyg i wrando. O lun i lun, o
flwyddyn i flwyddyn, o fro i fro, fe ddôi Cymru amlweddog o'r
tu ôl i'r llenni i wynebu cynulleidfa fel erioed . . . eu hwynebau'n
fyw a'u hosgo droeon yn odidog ddifrifol.[30]

A ninnau'n syllu gydag ef, o gopa Mynydd Nebo ei ymwadiad
â'i orchwyl mawr, at Wlad yr Addewid tu hwnt i'r Iorddonen,
sylwn yn awr mai ar lwyfan ydym, ac nad syllu'n gau-hiraethus
a wnawn ar Wlad y Llaeth a'r Mêl, eithr at yr esgyll. Ni ddaethom
yma yn rhinwedd ein hawl fel arwr mawr y llwyth, yr hwn a
dderbyniodd y Gyfraith ddwyfol a'i chyflwyno gerbron y bobl (yn
ôl Simon Brooks, perthyn yr anrhydedd oleuedig honno i John
Morris Jones);[31] nid Moses ydym, eithr ein bod wedi'n gwisgo fel
y proffwyd a'n bod yn meddu ar beth o'i anian – hyd yn oed yn y
gomedi symol hon a chwareuir gennym. Dysgasom ein llinellau,
do, a'u cyflwyno cystal ag y medrem; ac fe aeth y cyfan heibio'n
ddigon di-fai, yn wir, o ran cywirdeb. Ond, wrth chwarae, fe
ddigwyddodd rhywbeth. Fe'n agorwyd ni i bosibiliadau'r hyn nas
gwyddem, ac i bresenoldeb yr hyn na fedrem ei ddehongli. Ymun-
asom â'r lliaws hwnnw a gerddodd y llwyfan, mewn roliau dramat-
aidd gwahanol, o'n blaenau. Fel y dywedodd y sylwebydd Seisnig,
Leo Baker, yn 1946, a'i ddyfynu gan Edwards yn ei Ragarweiniad
i *Codi'r Llen*: 'History spoke through them . . . They did not know
enough to act, only enough not to stand in the way of their own
natural endowment of life and history'.[32]

Nodiadau

[1] Simon Brooks, *O Dan Lygaid y Gestapo* (Caerdydd: Gwasg Prifysgol
Cymru, 2004).
[2] —— *O Dan Lygaid y Gestapo*, t. 28.
[3] Hywel Teifi Edwards, *Codi'r Hen Wlad yn ei Hôl* (Llandysul: Gwasg
Gomer, 1984), tt. 15–16.
[4] Brooks, *O Dan Lygaid y Gestapo*, t. 117. Codwyd y dyfyniad o H. T.
Edwards, 'Y Gymraeg yn y Bedwaredd Ganrif ar Bymtheg', *Cof Cenedl*
II (1987), 128.

5   —— *O Dan Lygaid y Gestapo*, t. 116.

6   Gweler Brooks, *O Dan Lygaid y Gestapo*, tt. 120–1. Dyfynna Brooks o gyfrol Hywel Teifi Edwards, *Arwr Glew Erwau'r Glo: Delwedd y Glöwr yn Llenyddiaeth y Gymraeg* (Llandysul: Gomer, 1994), t. xxxi: 'O safbwynt llenyddiaeth y Gymraeg byddai mwy o "annheyrngarwch" . . . wedi gwneud llawer mwy o les na'r teyrngarwch rhigolus sydd yn ei hanfod yn wrth-lenyddiaeth, ond yr oedd argyfwng y Gymraeg, gwaetha'r modd, wedi peri meddwl ers tro byd fod pob "annheyrngarwch" o reidrwydd yn ddinistriol.'

7   Hywel Teifi Edwards, 'Y Parch E. R. Dennis (1882–1949), Cymdeithas Ddrama Trecynon a Theatr Fach Aberdâr' yn Hazel Walford Davies (gol.), *Llwyfannau Lleol* (Llandysul: Gwasg Gomer, 2000), tt. 47-68.

8   Hywel Teifi Edwards, *Lle Grand am Ddrama* (Llundain: Y Gorfforaeth Ddarlledu Brydeinig, 1989).

9   Hywel Teifi Edwards, *Codi'r Hen Wlad yn ei Hôl*, t. 285.

10 —— *Codi'r Hen Wlad yn ei Hôl*, t. 16.

11 —— *Codi'r Hen Wlad yn ei Hôl*, t. 289.

12 Ioan Williams, *Y Mudiad Drama yng Nghymru 1880–1940* (Caerdydd: Gwasg Prifysgol Cymru, 2006), tt. 7–8.

13 Samuel Johnson, *Ode to Drury Lane Theatre, on dedicating a Building and erecting a Statue, to Shakespeare*. Gweler Thomas Davies, *Memoirs of the life of David Garrick, Volume 1* (Llundain: cyhoeddwyd gan yr awdur, 1780), t. 111.

14 Clive Scott, *The Spoken Image: Photography & Language* (Llundain: Llyfrau Reaktion, 1999), t. 292.

15 Hywel Teifi Edwards, *Codi'r Llen* (Llandysul: Gwasg Gomer, 1998), t. 10.

16 Susan Sontag, *On Photography* (Llundain: Penguin Modern Classics, 2008), t. 23.

17 Hywel Teifi Edwards, *Codi'r Llen*, t. 10.

18 Scott, *The Spoken Image*, t. 293.

19 Sontag, *On Photography*, t. 52.

20 Hywel Teifi Edwards, 'Ar Lwyfan Awr', *Barn*, (Mawrth 1997), 30.

21 Hywel Teifi Edwards, *Codi'r Llen*, t. iv. Gellir dweud bod yr her honno wedi'i hateb i ryw raddau o leiaf gan waith Ioan Williams, *Y Mudiad Drama yng Nghymru*, cyfrol yr adolygwyd hi gan Hywel Teifi Edwards yn *Y Traethodydd*. Wrth roi croeso iddi yn y fan honno, nododd fel a ganlyn: 'I'r sawl na fwriadwyd iddo erioed, o ran na dysg na deall, i draethu ar ddiwylliant gwlad, fe fydd gweiddi "Ffrwcs!" yn ddigon o feirniadaeth ar y mudiad. Ond i ysgolhaig o ansawdd yr Athro Williams, ffenomen sy'n gofyn ystyriaeth aeddfed yw mudiad sy'n gallu gafael yn niwylliant pobl i'r graddau y gafaelodd y Mudiad Drama yn

niwylliant Cymru rhwng 1880 a 1940.' Hywel Teifi Edwards, 'Adolygiadau: *Y Mudiad Drama yng Nghymru 1880–1940'* yn *Y Traethodydd,* CLXIII (2008), 191.

[22] Cyfeiriad cynnil, wrth gwrs, at gerdd R. Williams Parry, 'Hitleriaeth'; gweler R. Williams Parry, *Cerddi'r Gaeaf* (Dinbych: Gwasg Gee, 1952), t. 60.

[23] Hywel Teifi Edwards, *Codi'r Llen,* t. viii.

[24] Hywel Teifi Edwards, 'Ar Lwyfan Awr', 31.

[25] Gweler yr atgynhyrchiad o'r llun yn Hywel Teifi Edwards, *Codi'r Hen Wlad yn ei Hôl,* t. 17.

[26] Williams, *Y Mudiad Drama yng Nghymru,* t. 6. Aiff Williams yn ei flaen fel a ganlyn: 'cychwynnodd y theatr a grëwyd gan y Mudiad Drama wrth i gymuned ymrannu i greu'r ddwy blaid sy'n angenrheidiol i'w bodolaeth, sef y perfformwyr a'r gynulleidfa . . . Yr hyn a'i symbylodd yn y bôn oedd dymuniad y cymunedau Cymraeg i gynnal delwedd rhithiol a oedd yn gyfrwng i gymrodeddu agweddau gwrthdrawiadol o'u hunaniaeth' (t . 7).

[27] Gweler Sontag, *On Photography,* t. 57.

[28] Hywel Teifi Edwards, 'Ar Lwyfan Awr', 31.

[29] Sontag, *On Photography,* t. 23.

[30] Hywel Teifi Edwards, 'Ar Lwyfan Awr', 31.

[31] Gweler Brooks, *O Dan Lygaid y Gestapo,* t. 23.

[32] Hywel Teifi Edwards, *Codi'r Llen,* t. viii, ix.

Llyfryddiaeth Gyfeiriadol

Brooks, Simon, *O Dan Lygaid y Gestapo* (Caerdydd: Gwasg Prifysgol Cymru, 2004).

Chandler, Daniel, *Semiotics: The Basics* (Llundain: Routledge, 2002).

Davies, Hazel Walford, *Llwyfannau Lleol* (Llandysul: Gwasg Gomer, 2000).

Edwards, Hywel Teifi, *Codi'r Hen Wlad yn ei Hôl* (Llandysul: Gwasg Gomer, 1989).

Edward, Hywel Teifi, *Arwr Glew Erwau'r Glo: Delwedd y Glöwr yn Llenyddiaeth y Gymraeg* (Llandysul: Gwasg Gomer, 1994).

Edwards, Hywel Teifi, *Barn* (Mawrth 1997).

Parry, R. W., *Cerddi'r Gaeaf* (Dinbych: Gwasg Gee, 1952).

Scott, Clive, *The Spoken Image: Photography & Language* (Llundain: Llyfrau Reaktion, 1999).

Sontag, Susan, *On Photography* (Llundain: Penguin Modern Classics, 2008).
Williams, Ioan, *Y Mudiad Drama yng Nghymru 1880–1940* (Caerdydd: Gwasg Prifysgol Cymru, 2006).

3

Cadwraeth a Chynnydd yn y Mudiad Drama Cymraeg

Ioan Williams

Change has become coterminous with progress: innovation has become coterminous with improvement. The notion of doing well what has been done before is not rejected: it is not thought of. In fact, a great deal of what has been is accepted but that falls outside the interest of intellectual discussion. It belongs to the routine of life and is too petty to be acknowledged.[1]

Cyflwyniad

Canolbwynt y bennod hon yw cyfres o ddadleuon a gynhaliwyd yng ngholofnau papurau newydd a chylchgronau De Cymru rhwng 1919 ac 1922 yn sgil sefydlu'r Ŵyl Ddrama Gymraeg yn Abertawe yn 1919. Mae dwy ran i'r gyfres; y cyntaf rhwng J. Tywi Jones a J. Saunders Lewis, y naill yn ysgrifennu yn nhudalennau'r *Darian* a'r llall yn ysgrifennu'n bennaf yn y *Cambria Daily Leader*; a'r ail rhwng Jones a D. T. Davies, y ddau yn ysgrifennu gan amlaf yn y *Darian*. Yr un oedd asgwrn y gynnen rhwng Jones a Lewis ar y naill law a Jones a Davies ar y llall. Ysgrifennai Jones fel cynrychiolydd diwylliant traddodiadol Ymneilltuol Cymru a welai'r Mudiad Drama fel modd i amddiffyn a datblygu'r cyfryw ddiwylliant. Ysgrifennai ei wrthwynebwyr fel cynrychiolwyr mudiad modern-aidd a oedd am ryddhau'r ddrama Gymraeg rhag hualau'r diwyll-iant traddodiadol er mwyn caniatáu iddi gyrraedd uchelfannau estheteg a hawlio lle ar lwyfan mawr y byd.

Mae pwysigrwydd y cyfryw ddadleuon yn deillio o'r ffaith eu bod yn datgelu'r tyndra rhwng cadwraeth a chynnydd a gafwyd yn y Mudiad Drama, ac yng Nghymru yn gyffredinol, yn ystod cyfnod tyngedfennol yn ei hanes. Ond heblaw hynny, maent hefyd yn enghreifftio'n glir ganlyniad y bwlch ideolegol y mae'r sosiolegydd Americanaidd, Edward Shils, yn ei weld yn y cyfnod modern, rhwng y sawl y mae eu hyfforddiant a'u gweledigaeth sylfaenol wedi'u seilio ar y cysyniad o gynnydd parhaol a'r sawl sy'n wynebu goblygiadau'r newidiadau sydd esioes wedi eu goddiweddyd. Bu Shils o'r farn bod canlyniadau'r bwlch hwn yn broblemus mewn unrhyw gymuned, ond mae'n amlwg ei fod yn neilltuol beryglus i gymunedau y mae eu diwylliant a'u hiaith yn profi effaith ysgytwol dylanwadau allanol. Y mae astudiaethau ôl-drefedigaethol wedi cydnabod sgil effeithiau dinistriol rhaglenni datblygiad nad ydynt yn cydnabod strwythurau ac arferion sylfaenol diwylliannau brodorol, ac yng Nghymru mae'r Athro J. R. Jones wedi amlygu'r cymhlethdodau sy'n deillio o'r gorfodaeth sydd arnom i fyw pob agwedd ar y diwylliant Cymreig oddi mewn i fframwaith trosfwaol Prydeindod.[2] Dyma'r union amgylchiadau sy'n meithrin brad anymwybodol, chwedl yr Athro Bobi Jones, sef tuedd yr unigolyn 'i gydweithredu â'r drefn neu â'r diwylliant sy'n gwneud ei wlad ei hun rywfodd neu'i gilydd yn isradd'.[3] Dyna yn y bôn yr hyn a wnaeth Lewis a Davies wrth drafod y Mudiad Drama ym mlynyddoedd y cynnwrf ar ôl y Rhyfel Mawr. Gwelent ynddo egin y gellid ei ddatblygu yn gyfrwng i godi safon y bywyd cenedlaethol yn gyffredinol. Dadleuent mai dim ond trwy sgubo ymaith weddillion agweddau traddodiadol a thorri'r cysylltiad niweidiol rhwng y cwmnïau drama a'r eglwysi Ymneilltuol y gallai hynny ddigwydd. Tra eu bod nhw'n ddidrugaredd o drwm eu beirniadaeth o'r rhan helaethaf o gynnyrch y cwmnïau drama bychain ar hyd y wlad, roeddent yn hollol anfeirniadol yn eu defnydd o'r fformiwlâu esthetig yr oeddent wedi'u derbyn gyda'u haddysg brifysgol yn Aberystwyth a Lerpwl. Wrth ymdrin â'r Mudiad Drama brodorol, amlygent ddylanwad yr addysg brifysgol Saesneg a Seisnig yr oeddynt wedi ei dderbyn. Yr hyn a gynigient i'r cynhyrchwyr a'r awduron a wasanaethai'r Mudiad Drama oedd y syniadau am gelfyddyd oedd yn gyfredol yn niwylliant Lloegr. Mynnai Jones, ar y llaw arall, mai dim ond trwy ufuddhau i ddeddfau'i bodolaeth ei hun y gallai drama Gymraeg ffynnu o gwbl. Credai ef mai hudlewyn oedd y cynnydd a ddeuai yn sgil troi yn eich erbyn chi'ch hun a mynnai mai dim ond drama Seisnig ei naws a grëir drwy efelychu drama Saesneg ei hiaith. Gwelai, mewn geiriau eraill, mai cadwraeth oedd wrth wraidd yr unig ffurf ar gynnydd oedd o fewn cyrraedd i gwmnïau bychain y cymunedau Cymraeg yn y cyfnod cythryblus hwnnw.

Gyda threigl amser, hawdd gweld gwendidau sylfaenol dadleuon Lewis a Davies. Syndod, felly, gweld beirniad mor dreiddgar a chraff â Hywel Teifi Edwards, a hynny mor ddiweddar â naw-degau'r ganrif ddiwethaf, yn trin y cyfryw ddadleuon fel pe baent yn agor drws ymwared i wlad a wingai yn hualau diwylliant ceidwadol y capeli Ymneilltuol. Siawns nas gellid wedi disgwyl mwy o gydymdeimlad tuag at ymgyrch amddiffynnol golygydd y *Darian* gan feirniad a wnaeth gymaint i ddatgelu'r amrywiol ffurfiau ar sgitsoffrenia a danseiliai'r hunaniaeth Gymraeg ar hyd y bedwaredd ganrif ar ddeg a'r ugeinfed ganrif. Onid ysgrifennai Edwards yn yr un traddodiad â Jones, yn amddiffynnydd di-ildio o'r iaith Gymraeg a'r diwylliant a fynegwyd drwyddi ac yn feirniad didrugaredd o ystrywiau rhagrithiol y Sais gynffonwyr a welai'n bradychu'r Gymraeg a'i diwylliant?

Cyflwynai ef y dadleuon rhwng Lewis a Davies ar y naill law, a Jones ar y llall – yn arbennig y rheiny a ganolwyd ar ddrama J. O. Ffrancis, *Change* – yng nghyd-destun gwrthdrawiad clasurol rhwng moderniaeth ddisglair a delfrydiaeth adferol. Cyfeiriodd at y dadleuon ar dri achlysur gwahanol; dwy ddarlith arloesol ar Wythnos Ddrama Abertawe ac ymgyrch yr Arglwydd Howard de Walden i greu theatr genedlaethol yng Nghymru cyn cychwyn y Rhyfel Byd Cyntaf, ac yna yn ei lyfr disglair, *Arwr Glew Erwau'r Glo.*[4] Ar bob achlysur cyfeiriodd at Jones fel cynrychiolydd ceidwad-aeth adferol y sefydliad Ymneilltuol a oedd ar fin cael ei sgubo ymaith gan feirniadaeth gonest a threiddgar y dynion ifainc a ddychwelodd o gyflafan y rhyfel yn benderfynol o greu cenedl newydd. Felly, dywed yn ei ddarlith, 'Lle Grand am Ddrama':

Byddai Gŵyl Abertawe wedi bod yn werth ei chynnal yn Hydref, 1919, pe'n unig am iddi roi'r cyfle i Saunders Lewis ddechrau agor llygaid ei gydwladwyr i bosibiliadau'r ddrama Gymraeg a'u hargyhoeddi fod yn rhaid i'r genedl a fynnai ei hadnabod ei hun greu theatr lle câi weld amrywiol ddelweddau ohono ei hun, a'u profi. O'r foment y dechreuodd ef draethu, dechreuodd oes aur y feirniadaeth foesegol, hwyliog a oedd wedi gwneud 'Cywilyddus!' yn un o dermau beirniadol mwyaf diwyd y Gymraeg, araf gilio.[5]

Ond o'r braidd y gellid honni bod Lewis yn y cyfnod hwnnw wedi agor llygaid ei gydwladwyr i bosibiliadau'r ddrama Gymraeg. Yn ddiau, gwnaeth ef hynny yn 1949, ond nid yn 1919. A derbyn bod y feirniadaeth a gynigiai yn nhudalennau'r *Leader* yn rhywbeth newydd yng Nghymru yn 1919, roedd ymhell o fod yn rhydd o ddelfrydiaeth a mursendod. Hyd yn oed ar ôl iddo ddychwelyd o ffosydd Fflandrys, yr estheteg Pateraidd oedd gryfaf ei dylanwad arno ac mae'r gwrthgyferbyniad rhwng y rysáit a gynigiai i wella safon y ddrama Gymraeg ar sail yr estheteg honno a realiti beunyddiol y Mudiad Drama yn drawiadol iawn. Ymhen ychydig flynyddoedd yr oedd wedi cydnabod cymaint â hynny ei hun, gan droi ymaith o'r theatr yn gyfan gwbl am chwe blynedd ar hugain, ar ôl methiant *Gwaed yr Uchelwyr* yng Nghaerdydd.[6]

Rhoddodd Edwards driniaeth mwy sylweddol i'r anghydfod yn 1994. Bryd hynny, amlygodd agwedd mwy beirniadol tuag at Jones, gan ei gyhuddo o golli cyfle i ddatblygu beirniadaeth dreiddgar o'r diwylliant Cymraeg a allai fod wedi cynorthwyo i achub yr iaith. 'Fel golygydd', meddai, 'rhoes ormod o bwyslais ar gadw gwerthoedd a ystyriai'n "sine qua non" Cymreictod gwladgarol, heb sylweddoli fod gwerthoedd, heb eu herio o'r tu mewn, yn rhwym o droi'n rhwystrau'.[7] Dadleuaf yn nes ymlaen bod yna ddau ffactor gwrthgyferbyniol sy'n tanseilio nerth y feirniadaeth hon. Yn gyntaf, nid oedd traddodiad y diwylliant Ymneilltuol yng Nghymru wedi cilio'n gyfan gwbl yn 1920; ac yn ail, roedd y grymoedd a fygythiai'r byd Cymraeg o'r fath gryfder a ffyrnigrwydd ag i sicrhau na fyddai cyfaddawd ond wedi prysuro goresgyniad llwyr.[8]

Cefndir y dadleuon

Tarddodd y Mudiad Drama y tu mewn i'r cymunedau Cymraeg eu hiaith, ac yr oedd i raddau helaeth yn gyfrwng i amddiffyn yr iaith a'r diwylliant Cymreig. Ar yr un pryd roedd yn fudiad cynyddgar, yn arwydd o hyder arweinyddion y cymunedau Cymraeg ar hyd y wlad yn eu gallu i addasu'u hiaith a'u diwylliant i ateb gofynion y byd oedd ohoni.

Mae'n arwyddocaol mai yn sgil sefydlu'r Mudiad Addysg yng Nghymru – mudiad roedd pawb erbyn 1919 yn llwyr ymwybodol ei fod yn brif gyfrwng i droi'r genedl yn genedl Saesneg ei hiaith a'i hysbryd – y sefydlwyd y Mudiad Drama yng Nghymru.[9] Cyflwynwyd addysg elfennol i blant dan ddeg oed yn 1876. Estynwyd y system i gynnwys plant un ar ddeg oed yn 1893, deuddeg oed yn 1899 ac, ar ddiwedd y Rhyfel Byd Cyntaf yn 1918, cynhwyswyd plant hyd at bymtheg oed. Onibai am y grefydd Ymneilltuol yn y cyfnod argyfyngus hwnnw, mae'n anodd gweld sut y byddai'r iaith wedi goroesi tan y Rhyfel Byd nesaf. Digon gwir, cafwyd dechreuad mudiad addysg Gymraeg seciwlar yn gyflym iawn ar ôl y Rhyfel Byd Cyntaf ac fe dyfodd yn gyson ar hyd yr 1920au, ond y capeli a'r eglwysi Ymneilltuol a gariodd bwys y frwydr yn y cyfnod cyn yr Ail Ryfel Byd.

Yn sgil ymdrechion y sefydliadau Anglicanaidd Prydeinig i amddifadu Ymneilltuwyr rhag manteision addysg brifysgol, crëwyd yng Nghymru system enwadol hunangynhaliol.[10] Yn nwylo dynion fel Lewis Edwards, Michael D. Jones a David Charles, datblygwyd sefydliadau enwadol, cryf, a gynhyrchodd genedlaethau o bregethwyr a bugeiliaid a wasanaethai'r capeli Cymraeg ar hyd y wlad. Cynnyrch y colegau enwadol oedd y dynion a weithiai'n gyson y tu mewn i gymdeithasau'r capeli i greu a chynnal y diwylliant Cymreig, ac yn y cyfnod o 1880 ymlaen, bu'r cwmnïau drama'n arf pwysig yn eu dwylo. Byddai'n orliwiad dweud bod y Mudiad Drama yn y blynyddoedd cynnar yn estyniad o'r Ysgol Sul, er bod rhywfaint o wirionedd yn hynny. Ta waeth, cynnyrch y capeli Ymneilltuol yn bennaf oedd y cwmnïau drama a oedd yn weithgar ar hyd y wlad yn y cyfnod rhwng 1900 ac 1914. Gweinidogion ifainc yr amrywiol enwadau oedd hyrwyddwyr y mudiad, cyfarwyddwyr ac awduron y dramâu a berfformiwyd ganddynt, gydag ambell ysgolfeistr yn eu plith. Roedd y mudiad a grëwyd ganddynt yn geidwadol ac yn flaengar ar yr un pryd, yn fynegiant o gymunedau wedi eu seilio ar gyfuniad o ymneilltuaeth a rhydd-frydiaeth.

Yr ysfa i amddiffyn y grefydd a'r diwylliant Ymneilltuol, ond ar yr un pryd eu moderneiddio, sy'n esbonio ymddangosiad disymwth y Mudiad Drama yn yr 1880au, a'r modd y datblygodd yn y blynyddoedd cyntaf. Cafwyd ymgyrch cyson i leddfu'r Galfin-iaeth galed a oedd yn nodwedd o Ymneilltuaeth Gymraeg hanner cyntaf y bedwaredd ganrif ar bymtheg. Ar drothwy'r ugeinfed ganrif, felly, roedd y grefydd Ymneilltuol yn wahanol iawn i grefydd y Tadau Calfinaidd. Er eu bod yn credu'r hanfodion, chwedl Dr Cynddylan Jones – Duwdod Crist, digonolrwydd ei waith prynedigol ac Ysbrydoliaeth y Beibl – roeddynt yn bell iawn o fod yn gysurus gyda chaethiwed y cyffesion ffydd Calfinaidd a luniwyd gan sylfaenwyr yr enwadau.[11] Erbyn 1923, ar drothwy canmlwyddiant eu Cyffes Ffydd hwy, roedd hyd yn oed y Method-istiaid cas a chul yn chwilio am fodd i'w foderneiddio. Yng ngeiriau'r Parch E. O. Davies, wrth iddo siarad ar ran gweinidogion, blaenoriaid a holl bobl yr Eglwys Bresbyteraidd, 'er credu ohonom i gyd yr hanfodion . . . Nid ydym yn yr un fan yn hollol â'r Tadau . . . Yr ydym i gyd wedi symud i ryw fesur oddi wrth safle'n Tadau' (t. 22).

Mae'r dramâu a gynhyrchwyd ym mlynyddoedd cynharaf y Mudiad Drama'n adlewyrchu cyfuniad o ryddfrydiaeth a dyneidd-iaeth a oedd, erbyn degawdau diweddaraf y bedwaredd ganrif ar bymtheg, yn nodwedd o'r diwylliant Ymneilltuol Cymreig. Roedd dramodwyr, felly, yn ochri'n gyson gyda'r herwhelwyr yn erbyn y stiward cas a chyda'r gweinidog ifanc yn erbyn yr hen gecryn o flaenor rhagrithiol. Erbyn 1914, oherwydd y gystadleuaeth a sefydlwyd gan yr Arglwydd Howard de Walden, ymddangosodd elfen drawiadol newydd yn y dramâu heriol a gyfansoddwyd gan grŵp o ddynion ifainc a adwaenwyd ar unwaith fel cyn-rychiolwyr addysg y prifysgolion. O ran eu gofynion technegol, roedd y gweithiau hyn y tu hwnt i allu'r cwmnïau bychain i ymgymryd â nhw. Cafwyd ambell eithriad, wrth gwrs, megis

cwmni Dan Matthews, Pontardawe, a greodd ddehongliad meist-
rolgar o *Ephraim Harris* gan Davies a fyddai'n hawlio ei lle ar
lwyfannau neuaddau Cymru am ddegawdau. Ond parhâi'r rhelyw
o gwmnïau llai i fod yn ffyddlon i gynnyrch y dramodwyr mwy
diymhongar ac i weithiau fel *Maesymeillion* a *Dic Siôn Dafydd*.[12]
Eto i gyd cafodd y dramâu heriol ac uchelgeisiol gydnabyddiaeth
gyffredinol gan gefnogwyr y mudiad – mor gyffredinol a dweud
y gwir, ag i dynnu'r gwynt o hwyliau ambell un o'r dramodwyr
eu hunain.[13]

Y gweithiau newydd hyn a gynigiodd rhaglen gogyfer ag ymgais
yr Arglwydd Howard de Walden i greu Theatr Genedlaethol yn
1914, menter a enillodd gefnogaeth frwd Lloyd George a bwrgeis-
iaid parchus Caerdydd ac a gafodd dderbyniad gwresog yn Aber-
tawe a threfi eraill y De. Yn ddi-os, agwedd bwysig o'r ymgyrch
hynod hwn oedd y teimlad bod yna gorff o waith dramayddol
newydd oedd yn cyfiawnhau'r uchelgais i greu rywbeth y gallai'r
Cymru newydd ymffrostio ynddo a hynny ar seiliau bregus y
Mudiad Drama. Er i'r rhyfel dorri ar draws yr ymgyrch cened-
laethol, wrth gwrs, symbylodd yr ymdrech wladgarol weithgarwch
cynyddol ar ran y cwmnïau eu hunain ar hyd y cyfnod tan y
cadoediad yn 1918. Yn fuan ar ôl y rhyfel tyfodd ymgyrch newydd
i wneud y Mudiad Drama yn gyfrwng i godi safonau esthetig y
genedl. Yn fwyfwy cyson o 1919 ymlaen, cawn sylwebyddion
yn mynegi uchelgais cryf ar sail gwaith y dramodwyr newydd,
gan annog arweinyddion y grwpiau i ddiystyried y sothach a
gynhyrchid yn rhy aml gan ysgolfeistri a gweinidogion y pentrefi
a chanolbwyntio ar gynnyrch gorau dramodwyr ledled y byd.
Dadleuai'r rheiny na welent yng nghynnyrch y cwmnïau llawr
gwlad ond deunydd crai y gellid ei ddatblygu'n fynegiant i
gelfyddyd uwch, na ellid cael y ddrama Gymraeg a haeddai'r
genedl heb waredu'r elfennau cadwraethol a ataliai archwiliad
trwyadl o'r hunaniaeth Gymraeg. Yn ôl y ddadl, dyma'r unig fodd
i'r Mudiad Drama dyfu'n arf i gryfhau diwylliant y wlad a'i godi
gyfuwch â chenhedloedd eraill y byd modern.

Credai rhai o'r rheiny a ymdrechai'n feunyddiol yn y cwmnïau
bychain ar hyd y wlad fod y cyfryw syniadau yn bygwth bodolaeth
y mudiad ei hun. Pwysig yw sylwi nad oedd a wnelo'r ddadl â

chrefydd. O ran hynny rhannai pawb a fu ynghlwm wrth y Mudiad Drama hanfod y Ddyneiddiaeth newydd, yn hytrach na'r Galfiniaeth draddodiadol a fynnai ddrygioni cynhenid natur dyn. Pwysig hefyd yw nodi nad gwaith W. J. Gruffydd a D. T. Davies oedd asgwrn cynnen y ddadl, ond drama J. O. Francis, *Change*, a hynny oherwydd ei bod yn cyflwyno dehongliad awdurdodol o argyfwng sylfaenol y gymuned Gymraeg i gynulleidfa Saesneg, ac yn priodoli'r argyfwng hwnnw yn bennaf i'r gymuned honno ei hun.

Yn Sgil yr Wythnos Ddrama: J. Saunders Lewis a J. Tywi Jones

Daeth y rhyfel i dorri breuddwyd y theatr genedlaethol yn ddeilchion, ond dim ond dros dro. Parhau fu hanes y cwmnïau bychain lleol ar hyd y blynyddoedd o ryfela ac ymhlith y pethau cyntaf a wnaethpwyd ar ôl i'r gyflafan ddod i ben oedd adsefydlu'r freuddwyd o greu theatr safonol, uchelgeisiol yn yr iaith Gymraeg. Y tro hwn, pum mlynedd ar ôl ymgyrch theatr genedlaethol Howard de Walden, trodd y sylw i Abertawe, lle cynhaliwyd 'Eisteddfod' Drama Gymraeg yn yr Albert Hall. Nid y cyntaf o'r fath ddigwyddiadau oedd Wythnos Ddrama Gymraeg Abertawe. Aberdâr sy'n hawlio'r dorch honno. Ond bu i ŵyl Abertawe bwysigrwydd neilltuol oherwydd ei hirhoedledd, y sylw a enillodd ar hyd ac ar led De Cymru, ac am y drafodaeth a symbylodd. Yn y tymor hir bu Gŵyl Abertawe hefyd yn bwysig oherwydd ffyddlondeb y pwyllgor llywio i'w rheol Gymraeg. Tra bod gwyliau ac eisteddfodau drama ar hyd de Cymru'n troi fwyfwy at ddramâu Saesneg, daliai Gŵyl Abertawe yn ŵyl ddrama Gymraeg.

Mewn ffordd, bu'n annisgwyl iawn mai yn Abertawe y sefydlwyd yr Ŵyl Ddrama, yn hytrach nag yn un o drefi'r de neu'r gogledd lle roedd y Mudiad Drama wedi cydio ynghynt. Yn ôl sylwebydd y *Cambria Daily Leader* a groesawodd gwmni tra enwog Plasmarl ar 17 Chwefror 1919, bu'r ddrama Gymraeg yn hir iawn yn dod i'r dre:

The Welsh drama is creeping into Swansea. We have had productions in all the surrounding districts, and now it has reached the far end of the High-Street, where the Plasmarl Dramatic Society on Saturday raised their stage on the rostrum of Zoar Chapel.[14]

Croesawyd Plasmarl yn ôl i'r dre'n hwyrach yn y flwyddyn hefyd, gyda rhaglen fwy uchelgeisiol yn yr Albert Hall, ac erbyn hynny roedd pethau'n digwydd yn gyflym. Ddiwedd Mawrth cynhaliwyd cyfarfod i ffurfio gweithgor, gyda'r amcan o gynnal yn Abertawe, 'a competitive week of Welsh drama'.[15] Penodwyd D. Protheroe Thomas yn gadeirydd yn y cyfarfod hwnnw, gyda Richard Hughes yn drysorydd a W. Clement yn ysgrifennydd, a threfnwyd cyfarfod arall gogyfer â'r wythnos ganlynol. Ar ôl chwe mis o baratoi cynhaliwyd yr ŵyl gyntaf yn yr Albert Hall, Abertawe, rhwng 21 a 26 Hydref. Beirniaid y gystadleuaeth oedd John D. Owen (Dyfnallt), D. Clydach Thomas, R. Hughes a Dan Morgan, a chyhoeddwyd y feirniadaeth lawn yn y *Cambria Daily Leader* a'r *Darian*. Er gwaethaf anniddigrwydd y *Cambria Daily Leader* ynghylch ffurf y feirniadaeth,[16] derbyniwyd penderfyniad unfrydol y beirniaid i roi'r wobr gyntaf i Gwmni Dan Matthews a'r ail i Wauncaegurwen, a chytunodd y sylwebyddion i gyd bod yr achlysur wedi bod yn llwyddiant ysgubol, yn arbennig am iddo godi proffil drama Gymraeg ar hyd De Cymru.

Dechrau'r helynt dadleugar, fodd bynnag, oedd sylwebaeth fanwl a gyhoeddodd Saunders Lewis yn Saesneg yng ngholofnau'r *Cambria Daily Leader* ar hyd wythnos y gystadleuaeth. Prif faes y gad oedd colofnau'r cyfnodolyn hwnnw a'r *Darian*, ond ymestynnodd y ddadl i'r *Western Mail* ac fe gafodd golygydd y *Welsh Outlook*, yntau, gryn bleser wrth daflu ambell foncyff ar fflamau'r ddadl. Yn eironig ddigon, prif wrthwynebydd Lewis oedd golygydd y *Darian*, J. Tywi Jones, dramodydd, cyfarwyddwr a chenedlaetholwr brwd. A dweud y gwir, roedd gan y ddau fwy yn gyffredin yn y bôn nag y sylweddolai'r naill na'r llall ohonynt ar y pryd. Pe bai Jones wedi byw i weld dramâu diweddarach Lewis ac i glywed y ddarlith *Tynged yr Iaith* (1962), byddai wedi bod yn frwd ei gefnogaeth. Ac mae'n anodd credu y byddai awdur *Cymru Fydd* wedi cael cryfach amddiffynnwr na'r gweinidog gonest, treiddgar a chyson a wnaeth, yn rhinwedd ei rôl fel golygydd *Y Darian*, rhwng 1914 ac 1934, fwy na neb i gadw'r iaith a'r diwylliant Cymreig yn fyw yn y cymoedd.

Cyn-filwr ifanc, newydd ddychwelyd i Brifysgol Lerpwl i gwbl-
hau gradd oedd Lewis yn 1919. Ei gyd-destun deallusol yn y cyfnod
cynnar hwn yn ei yrfa oedd gwaith Walter Pater a Maurice Barrès
a darlithwyr Adran Saesneg Prifysgol Lerpwl, a'r dylanwadau o
ran drama oedd gwaith W. B. Yeats a J. M. Synge ac ymarferwyr
a phrif actorion llwyfannau Llundain a Pharis, Edward Gordon
Craig a Firmin Gémier.[17] Ond os oedd yn ifanc, roedd ymhell o
fod yn swil. Siaradodd yn blaen, ac o bosibl ychydig yn uchel ael,
o'r dechrau'n deg, yn y ddwy erthygl a gyfrannodd i'r *Leader* cyn
dechrau'r Wythnos Ddrama. Yn yr erthygl gyntaf, 'Anglo-Welsh
Theatre. The Problem of Language', ymosododd ar yr hyn a welai
fel 'mock-heroic falsetto' *Change* J. O. Francis, ond prif darged ei
feirniadaeth oedd y Saesneg a siaredid yng Nghymru, 'the horrible
jargon of men who have lost one tongue without acquiring another'
a hynny o'i chymharu â Saesneg Iwerddon, 'richer in imagery,
more beautiful in idiom, sweeter in sound, than any since the
flowering time of the Elizabethan stage'.[18] Yn yr ail erthygl, 'The
New Revivalists. A Note on the Theatre', ceir ymosodiad ar yr elfen
bregethwrol a welai drwy gydol gwaith y deallusion newydd,
cynnyrch y prifysgolion. '[O]n the stage', meddai, 'you may win
your brief and lose your play'.[19] Yr hyn yr oedd ei angen, felly, yn
y ddrama Gymraeg oedd, 'a quick sympathy with every side of life,
a tolerance of the baser things in human nature, a kindliness for the
bombast of a Falstaff, a delight in the deceits of a Volpone' (t. 4).

Yr un safbwynt a geir yn yr adolygiadau o berfformiad y cwm-
nïau gwahanol a gyfrannodd i'r ŵyl Ddrama a'r un elfen o orliwio
mursenllyd wrth feirniadu ac wrth ganmol. Trafodwyd iaith y
ddrama gan actorion Cwmni'r Trinity yn perfformio *Asgre Lân*,
meddai, 'as it might be a flower, touching every petal with an
amateur's sense of its beauty'.[20] Ond yr un actorion, wedi'u gorch-
fygu gan sentimetaliaeth ffugdeimladol drama R. G. Berry, a
gododd gywilydd ar y gwrandawr: 'it seemed as if these players,
who had the language of civilisation, were without the decent
restraint of civilised manners' (t. 4).

Ar y cyfan bu Lewis yn ddigon parod i gyfaddef bod yr Wythnos
Ddrama wedi llwyddo, er ei fod efallai'n ysgrifennu â'i dafod yn
ei foch wrth ddathlu'r ffaith bod cynifer o Gymry Cymraeg wedi

dod at ei gilydd heb unrhyw amcan heblaw 'delight in a form of art that mirrors for us our life and manners, and allows us to enjoy the spectacle of our own existence'.[21] Ond mae'n amlwg ei fod yn gyfan gwbl ddiffuant wrth drin llwyddiant digamsyniol yr ŵyl fel rhan o'r Mudiad Drama:

An effort to restore to us an art-form that had been a century dead, an effort begun some years back, often impeded, and for five years of war all but destroyed, has shown this week that it retains its vitality. Obstacles of prejudice have disappeared, practical difficulties have been conquered, attention and serious consideration have been captured. The movement has 'arrived'. Henceforth it is a thing to reckon (t. 4).

Yr union lwyddiant hwnnw, meddai Lewis, oedd mesur difrifoldeb y driniaeth yr oedd y mudiad ifanc yn ei haeddu. Y gwerthfawrogiad hwnnw, felly, oedd sail y feirniadaeth lem a anelwyd ganddo at y dramâu unigol a gyflwynwyd yn ystod yr wythnos, ac at y ffordd yr oedd sawl un ohonynt wedi eu cyflwyno. O ran y dramâu, gweithiau R. G. Berry a ddenodd y feirniadaeth fwyaf ffyrnig am eu diffyg ffurf: *Noson o Farrug*, meddai, 'is an attempt at a play without ideas'.[22] Ar y llaw arall, enillodd Davies gydnabyddiaeth frwd am yr cysyniad dramataidd ardderchog a ddatblygodd yn *Ble Ma Fa?*, ond yn anad dim am yr undod a chysondeb esthetig a gafwyd yn *Ephraim Harris*:

The play had a complete unity and efficiency of structure. There was no superfluous passage, nothing to cloud the march of the plot to a fully conceived conclusion. The strength of its conception revealed the working of a virile intellect, a shaping power that showed a writer with an instinct for the drama (t. 5).

Gydag *Ephraim Harris*, medd y beirniad, enillwyd llwyddiant cyntaf y Mudiad Drama, sef symbylu cynhyrchiad un campwaith diamod, sy'n sefyll yn gyfan gwbl ar ei seiliau ei hun, ond os oedd y mudiad i chwarae rhan gyflawn yng ngwaith y genedl, roedd digon eto i'w wneud.

Ar y pwynt hwn yn ei ddadl trodd Lewis i ystyried syniad a gyflwynwyd gyntaf gan J. O. Francis, mewn erthygl yn y *Welsh Outlook*, sef mai drama werinol oedd y ddrama yng Nghymru i fod:

> In England the drama is Professional. In Ireland, though the work produced has been of great beauty, drama rests in a cult rather than in a people. Wales, however, is working out its drama in the folk spirit. There is nothing else in which the folk spirit works so richly. The children act; the colliers act; the shepherds act; the quarrymen act; the students act – and not to be outdone, the deacons act as well.[23]

Yn ei ysgrifau yn y *Leader* roedd Lewis wedi chwarae cryn dipyn gyda'r syniad hwn. Wrth drin cyflwyniad Cwmni Capel Als, er enghraifft, dywedodd:

> Our Welsh drama, we are told, is peasant and village drama. And that is entirely good. Our dramatists' intention to describe only the life of the folk is quite justifiable. But I suspect that they fall short of their design and of the truth about peasant life. All the plays we have seen so far describe, and rather idyllically describe, village manners. But village life means more than 'manners'. It includes memories and traditions and song and even dance and mummery. Village and peasant drama, if it would tell the round truth, must include romance, the Mabinogion, the monastery, witchcraft, fairyland, and all the ancient playgrounds of men.[24]

Serch hynny, erbyn iddo gael cyfle i fyfyrio ar ddigwyddiadau'r wythnos gyfan, gwelodd fod meddwl am ddrama Gymraeg yn y modd arbennig hwn yn tynnu sylw oddi wrth y gwirionedd sylfaenol roedd ei holl sylwebaeth wedi'i seilio arni, sef bod celf-yddyd yn annibynnol ar amgylchiadau cymdeithasol, neilltuol ac yn ddibynnol ar egwyddorion esthetig yn unig. Ni welai, ar y cyfan, ymwybyddiaeth o'r cyfryw egwyddorion yng nghynnyrch y Mudiad Drama. Rhaid, felly, i'r dramodydd o Gymro, 'learn the essential qualities, common to all, of dramatic idea, structure, technique'.[25] Ac nid y dramodydd yn unig, ychwaith, oherwydd ni cheir dramodydd mawr tan fod gennym gynulleidfa ddeallus, 'demanding good work and able to recognise it' (t. 4). Ac ymhle y cafwyd ymgorfforiad o'r deddfau esthetig digyfnewid hyn, ond yng ngwaith y meistri ar hyd y canrifoedd – Euripides, Corneille, Racine, Molière, Ibsen, y Sbaenwyr a'r Saeson. Dysgu a chynhyrchu'r meistri hyn, '[A]nd then we should be ready for a dramatist, and we should produce him' (t. 4).

Mae'n hawdd gweld sut y byddai'r rhaglen ddatblygu hon wedi codi gwrychyn dyn fel Jones, a ddaeth at ei werthfawrogiad o ddrama ar hyd llwybr gwahanol iawn i Lewis. Fe'i ganwyd a'i magwyd yn Sir Gaerfyrddin. Gweithiodd fel gwas fferm a glöwr ac mewn gwaith haearn, cyn hyfforddi yng ngholeg y Bedyddwyr, Bangor, a'i ordeinio'n weinidog. Bu'n gwasanaethu yn Sir Fôn am rai blynyddoedd, cyn derbyn galwad i gapel Peniel, Y Glais, yn ardal Clydach, ger Abertawe, lle treuliodd weddill ei yrfa. O 1914 bu hefyd yn olygydd y *Darian*, papur wythnosol a barhaodd yn llwyddiannus am ugain mlynedd. Bu'n genedlatholwr ar hyd ei oes, a symudodd yn nes at safbwynt Plaid Genedlaethol Cymru'n gyson ar ôl i honno gael ei sefydlu. Roedd ei ysgrifau gwleidyddol yn wrthrychol ac yn dreiddgar a'i ddiwinyddiaeth yn Rhyddfrydol. Roedd yn brofiadol fel beirniad drama, ac fel cynhyrchydd. Erbyn 1920 roedd hefyd yn awdur chwe drama. Bu'r gyntaf o'r rheiny yn boblogaidd iawn gyda chwmnïau bach, dibrofiad, sef *Dic Siôn Dafydd (Richard Jones-Davies Esquire)* (1913).[26] Esboniodd yn y *Darian* sut roedd ei ddiddordeb mewn drama wedi tyfu o'i waith fel gweinidog. Roedd yn gweld y Gymraeg ar drai yn y byd y tu allan i'r capel ac yn credu bod angen amddiffyn plant yr achos rhag y diwylliant torfol, di-werth a ddaeth yn sgil mewnlifiad yr iaith Saesneg:

Un noson . . . yr oeddem wedi bod yn gweld Cwmni'r Rhos, Pontardawe, yn chwarae'r *Ferch o Gefn Ydfa* yng Nghlydach . . . Dychwelem adref y noson honno yng nghwmni nifer o'n pobl ieuainc ein hunain oedd wedi bod yn gweled y ddrama, a chan nad ydym erioed wedi credu y dylai unrhyw fath ar bellter gwneud na gwahaniaeth urddol fod rhyngom a'n pobl, aeth yn gyfnewid meddyliau digêl . . . Roeddynt wedi hoffi'r ddrama Gymraeg a welsent y noson honno a phob drama Gymraeg a welsent cyn hynny. Tystient eu bod yn cael rhywbeth mewn drama Gymraeg nas cawsent erioed ar y llwyfan Seisnig. Teimlwn ninnau bod rhywbeth tu ôl i'w brwdfrydedd a'u goslef ddifrifol, ac wedi rhoi ar ddeall iddynt, ac er syndod iddynt, ein bod ninnau hefyd yn gwybod rhywbeth am y Theatre, yr Empire, a'r Music Halls, ceisiasom ganddynt ddweyd beth, yn eu tyb hwy oedd y gwahaniaeth rhwng yr hyn a welsent ar y llwyfan Seisnig a'r hyn a welsent ar y llwyfan Cymraeg.[27]

Yr ateb a gafwyd oedd nad oedd dim yn y ddrama Gymraeg o'r apêl at nwyd cnawdol a ymwthiai i bob agwedd o'r diddanwch a geid trwy gyfrwng yr iaith Saesneg. Mae'n dra phosib bod pobl ifainc y Glais yn siarad y noson honno yn y ffordd y gwyddent y byddai'u gweinidog yn dymuno. Ond rhaid sylwi na cheisiai Jones esgymuno nwyd cnawdol o gelfyddyd, ond yn hytrach y ffordd ogleisiol o'i drin a welai ymhobman ar lwyfannau y Theatre, yr Empire a'r Music Halls. Diddorol yw sylwi ei fod ef yn gweld yn negawdau cynnar yr ugeinfed ganrif yr union fwlch rhwng yr hyn y galwai'r sosiolegydd Marcsaidd, Theodor Adorno, yn gynnyrch y diwydiant diddanu, ar y naill llaw, a chelfyddyd go iawn, ar y llall:[28]

> Y peth a'n synnodd ni lawer gwaith oedd gweled yn ein dinasoedd ... cyn lleied o gefnogaeth i ddramodau o waith meistri yn y gelf a chlywed bod Music Halls lle nad oedd ond ffwlbri ysgafn ac amheus yn orlawn ar yr un nosweithiau. Gwelsom actio un o ddramodau George Bernard Shaw i dŷ oedd yn fwy na hanner gwag. Yr unig esboniad a fedrem gynnig i ni'n hunain oedd bod gormod o burdeb, gonestrwydd a meddwl yn awyrgylch y ddrama honno i dynnu'r lliaws.[29]

Er cymaint ei barch at ddramâu Shaw a'i debyg, ni chredai y dylai na drama Saesneg na drama Wyddelig fod yn fodel i ddramodwyr Cymru. Fel gweinidog, ystyriai ei hun yn gyfrifol am sicrhau nid safonau crefyddol ei ddiadell yn unig, ond ei safonau diwyll-iannol hefyd. Roedd yn llwyr ymwybodol bod iaith, crefydd a diwylliant ynghlwm wrth ei gilydd. A gwyddai hefyd rywbeth yr ymddangosai Lewis yn hollol anymwybodol ohono, sef pe bai ei bobl ifainc yn colli un o'r tri hynny, y byddent yn hwyr neu'n hwyrach yn eu colli i gyd. A phe bai hynny yn digwydd, nid at gelfyddyd uchel Lloegr a'r theatrau hanner gwag lle dangosid dramâu Shaw y byddent yn troi, ond at yr Empire a'r Music Hall. Gwyddai o brofiad fod deunydd crai'r Mudiad Drama ar gael i'r bobl ifainc y gweithiai gyda nhw'n feunyddiol mewn ffordd na fyddai Euripides, Molière, na Shaw hyd yn oed. Credai, felly, fod yr ymdrech i fewnforio gwerthoedd artistig estron yr hawlid eu bod yn werthoedd diamodol celfyddyd yn bygwth nid yn unig y Mudiad Drama, ond yr holl strwythur diwylliannol y daeth y mudiad i fodolaeth er mwyn ei amddiffyn.

Yn ei arolwg ef o lwyddiant digamsyniol yr Wythnos Ddrama gwnaeth golygydd *Y Darian* yr union bwynt ag a wnaeth Kate Roberts wrth ddadlau gyda Tom Parry ddeng mlynedd wedyn.[30] Dadleuodd taw camgymeriad anfad oedd cymharu'r ddrama Gymraeg a'r ddrama Saesneg:

Fe â rhywbeth o'i le yng Nghymru oni bydd cymaint gwahaniaeth rhwng y llwyfan Cymreig a'r llwyfan Seisnig ag sydd rhwng bywyd y Cymro a bywyd y Sais. Cofier nid ydym yn honni bod yn awdurdod ar y gelf ddramodol yn Lloegr, ond gwyddom am fywyd Cymru yn y bwthyn, y ffermdy, efail y gof, siop y saer a'r crydd, ac yn y capel, ac y mae gennym amcan go dda a fydd yr hyn a roddir mewn drama yn bortread teg a buddiol o'r bywyd hwnnw.[31]

Ni ddymunai awgrymu nad oedd lle i wella'r dramâu a gyflwynwyd yn yr Albert Hall yn ystod yr ŵyl,'ond y peth olaf a ddylid gwneud yw gwrando ar rai a feirniada oddiar safonau Seisnig' (t. 1). 'Rhaid i'r beirniad', meddai, 'gyd-dyfu â'r ddrama ei hun yng Nghymru, a gorau po lwyraf y ceidw'r llwyfan Seisnig o'i feddwl pan fesura ac y pwysa y pethau a welir ar y llwyfan yng Nghymru' (t. 1).

Yr hyn a welai Jones yn Abertawe oedd enghreifftiau o 'Ddrama Pentref' y dymunai ei gweld yn datblygu ar sail ei hamodau naturiol ei hun, yn hytrach na chael ei gwasgu a'i gwyrdroi i gydymffurfio â safonau dieithr. Felly gwrthodai nid yn unig safonau'r gelfyddyd aruchel a gyflwynai Lewis, ond hefyd y theatr genedlaethol y daliai Howard de Walden i hyrwyddo yn ei araith fel Llywydd yr Wythnos Ddrama. Bu'n anfodlon derbyn bod ymgyrch cenedlaethol 1914 wedi dylanwadu o gwbl ar y Mudiad Drama: 'Nid ydym yn credu i'r Cwmni Cenedlaethol pan oedd mewn bod gwneud nemor dim tuag at boblogeiddio'r ddrama yng Nghymru'.[32] A chyngor pendant iawn oedd ganddo i brif noddwr y ddrama genedlaethol:

perffeithi[e]d ei Gymraeg a dechreu[e]d yn y pentrefi o'i gwmpas alw ynghyd rhai a fedrent ffurfio cwmni drama a cheisio ganddynt ddysgu dramodau Cymraeg, nid Saesneg ac fe gynorthwya drwy hynny i adfer y Gymraeg a bywyd goreu Cymru yn ei ardal. (t. 1)

Ni fu'n hir cyn i Lewis ymateb i feirniadaeth y *Darian*, yn gyntaf mewn llythyr at y golygydd yn honni bod ei sylwadau beirniadol ef yn y *Leader* wedi'u bwriadu fel gwarogaeth i'r mudiad ac yn gofyn iddo esbonio beth a olygai wrth ei gyhuddo o ysgrifennu o'r 'safbwynt Seisnig'.[33] Cafodd yr esboniad hwnnw yn yr union rifyn o'r *Darian* lle yr ymddangosodd ei lythyr. Wrth ddweud mai o safbwynt Seisnig yr ysgrifennodd Lewis, meddai Jones, nid am y gelf y meddyliodd ond am yr amgylchiadau. Credai taw safonau llwyfan proffesiynol Saesneg oedd gan Lewis yn ei feddwl wrth ysgrifennu, safonau a oedd yn hollol amherthnasol i'r cwmnïau amatur a'r actorion cymharol ddibrofiad, '[b]u raid o bosibl daer gymell rhai o honynt i gymryd rhan' (t. 4).

Wrth ymateb i'r cyfryw sylwadau trodd Lewis at yr iaith Saesneg eto, y tro hwn yn nhudalennau'r *Welsh Outlook*. Ceir yno, yn 'The Present State of Welsh Drama', gais diddorol i gymathu syniadau mwyaf diweddar ymarferwyr fel Gordon Craig a Firmin Gémier i amgylchiadau'r Mudiad Drama. Y mae'n amlwg fod Lewis wedi meddwl yn ddwys am y siars a anelodd Jones yn ei erbyn, oherwydd ceir ymdrech lew yn ei erthygl i droi'r ergyd yn ôl, gyda'r awgrym mai prif wendid y dramâu Cymraeg oedd eu bod nhw'n efelychu arferion dramâu poblogaidd Lloegr. Erbyn hyn derbynia'n llwyr y pwynt a wnaethpwyd gan J. O. Francis ac y'i hategwyd gan Jones, sef mai drama bentref yw'r ddrama Gymraeg:

> They have said that our plays must be village plays; that they must belong to the people and portray the people's life and dream; and . . . this folk art should never be divorced from our own familiar civilisation.[34]

Ac oherwydd hynny, meddai, dylid alltudio o'r theatr Gymraeg, ynghyd â'r goleuadau blaen llwyfan, bob agwedd arall ar y theatr boblogaidd Saesneg. Erbyn hyn y bai a welai ar waith cwmnïau Abertawe oedd eu bod yn dilyn arferion y ddrama Saesneg yn wasaidd:

> All these plays we saw were actually given with as good an imitation as could be of the English machinery. A Welsh content was thrust as best it might into an alien setting, and two things clashed. The content was naive and homely; the shell was foreign and unpliable, and there was little enough tact in the wedding (t. 303).

Yn Abertawe, meddai, gwnaeth y goleuadau blaen llwyfan, y llwyfan uchel a'r neuadd fawr, annog '[f]alse emotion and vulgar wit' (t. 303) yr actorion a'r gynulleidfa. Er mwyn alltudio'r pethau hyn, dymunai weld y ddrama Gymraeg yn cael ei pherfformio mewn hen dai pentrefol, heb lwyfan uchel a seddau penodedig, a chyda golau naturiol, yn yr haf efallai, 'on a village green' (t. 303). Byddai drama wedi'i pherfformio yn y modd hwn yn meithrin gwir chwaeth a phleser go iawn yn y theatr, tra byddai astudiaeth drylwyr o feistri'r gorffennol yn dysgu dramodwyr i osgoi iaith isel ac adeiladwaith tlawd. A phe bai'r cwmni cenedlaethol newydd oedd gan Howard de Walden mewn golwg yn teithio o bentref i bentref ac yn perfformio yn y modd hwn, gan gynorthwyo cwmnïau lleol a chan gyflwyno cyfieithiadau o ddramâu clasurol, teimlai Lewis y byddai'n gyfrwng sicr i fagu yn y Cymry chwaeth uchel, gwerthfawrogiad deallus a chraffter treiddgar.

Ym marn J. D. Williams, oedd wedi dilyn y ddadl gyda chryn foddhad, nid oedd y cyhuddiad bod Lewis yn ysgrifennu o safbwynt Seisnig yn haeddu ateb. 'He is only advocating', meddai golygydd y *Leader*, 'a blend of William Poel, the Irish Theatre,

Granville Barker and other moderns, who want to throw the drama into the melting pot in the hope that something better will result'.[35] Ond dyna'r union beth a welai Jones. Y gwir yw, pan fu ef yn defnyddio ymadrodd fel 'drama bentref', pentrefi fel Pontardawe, Ton a Tylerstown oedd ganddo mewn meddwl, yn hytrach na'r pentref delfrydol a ddisgrifiai Lewis. O ran hynny bu'n rhaid hyd yn oed i J. D. Williams gyfaddef bod prinder rhyfeddol o 'village greens' yn Ne Cymru – 'I only know of one', meddai, 'and that is in Sketty'! (t. 8).

Darllenodd Jones yr erthygl hon gyda chryn ddiddordeb, gan gyd-weld yn arbennig â chefnogaeth Lewis i ddrama bentref. Ond ni allai dderbyn o gwbl yr hyn a welai ef yn duedd i ddiystyried cyrhaeddiad y Mudiad Drama. Roedd Wythnos Ddrama Abertawe wedi tynnu sylw pawb at chwarae'r ddrama Gymraeg ym mhentrefi'r de, meddai, a chasgliad y beirniaid uchel-ael oedd bod rhaid sicrhau bod y mudiad newydd yn datblygu ar y llinellau iawn.[36] Ond peidied neb â gwrando ar y beirniaid, oherwydd roedd y Mudiad Drama yn rywbeth y gallai'r Cymry ymfalchïo ynddo:

Gwyddom mai dipyn yn rhyfedd y teimlai rhai o honnoch yn Abertawe pan glywech nad oedd y ddrama oedd gennych ond sothach a chwithau wedi cael cymaint mwynhad gyda hi. Nid oes dim a chwaraewyd yng Nghymru hyd yn hyn o ddim gwerth! Eto pe na chwaraeasech yr hyn a gawsoch ni fuasech wedi chwarae dim. Ein barn ni yw hyn – mae'r dramodau sydd gennych yn ateb y diben i'r dim . . . Clywsom am un yn canmol pregeth unwaith. 'Nid pregeth oedd hi', meddai un arall. 'Waeth am hynny,' oedd yr ateb, 'yr oedd yn rhywbeth eithriadol dda.' Na falied neb pan ddywed beirniaid – 'nid drama sydd gennych' os bydd gennych rywbeth sydd yn eithriadol dda. (t. 4)

Gyda diwedd y flwyddyn 1919 daeth y dadlau rhwng Lewis a Jones i ben. Cyn pen pedwar mis roedd y beirniad ifanc yn cyfrannu cyfres o erthyglau ar 'Gelfyddyd y Ddrama' i'r *Darian*, sy'n awgrymu'n gryf nad oedd dim drwgdeimlad rhyngddynt. Fodd bynnag, pan ddychwelodd Lewis i golofnau Saesneg y *Leader* i ddisgrifio drama Gymraeg fel cyfrwng wedi'i israddio a'i yrru gan rymoedd masnachol, ni neidiodd Jones i'w hamddiffyn. Yn

yr erthygl honno mynegodd Lewis feirniadaeth fwy chwerw a
ffyrnig nag mewn unrhyw un arall o'i ysgrifau ar y theatr. Dyma
chwerwder siom, wrth weld breuddwyd o'r hyn a allai fod wedi
digwydd yn y byd newydd ar ôl y rhyfel yn diflannu dan bentwr
o sothach. Meddyliied beth y gellid fod wedi'i wneud gyda'r ffurf
gelfyddydol hon, newydd ei darganfod, yn y Mudiad Drama ifanc
– 'a form which promised new freedom for writers and actors and
audience, freedom to express all the new thought and aspiration
and emotion which were reshaping our national life'.[37] Hyd yn
oed gyda'r deunydd prin oedd ar gael, gellid bod wedi cynnal un
arbrawf dewr a allai wedi gwireddu'r freuddwyd:

> One company, were it wisely guided and eager for good workman-
> ship, might even from this material build up a repertory of plays
> which would be a dramatic education for the town or village it
> chose; and it might also, by the variety of its production and its
> gusto for experiment, inspire a group of writers who would in
> time establish there a native tradition of drama. Gradually the
> village theatre would become the artistic centre of the community;
> it would be a harbour for the arts and for all those who in music
> or craft sought a symbol for their vision. I imagine that the theatre
> would be self-supporting, and would draw on the community for
> all it needed. The village carpenter would build its scenery, and
> village artists would paint it, perhaps design it; village women
> would make the costumes . . . In this way the whole community
> would have a real interest in the play; drama might approach the
> condition of folk-art, and there would be a vital unity between
> players and audience. (t. 4)

Ond yn lle'r arbrawf cyffrous hwn, a allai fod wedi newid hynt y
genedl, y cwbl a wêl y beirniad yn y byd o'i gwmpas yw llygredd
cyffredinol o'r delfrydau y mae celfyddyd wedi ei seilio arnynt.
Yn ei farn ef, y rheswm sylfaenol am hyn yw'r ysfa am gystadlu
a'r parodrwydd i lynu at ystrydebau moesol yn lle anelu at safonau
uchaf celf. Ac yn y gobaith o symbylu hyd yn oed weddillion
toredig y freuddwyd, meddai:

[I]t is time that we who still hold our ideals should utter our scorn of those companies which have betrayed Welsh drama, have pandered to the depraved popular craving for the excitement of competition, have hawked one drivelling play from eisteddfod to eisteddfod, acting it always in lifeless mechanical fashion, and have sold themselves and their art for twenty guinea prizes and the homage of ill-educated audiences. (t. 4)

Rhaid ei bod hi'n galondid i garedigion y ddrama Gymraeg bod Lewis yn gweld llygedyn o obaith ar draws Clawdd Offa, lle caed, 'splendid and fearless critics . . . whose writings have about them . . . a clean mountain air of honesty and high ideal' (t. 4) a hefyd ddramodwyr 'whose works are part of the heritage of European drama' (t. 4). Gellwch ddychmygu gwen ar wyneb golygydd y *Darian* wrth iddo ddarllen y geiriau hyn – o'r braidd y gellid cael y gath yn ôl i'r cwdyn Saesneg wedi hynny.

Yn Enw Celf! D. T. Davies yn herio Golygydd y Darian

Os na sylwodd Jones ar ymosodiad Lewis ar y ddrama Gymraeg, mae'n bosib bod hynny am iddo dynnu gwrthwynebydd arall i'w ben yn y cyfamser. Ymddengys ei fod, rywbryd ar ddechrau 1920, wedi penderfynu rhoi trefn ar ei syniadau am ddrama yng Nghymru. Felly cyhoeddodd gyfres o bum erthygl yn y *Darian* rhwng 12 Chwefror ac 11 Mawrth, dan y teitl cyffredin, 'Y Ddrama yng Nghymru' a chyda'r is-deitlau, 'Yr Eglwysi a'r Ddrama', 'Y Ddrama a Chymru', 'Y Camwri a Wneir â Chymru yn Enw Celf' ac 'Y Cam a Wneir â Chelf wrth Gamddarlunio'. Darllenwyd yr erthyglau hyn yn ofalus gan neb llai na'r dramodydd D. T. Davies, a oedd yn ddiweddar iawn wedi cyfrannu erthygl dreiddgar i'r *Welsh Outlook* – y cyfraniad mwyaf deallus o'r holl ddadleuon ar y ddrama hyd at y pwynt hwnnw. Yn yr erthygl honno chwiliodd am symbyliad sylfaenol ymddangosiad y Mudiad Drama a'i ddar-ganfod mewn cyfnewid disymwth a ddigwyddodd yn y genedl wrth i ddiwylliant Ymneilltuaeth lacio'i afael. Yn sgil y cyfnewidiad hwnnw, meddai, 'a vital necessity has manifested itself in Wales that the individual's perception of his relationship with a higher and future life should be supplemented by an intelligent comprehension of his social adjustments on this earth'.[38] Ac oherwydd hynny, nid drych i enaid yr unigolyn oedd ei angen bellach, fel yn y traddodiad Ymneilltuol, ond drama, ' wherein he will see how his daily traffic acts upon his fellow man and eventually reacts upon himself' (t. 65).

Dyna paham, meddai Davies, mae'n rhaid ymwrthod â'r cysyniad o gelfyddyd er mwyn celfyddyd, gan ddyfynnu datganiad George Bernard Shaw, 'that all art is inherently didactic'.[39] Dyfynna Arnold Bennett hefyd, a'n hatgoffodd ni bod celfyddyd theatraidd yn brosiect cydweithredol rhwng dramodydd, actorion a chynulleidfa. Golyga hynny yn ei dro bod rhaid i bawb sy'n ysgrifennu i gynulleidfa o Gymry gofio ystyried yr hyfforddiant blaenorol y byddent wedi ei dderbyn. Y gwir yw, meddai, os ydych yn diystyried y pump y cant sy'n gyfarwydd â gwaith o safon mewn mannau eraill, mae'r gweddill yn cwympo i ddau ddosbarth – y rheiny sydd wedi mynychu theatrau lleol lle na cheir dim ond melodrama gwael, ac aelodau'r capel, na fyddent yn gyfarwydd ag unrhyw beth heblaw cynnyrch y Mudiad Drama.

Gan dderbyn hynny, dyletswydd y dramodydd, meddai Davies, yw ymdrechu i ffurfio'i waith ar batrwm yr awduron gorau ac felly'n raddol addysgu'r gynulleidfa hyd at y pwynt lle maent yn gwylio drama gyda'r union dreiddgarwch beirniadol ag y maent yn gwrando ar bregeth. Yn y cyfamser, heblaw am yr ychydig ddramâu sydd o leiaf yn ymdrechu tuag at ffurf ddigonol, mae dramâu Cymraeg yn cwympo i ddau ddosbarth: 1) y rheiny sy'n efelychu drama Saesneg gwael; 2) y rheiny – hwyrach bach eu nifer – sydd ymron yn gyfan gwbl ddi-ffurf. O ran y dosbarth cyntaf nid oes gan Davies ddim i'w dweud, ond mae'i feirniadaeth o'r ail yn ddifäol:

> It is marked by a multiplicity of scenes, an absurd use of the soliloquy and the aside, a lack of economy of material and effort, an absence of structural unity, and a fear of the inevitable, as shown in a refusal or inability to permit the natural bias of a character or situation to eventuate in a consistent issue. These are distorted to permit a platitudinous moral ending.[40]

Er nad oedd 'Welsh Folk Drama: Its Future' wedi ymddangos pan ddechreuodd cyfres Jones ar 'Y Ddrama yng Nghymru', rhaid ei fod wedi cael argraff go fanwl o safbwynt Davies yn ei erthyglau cyson yng ngholofnau'r *Western Mail*. Mae'n debyg, felly, mai Davies oedd ganddo yn ei feddwl wrth ymosod yn ei erthygl gyntaf ar y beirniaid oedd yn cynghori cwmnïau i ymgymryd â dim ond y dramâu gorau. Cyngor ffôl oedd hynny, ym marn Jones, heblaw i gwmnïoedd eithriadol fel eiddo Dan Matthews, Pontarddulais, J. P. Walters, Plasmarl, Gwernydd Morgan, Milwyn Howells a Rhys Evans, a feddai ar y gallu i ddygymod â gwaith o safon uchel. Ond poenai Jones am drwch y grwpiau eraill, a'r garfan ieuengaf o boblogaeth y De:

> Ond yr ydym yn sôn am filoedd pobl ieuainc ein pentrefi a ysbeiliwyd o'u Cymraeg a'u diwylliant naturiol gan gyfundrefn ddireswm o addysg estron. Gwyddom beth yw dysgu rhai air am air a brawddeg am frawddeg. Gyd a chwmni felly gwell yw dechrau'n isel. Gwelsom lawer cwmni'n actio *Jac y Bachgen Drwg* (D. Evans), *Cyfoeth ynte Cymeriad?* (Grace Thomas), *Jac Martin*, a rhai eraill gyd a graen ac yn rhoi difyrrwch ac adeiladwaith i'r rhai oedd yn eu gwrando.[41]

Bu Jones a Davies yn ysgrifennu'n gyson am y theatr rhwng Chwefror a diwedd Mai 1920, y cyntaf yn *Y Darian*, wrth gwrs, a'r ail yn y *Western Mail*. Roedd y ddau'n brysur ar hyd y cyfnod hwnnw'n adolygu ac yn beirniadu yn y cystadlaethau drama niferus gâi eu trefnu ar hyd cymoedd y De. Roeddynt wedi bod yn taro ergydion achlysurol y naill yn erbyn y llall fwy neu lai ers Wythnos Ddrama Abertawe'r flwyddyn gynt, ond dechreuodd y ddadl uniongyrchol rhyngddynt ddechrau Mawrth. Ar yr union ddiwrnod y cyhoeddwyd pedwaredd erthygl golygydd *Y Darian*, dan yr is-deitl 'Y Camwri a Wneir â Chymru yn enw Celf', ymddangosodd llythyr gan Davies yn ymateb i erthyglau'r 12fed a'r 14eg o Chwefror. Ymddengys fod Davies wedi digio'n neilltuol gan awgrym y golygydd fod dwy ysgol o ddramodwyr ar waith yng Nghymru a bod rhai sylwebyddion yn dyrchafu gwaith y naill ac yn diystyru'r llall ac, ar yr un pryd, yn lladd ar ddylanwad yr eglwysi yn y Mudiad Drama'n gyffredinol. Gofyn yr oedd Davies i Jones fanylu am aelodaeth y ddwy ysgol ond, hefyd, mewn perthynas â rhediad cyffredinol ei erthyglau, gwnâi'r pwyntiau canlynol:

(1) Fod gennych syniadau anghywir am le a diben drama ym mywyd a diwylliant cenedl.

(2) Fod eich rhesymeg ynglŷn â tharddiad y ddrama o'r eglwysi yn hollol wallus, boed hynny yn ffaith ai peidio.

(3) Eich bod, er nad yn dibrisio'r ochr gelfyddydol i'r ddrama yn uniongyrchol mewn geiriau, yn esgeuluso rhoddi'r pwyslais dyladwy iddi, ac felly yn camarwain rhan fawr o'r werin fu hyd yn hyn, heb fantais i amgyffred a gwerthfawrogi'r math yma ar gelf.

(4) Fod eich ymosodiad ar weithiau Mr Francis a'ch methiant i'w gwerthfawrogi yn deillio o'r diffyg y nodir yn (1) a (3).[42]

O'r pwynt hwn aeth y ddadl ymlaen yng ngholofnau'r *Darian* mewn cyfres ddi-dor o lythyrau ac erthyglau, ar brydiau'n o ffyrnig. Cawn ateb Jones yn ei erthygl, 'Y Cam a Wneir â Chelf wrth Gamddarlunio' (11 Mawrth), llythyr arall gan Davies (18 Mawrth) ac ateb i hwnnw gan y golygydd (25 Mawrth). Yna, trydydd llythyr (8 Ebrill) oddi wrth y dramodydd yn dychwelyd at y cwestiynau gwreiddiol, gan ofyn eto i'r golygydd fanylu am y ddwy ysgol ddrama yr oedd wedi sôn amdanynt ac i gyfiawnhau'i ddatganiad bod y naill yn diystyru gwaith y llall ac yn lladd ar ddylanwad yr eglwysi yn y Mudiad Drama.

Mae'n anodd deall pam y mynnai Davies ddod yn ôl at y cwestiynau hyn, oni bai oherwydd ei fod yn teimlo beirniadaeth Jones fel ymosodiad personol. Y gwir oedd bod y ddau ddyn yn hollol gytûn ar y pwynt sylfaenol, sef bod y dramâu a oedd wedi ymddangos yng Nghymru ers dechrau'r ganrif, a'r rhai oedd yn dal i ymddangos, yn cwympo i ddau grŵp gwahanol. Yn y naill ddosbarth ceid gwaith Davies ei hun ac eiddo J. O. Francis a'r Athro W. J. Gruffydd, gyda dramâu R. G. Berry, Rhys Evans a'u tebyg mewn dosbarth arall. Bu'n amlwg hefyd bod y ddau feirniad yn ymwybodol bod gwaith y naill grŵp yn mynegi rhywbeth tebyg i ddadansoddiad ystyrlawn o'r cyfnewidiadau oedd yn digwydd ym meddylfryd dinasyddion Cymru. Amlwg hefyd oedd y ffaith bod y grŵp arall – llawer ohonynt yn weinidogion a ysgrifennai, fel Jones ei hun, gogyfer â grwpiau drama capeli ac eglwysi, yn llawer llai tebygol o gynnig dadansoddiad cytbwys o amodau byw yn y byd cyfoes. Rhoddent hefyd yr argraff mai ysgrifennu gogyfer â pherfformwyr a'u cynulleidfa hwy eu hunain a wnaent, yn hytrach na bod ganddynt unrhyw gynllun neu amcan esthetig mwy cyffredinol.

Ni chydnabu Davies mo'r cytundeb sylfaenol hwn. Parhâi ef i gyhuddo ei wrthwynebydd o roi ystyriaethau moesol a chymdeithasol o flaen safonau estheteg ac felly o gamarwain y werin bobl. Ar yr wyneb, o leiaf, gellid meddwl bod hynny'n ddigon teg, oherwydd gwendidau amlwg adeiladwaith dramâu fel *Dic Sion Dafydd*, y cafodd Davies hwyl yn ei lambastio yng ngholofnau'r *Western Mail*:

> *Dic Sion Dafydd* emphasises the need for new plays. It was written by the Rev. J. Tywi Jones with the best of intentions – that of finding a useful social outlet for the exuberance of the young people of his church some years ago – and has, doubtless, served the purpose the author had in view, but its production today is not in the best interests of the movement . . . *Dic Sion Dafydd*, however sound its sentiments may be, is a striking example of how not to write a play. It contains twenty-two scenes, ten of them in one act, and one of the latter being a split scene. I would suggest to the author that . . . he should re-cast the whole play, so as to make it conform as far as possible with the principles and practice of modern technique.[43]

Yn y pen draw, derbyniodd Jones y ddadl esthetig hon, gan gydnabod mai datblygiad cyson un syniad canolog wedi ei ymgorffori mewn adeiladwaith cydlynol oedd anghenraid sylfaenol pob celfyddydwaith. Parthed y gwahaniaeth rhwng y gwirionedd ceinofyddol (chwedl Davies) a'r gwirionedd llythrennol, mae ei ddatganiad ef yn dal yn eithaf boddhaol:

> '[A]esthetic truth' [*sic*] yw y gwirionedd fel y cyflwynir ef i ni mewn drama, nofel, cerflun neu ryw fath arall ar gelf gain, gan feddwl a fedr ganfod yng nghynyrfiadau a chyfnewidiadau bywyd y prif egwyddorion sydd yn ysgogi pethau.[44]

Gyda'r geiriau hyn, fwy na lai, daeth y ddadl i ben, ond tan hynny mynnai Davies gyflwyno'r gwahaniaeth rhyngddynt fel gwrthgyferbyniad rhwng gwerthoedd esthetig ar y naill law a gwerthoedd moesol ar y llall. Y gwir yw mai ystyriaethau esthetig a oedd wrth wraidd eu hanghydfod, hyd yn oed wrth drafod *Change*. Mynnai Davies fod J. O. Francis wedi llwyddo'n gyfan gwbl yn ei ymdrech i gyflwyno'r gwirionedd am y prif egwyddorion oedd yn ysgogi bywyd De Cymru: 'Llwyddodd Francis i gyfleu mewn modd ceinofyddol wirionedd llythrennol am Ddeheudir Cymru. Nid sarhad ar Ymneilltuaeth mohono, eithr enghraifft o wirionedd mawr cyffredinol diwydiannol, a gwrthryfel a gwrthgiliad llawer o'r to ieuanc'.[45] Dyna'r union bwynt na fedrai Jones mo'i dderbyn, ond nid oherwydd ei fod am 'faldorddi am "Gymru Wen a'i chymundeb â'r anweledig"' (t. 6), ys dywed Davies. Ni chredai Jones bod *Change* yn ddrama fawr. Fe'i gwelai'n ddrama arwynebol a luniwyd i ledaenu'r celwydd mai'r gwrthdaro a welai pawb ym mywyd Cymru ar ôl y Rhyfel Byd oedd canlyniad anorfod anallu'r rhai a fagwyd yn yr eglwysi Calfinaidd i dderbyn cynnydd cymdeithasol. Cytunai ef â Davies mai ymgorfforiad celfydd iawn o'r ddadl hon oedd *Change*, ond gwrthododd dderbyn ei bod yn ymgorfforiad o'r 'egwyddorion sydd yn ysgogi pethau'.[46] Gwrthodai Jones dderbyn bod J. O. Francis wedi llwyddo i brofi'r hyn mae'r ddrama'n cymryd yn ganiataol, sef bod cysylltiad anorfod rhwng Calfiniaeth a cheidwadaeth John Price ac ymddygiad ei feibion, a bod dinistr y teulu'n dilyn ohonynt. Gwnâi ef, sawl tro, y pwynt na welir dim ym mhortread y teulu yn y ddrama i gyfiawnhau na chwerwder Lewis na llwfrdra Henry. Cyfeiria hefyd at y defnydd a wneir o ddiymadferthedd a hynawsedd Gwilym fel cyfrwng i gyfiawnhau dinistr y teulu, ac at anwadalwch cymeriad y fam sydd yn ganlyniad i newid cyfeiriad y ddrama a chryfhau naws trasig rhywbeth y dylid, o'i fesur yn gyfiawn, fod wedi'i gyflwyno fel comedi.

Afraid fyddai dadlau na fu elfen foesol ym meirniadaeth gweinidog y Glais. Rhaid cofio ei fod yn rhannu â chreawdwr Bet yn *Cymru Fydd* (1964), gred yn y 'shibolaethau'[47] –'Duw, crefydd, eglwys neu gapel, yr iaith Gymraeg' (t. 602) – a bod y pethau hynny'n sylfaen i'w holl feddylfryd. Fel beirniad yr oedd, felly, yn anad dim yn onest ac yn gytbwys, yn barnu pethau ar sail yr hyn a welai ynddynt o wir neu ffals. Gwelir hynny'n glir yn ei driniaeth o *Dychweledigion* Ibsen, y mae'n mynnu ei bod yn ddrama fawr, a hynny oherwydd cysondeb a thrylwyredd yr awdur. Gonestrwydd wrth drin y byd, meddai, oedd sail gwir gelfyddyd. Hyd hynny, bu Cymru yn llai ffodus na Norwy, oherwydd gadawyd triniaeth ei chyflwr moesol i 'cwacyddion' fel Caradoc Evans. Y gwahaniaeth rhwng Ibsen a'r rheiny oedd ei fod ef yn casáu'r ymddygiad yr oedd yn ei ddatgelu:

Dengys erchylltra'r drwg gyda'r fath uniongyrchedd fel na all unrhyw un a ddarlleno'r ddrama neu a welo ei chwarae llai na theimlo llais yn dod ato – 'Ti yw'r dyn'. Y mae ei gydwybod a'i argyhoeddiad ei hun yn creu awyrgylch iach i'r ddrama ac nid oes ynddi na gair na brawddeg a lygrai neb. Heblaw hyn tery Ibsen ar y rhagrith cymdeithasol a all ystumio'i osgo tuag at bechodau aflan i ateb ei gyfleustra ei hun a'i hunan-les a gwneud y cwbl yn enw rheol a threfn. Gwelai Ibsen grefydd ei wlad wedi ei phuteinio i wasanaethu'r rhagrith hwn.[48]

Nid pawb, hyd yn oed o blith crefyddwyr cymedrol y cyfnod, a fedrai dderbyn y fath gymeradwyaeth o'r *Dychweledigion*. Felly cafwyd ymateb i erthyglau'r golygydd ar Ibsen gan ei 'hen gyfaill' Caerwyn, a fynegai rywbeth tebyg iawn i'r mursendod y cyhuddai Davies Jones ohono. Gwyddwn, meddai Caerwyn, 'bod tueddiadau halog . . . mewn llawer cymeriad yn y Dywysogaeth, ond y maent mor annymunol . . . fel y gobeithiaf na welir cysgod ohonynt yn halogi'r ddrama Gymraeg ar ein llwyfannau'.[49] Y tro hwn gadawodd golygydd *Y Darian* yr amddiffyniad yn nwylo Lewis, a gyhoeddodd ei 'Nodyn ar Ibsen' yn *Y Darian*, 23 Rhagfyr. Mae'n annhebyg i Jones gytuno â phob gair o ddisgrifiad Lewis o Ibsen fel, 'yr hen broffwyd garw, gwrol, cul ei feddwl, bach ei ddychymyg, anghelfydd'.[50] Ar yr un pryd, diddorol yw sylwi ei fod, o ran y sylwedd, yn sefyll gydag awdur *Monica* ac ymhell o fod y cocyn hitio gorbarchus y dymunai Davies iddo fod.

Ni fu'r naill na'r llall o'r gwrthwynebwyr yn y ddadl hon yn hollol deg, cyson na chytbwys. Dywedwyd rhai pethau annheg a thra annymunol a chymylwyd y ddadl ar brydiau i'r fath raddau ag i'w gwneud yn anodd gweld hanfod yr anghydfod. Ond erbyn y diwedd roedd Jones, o leiaf, wedi llwyddo i esbonio ei safbwynt mewn perthynas â'r holl faterion yr ystyriai yn bwysig. Esboniodd, wrth ymateb i rywfaint o wawd o gyfeiriad y *Welsh Outlook:*

> Wedi cystadleuaeth Abertawe y sylweddolodd rhai o'r beirniaid Philistaidd fod y wlad yn llawn cwmnïoedd drama a'r rhai hynny'n perthyn i eglwysi. Ofnid y gwnâi'r eglwysi gam â'r ddrama. Yr oedd drama'n arch rhy sanctaidd i ddwylo halogedig gweinidog i gyffwrdd â hi . . . Ceisiasom ninnau ddweyd gair i amddiffyn rhai o'r dramodwyr a gondemnid, am y rheswm na fuasai arnom ddim i'w roi i'n bobl ieuainc i ymarfer a chwarae oni bai fod y rhai hyn wedi llafurio ac wedi gwneud yn rhagorol lawer ohonynt. Nid oedd gan neb hawl i wneud dim o'r fath, meddai'r Philistiaid. Onid ganddynt hwy yr oedd hawl benarglwyddiaethol ar y ddrama? A beth yw'r dramodau a gymeradwyant? Dramodau ydynt nad oes ynddynt yr un cymeriad y gall crefyddwyr Cymru ymfalchïo ynddynt. Mae popeth sydd hardd a gwerthfawr y tu allan i'r eglwysi.
>
> Cofier, ni ddywedasom air yn erbyn y dramodau hyn onibai am ymgais ynfyd rhyw ddosbarth i ysgubo popeth arall dros y bwrdd . . . a chawsent lonydd, onibai iddynt ddechreu defnyddio rhai o'r papurau Saesneg i daenu celwyddau enllibus amdanom, i'n gwawdio ac i waeddi bod y ddrama wedi disgyn 'into the wrong hands'. Nid oeddem ni'n tybied bod y ddrama yn ein dwylo ni o gwbl! Ni ddylai fynd i'w dwylo hwythau ychwaith.[51]

Ni chredaf fod Jones ymhlith newyddiadurwyr mwyaf amyneddgar ei genhedlaeth. Gwybu 'pen pren' golygydd y *Welsh Outlook* hynny'n dda ac achubai fantais ar bob cyfle i hela ei gyd-olygydd i ddicter cyfiawn. Felly, yn rhifyn Mai 1920, fe ddywed, 'Our very innocent note in our last issue on the subject of the futility of the controversy raised by the Editor of the *Darian* has apparently driven him to uncontrollable fury'.[52] A pharhâi i awgrymu mai'r ddadl yn y bôn oedd, ' the old controversy that raged round Ibsen in Norway and around Synge's *Playboy of the Western World* in Ireland, and we predict that the issue will be the same' (t. 109). Ni fu ymateb

Jones i'r nodyn golygyddol hwnnw'n gytbwys iawn, ond eto roedd yn llawn synnwyr:

> Y fath ynfydrwydd yw cyffelybu'r drafodaeth a fu yn *Y Darian* i'r ddadl ynghylch Ibsen yn Norway ac ynghylch Synge yn Iwerddon. Nid yw Cymru wedi cael na Synge nac Ibsen eto. Mae gennym amryw ddramodwyr sy'n medru darlunio bywyd Cymru'n dlws a chywir, a phrotestio a wnaethom ni yn erbyn y Philistiaid a fynnai sarhau pob un ohonynt a gwthio arnom ryw ddwy neu dair o ddramodau prentisiaid nad oes ynddynt na gwirionedd, na champ yn y byd ar eu celf ychwaith.[53]

Amcan sylfaenol Jones oedd amddiffyn, ac os oedd modd, cryfhau'r diwylliant Cymraeg a welai ef fel mynegiant allanol y genedl. Gwelai'r Mudiad Drama'n agwedd iachus ar y diwylliant hwnnw ac yn gyfrwng i sicrhau gafael yr iaith Gymraeg ar genedlaethau ifainc a oedd dan ddylanwad cynyddol yr iaith Saesneg a diwylliant torfol Eingl-Americanaidd. Derbyniai ei fod yn byw mewn byd a oedd yn prysur newid, ond ymladdai i droi'r llifeiriant i'r cyfeiriad y credai oedd yn llesol i'r genedl. Ni ddiystyriai werthoedd esthetig, ond gwrthododd dderbyn y syniad y medrid eu gwahanu oddi wrth wead y diwylliant cyfan. Dyna gred y daeth Kate Roberts i'w rhannu yn sgil ei phrofiad hi fel beirniad drama ar hyd De Cymru. Ategodd hithau ei ddatganiad cryf mai dim ond fel rhan o ddiwylliant unedig y cymunedau Cymraeg eu hiaith y gallai'r ddrama Gymraeg ddatblygu o gwbl:

> Nid dweyd yr ydym yn erbyn cael y ddrama Gymraeg cyn geined ei gwisg a chyn berffeithied ei chelfwaith â bo modd, ond yr ydym yn rhybuddio Cymru rhag rhedeg ar ôl pob hudlewyn i'r gors. Rhaid i'r ddrama yng Nghymru fod yn rhywbeth i Gymru, ac i'r Cymry, yn arbennig felly dramodau yr honnir portreadu ynddynt fywyd a hanes Cymru.[54]

Ceir ergyd yma nid yn gymaint i gyfeiriad awdur *Change* ag at y rhai a ganmolai'r ddrama honno fel datganiad trawiadol gywir o gymhlethdodau bywyd De Cymru. Islaw hynny, ceir argyhoeddiad dwfn mai dim ond mynegiant o'r cymunedau rheiny a ddaliai'n gryf eu gafael yn yr iaith a'r diwylliant traddodiadol y gallai drama Gymraeg fod. A dyna'r union gymunedau'r de a'r gogledd yr oedd Jones yn adnabod pob agwedd ar eu bywyd, fel gweithiwr glo a haearn ac fel gweinidog, ers pan ymadawodd, yn bymtheg oed â'r pentref gwledig lle y'i magwyd.

Gwir Arwr Glew

Credai Jones felly mai hudlewyn oedd dadl Lewis mai trwy fewn-forio ymarferion Edward Gordon Craig a W. B. Yeats y gellid trawsffurfio'r Mudiad Drama yn theatr genedlaethol. Hudlewyn arall oedd dadl Davies mai dim ond trwy glirio'n gyfan gwbl y sothach a gydnebid fel drama gan werin anwybodus Cymru a'u trwytho'n drwyadl yn egwyddorion estheteg ddiamodol celfyddyd y gellid symud ymlaen o gwbl. Er na lwyddodd Jones i argyhoeddi'i wrthwynebwyr o hynny yn ei ddadleuon gyda nhw, profodd hanes parhaol y Mudiad Drama ei fod yn iawn. Bu datblygiad, wrth gwrs, ond nid y math ar ddatblygiad y chwiliai'r deallusion ifainc amdano yn nechrau'r 1920au. Er gwaethaf ymdrechion parhaol Howard de Walden i wireddu'r freuddwyd o theatr genedlaethol, ac er gwaethaf tueddiadau cynyddol y cwmnïau uchelgeisiol i droi at ddramâu Saesneg, aeth y Mudiad Drama ymlaen am ddegawdau, yn ganolbwynt y diwylliant Cymreig mewn trefi a phentrefi ar draws y wlad. Gwelwyd newid graddol ar hyd y cyfnod, gan adlewyrchu'r datblygiadau cymdeithasol a'r gwelliannau yn safon-au byw ac addysg ond, er gwaethaf y rheiny, parhaodd y mudiad yn ffyddlon i'w swyddogaeth amddiffynnol, sylfaenol. Ni ddaeth hynny i ben tan ar ôl y rhyfel nesaf, pan oedd strwythurau diwyll-iannol a chymdeithasol y cymunedau Cymraeg wedi'u trawsnewid yn sylfaenol.

Tarddodd pwysigrwydd Jones yn yr hanes hwn o'r ffaith ei fod wedi'i wreiddio yn y diwylliant a'r strwythurau cymdeithasol a ffurfiai sylwedd profiad y cymunedau Cymraeg. Ni feddai ar ehangder meddwl Lewis, na'r gwrthrychedd deallusol a geir yn ysgrifennu gorau Davies. Ambell dro ysgrifennodd ar frys a chydag elfen o wylltineb roedd golygyddion y *Leader* a'r *Welsh Outlook*,

cynrychiolwyr ill ddau o ddosbarth cymdeithasol tra gwahanol,
yn ei edliw iddo. Ar brydiau gwnaeth gamau gwag, ac ambell dro
rhuthrodd i farnu a barnu'n wael o ganlyniad.[55] Ond ei fantais,
wyneb yn wyneb â'i wrthwynebwyr addysgedig, oedd ei fod yn
gymharol rydd o ddylanwad Prydeindod. Roedd yn ymwybodol
o'r hyn oedd yn digwydd yn Lloegr; bu yn yr Empires a'r Music
Halls, ac yn theatrau parchus dinas Llundain. Ond ni dderbyniai
ddim nad oedd yn cydweddu â bywyd ac arferion y Cymry fel yr
oedd ef yn eu hadnabod nhw.

Oherwydd nad anghofiodd erioed swyddogaeth amddiffynnol,
sylfaenol y Mudiad Drama, roedd Jones yn deall y math ar ddat-
blygiad a oedd yn cyd-fynd â'r mudiad. Yn y cyfamser, dallwyd
deallusion ifainc yr 1920au gan eu hargyhoeddiad nad oedd modd
symud ymlaen o gwbl heb ladd y Goliath Piwritanaidd yr oedd
eu haddysg Seisnigaidd wedi'u dysgu i'w weld yn elyn i bob
blaguryn o harddwch yn natur dyn. Gellid deall yr agwedd honno
ynddynt hwy yn yr 1920au, cyfnod o ferw cymdeithasol a diwyll-
iannol eithriadol, ond mae'n syndod gweld yr un agwedd yng
ngwaith Hywel Teifi Edwards, a oedd wedi ymroi i'r un ymgyrch
i amddiffyn yr iaith a'r diwylliant Cymreig y llafuriai Jones mor
ddiwyd ar eu rhan. Mae'n ddiddorol cymharu ymateb y ddau
genedlaetholwr wrth wynebu'r un perygl difaol na allai unrhyw
iaith leiafrifol ei oroesi – hynny yw, gweld y bobl ifainc yn troi'n
ei herbyn. Gwyddwn am ymateb Jones i'r perygl hwnnw, sef ffurfio
cwmni drama ac ysgrifennu dramâu orau gallai i'w cadw nhw o
fewn corlan Cymraeg yr eglwys. Erbyn 1990 roedd y sefyllfa a
wynebai Edwards dipyn yn wahanol a muriau'r gorlan grefyddol
Gymraeg wedi hen ddiflannu.

Yn yr argyfwng newydd hwn datblygodd Edwards ddad-
ansoddiad soffistigedig a chymhleth o seicoleg dorfol y Cymry
Cymraeg yn y ganrif rhwng 1850 ac 1950 a seiliwyd ar feirniadaeth
lem o'r cysylltiad rhwng yr hunaniaeth Gymraeg a'r foeseg ideal-
aidd Fictoraidd. Credai fod y Biwritaniaeth annaturiol honno wedi
atal datblygiad naturiol y cymunedau Cymraeg eu hiaith a'i bod,
hyd yn oed tua diwedd yr ugeinfed ganrif, yn bygwth parhad yr
iaith. Cawn dystiolaeth o hyn mewn erthygl a gyhoeddodd yn
Golwg, Rhagfyr 1990, 'Lloi Pasgedig Smithfield'. Symbyliad yr

erthygl hon oedd ymateb rhai elfennau o'r gynulleidfa Gymraeg i raglen deledu a ddilynai grŵp o aelodau'r Ffermwyr Ifainc ar ymweliad â Smithfield. Gofynna Edwards y cwestiwn, 'Pam fod cynifer ohonom o hyd yn gwylltio pan ddefnyddir y Gymraeg i lwyfannu reiat y cnawd?'[56] Ac aiff yn ei flaen i gynnig ateb go bendant i'w gwestiwn ei hun:

> Mae'n fwy na thebyg nad oes gennym ddim byd mwy dyrys i'w ystyried na chymhleth euogrwydd torfol a gydiodd ynom fel pobol ar ôl diwygiadau'r ddeunawfed ganrif ac a aeth yn drech na ni yn Oes Victoria pan orfodwyd y werin i arddel moesoldeb cyhoeddus a oedd mewn gwrthdrawiad beunyddiol ag eisiau'r cnawd. (t. 22)

Pwynt sylweddol Edwards oedd bod perygl i'r genhedlaeth ifanc, wedi eu magu mewn cymdeithas oedd wedi dianc nid yn unig rhag hualau Piwritaniaeth ond rhag crefydd yn gyfan gwbl, droi yn erbyn yr iaith ei hun oherwydd y rhagfarnau cul, gormesol, a fynegir drwyddi. Heb ymdrech drylwyr i rhoi'r cymhlethdod hwn sy'n fwrn ar seicoleg y Cymry ar hyd yr ugeinfed ganrif yn ei gyddestun, meddai, 'byddwn yn dal i fod, yng ngolwg gormod o lawer o'n hieuenctid, yn bobol ffals' (t. 22).

Yr argyhoeddiad hwn oedd sylfaen y feirniadaeth y cyfeiria Edwards at Jones yn *Arwr Glew Erwau'r Glo*. Problem Jones, medd Edwards, oedd ei 'sêl dros fath arbennig o ddiwylliant moesol' oedd yn ei atal rhag ymgyrchu 'dros gelfyddyd Gymraeg ddi-ofn a wnaethai fwy na dim i wrthsefyll gorlif Seisnigrwydd'.[57] Ond mae'r dystiolaeth y cyflwynodd yn yr union bennod lle y gwna'r siars honno'n gwrthbrofi ei ddadl ef ei hun. Nid diffyg gonestrwydd yr Ymneilltuwyr a danseiliodd eu hymdrechion i amddiffyn eu diwylliant a'u hiaith, ond cryfder a ffyrnigrwydd y grymoedd niferus a oedd yn eu herbyn. Fel y sylwodd R. Tudur Jones, roedd llanw Seisnigrwydd yn rhy gryf a'r elfen o seciwlariaeth a ddaeth yn sgil cyfalafiaeth ddiwydiannol yn rhy ymosodol i ganiatáu unrhyw gyfaddawd â diwylliant wedi'i seilio ar grefydd yn y blynyddoedd hynny:

Mae mor rhwydd ceisio esbonio'r cyfnewidiad trwy ganoli ar ryw un agwedd a gwneud honno'n esboniad ar bopeth. Mae ildio i'r demtasiwn i wneud hynny'n brawf ynddo'i hun fod nodwedd amlycaf y trawsnewid, sef cymhlethdod ei achosion, wedi dianc rhag sylw'r sylwebydd. Mynn rhai wneud môr a mynydd o agwedd oeraidd yr eglwys at obeithion y proletariat, i eraill gwyddoniaeth fodern yw'r gŵr drwg, i eraill drachefn rhaid rhoi'r bai ar ddylan-wad Lloegr, neu ddylanwad moesoldeb y dosbarth canol, neu Uwchfeirniadaeth, neu fethiant titotaliaeth, neu farweidd-dra gwasanaethau'r eglwysi. Ond ffolineb anneallus ac anhanesyddol yw cerdded y llwybrau hyn. I'r bobl a fu byw trwy boethder y frwydr, y peth a'u trethai'n fwy na dim oedd amlder y gelynion ac amrywiaeth yr ymosodiadau.[58]

Er gwaethaf ymdrechion arweinwyr y Blaid Genedlaethol i greu seiliau athronyddol gogyfer â rhyw fath ar gyfaddawd, yr hyn y gorfodwyd i'r diwylliant Cymraeg ei wneud oedd cilio i gadarn-leoedd yr iaith. Roedd James Kitchener Davies a Kate Roberts wedi ymdrechu'n arwrol ar hyd y cyfnod hwnnw i gadw Cymraeg yn fyw yn y Rhondda, ond yn ofer. A dyna ddisgrifiad y nofelydd o gyflwr y Cwm yn 1935, disgrifiad y mae Edwards yntau'n ei ddyfynnu i gau pen y mwdwl ar y bennod lle y mae'n beirniadu golygydd *Y Darian*.

Lle mae mwyaf o dlodi heddiw, yna mae'r diwylliant Cymreig wedi marw. Mewn geiriau eraill, lle y gwelwyd Diwydiant a Chyfalafiaeth ar eu hyllaf, hynny yw, lle y buont fwyaf llwydd-iannus, yna hefyd y gwelwyd diflannu'r peth mwyaf gogoneddus oedd yno – sef y diwylliant Cymreig. Yr oedd yn rhaid i un o'r ddau fynd, yn ôl safonau 'dyfod ymlaen' yn y bedwaredd ganrif ar bymtheg. Un peth y mae'n rhaid i'r sawl sydd am ddwyn y diwylliant Cymreig yn ôl eto ei gofio ydyw, mae problem econom-aidd fydd hynny hefyd. Erbyn hyn, mae'r ddau beth wedi mynd, y diwydiant a'r diwylliant Cymreig, ac nid erys dim ar ôl.[59]

Cydnabu Kate Roberts – fel y sylwa Edwards ei hun – mai'r unig ffordd y gallai hi gadw ei chreadigrwydd oedd trwy droi'n ôl at y gorffennol, oherwydd ni welai hi yn y byd o'i chwmpas unrhyw ffordd heblaw hynny i amddiffyn ei hunaniaeth. Ni lwyddodd

Kitchener Davies ychwaith i ddod i ddelerau â'r byd o'i gwmpas, o leiaf nid tan *Sŵn y Gwynt sy'n Chwythu* – nac Ieuan Griffiths yntau, y dramodydd mwyaf treiddgar ei weledigaeth yng Nghymru yn yr 1930au. A dweud y gwir, ni lwyddodd yr un dramodydd yng Nghymru cyn Lewis yn yr 1960au – ac roedd ei weledigaeth ef erbyn hynny, er ei fod yn Babydd, lawer yn nes at eiddo golygydd *Y Darian* yn yr 1920au nag at yr eiddo ef ei hun yn yr un cyfnod.

Digon posib bod Edwards yn iawn yn yr hyn a ddywedai am gymhlethdodau ôl-Ymneilltuol y Cymry Cymraeg yn nyddiau diwethaf yr ugeinfed ganrif. Erbyn hynny nid oedd y byd Cymraeg yr un o bell ffordd ag yr oedd saith degawd ynghynt. Yn un peth, roedd seciwlariaeth wedi hen ennill y dydd yn erbyn y grefydd yr oedd ein hen dadau wedi ei gweld yn elfen hanfodol o'r hunaniaeth Gymraeg. A pheth arall, roedd y diwylliant Cymreig wedi newid i fod yn ddiwylliant dwyieithog, gyda'r canlyniad bod mynegiant diwylliannol yn yr iaith Saesneg yn elfen ddiymwad o'r hunaniaeth honno. Dyna'r byd lle brwydrodd Edwards i gadw lle i'r iaith Gymraeg a'r diwylliant a fynegwyd drwyddi ac y mae'n hawdd gweld, felly, mor anodd y bu iddo ef gydymdeimlo ag agweddau dynion fel Jones a oedd yn dal i feddwl am Gymru, er gwaethaf cryfder y grymoedd gwrthwynebus, fel gwlad Gymraeg, grefyddol. Cawn enghraifft o'r anhawster hwnnw yn nhriniaeth Edwards o'r gymhariaeth a wnaethpwyd gan Jones rhwng Caradoc Evans a J. O. Francis. Rhaid sylwi yn gyntaf ar y newid mawr yn ein hagweddau sydd wedi'i wireddu gan draul amser yn bennaf, sy'n caniatáu i ni dderbyn portreadau grotesg *My People* heb unrhyw gyfeiriad at y byd go iawn. Ond pwysicach na hynny yw'r newid sydd wedi dod yn sgil peidio meddwl am y diwylliant Cymreig fel rhywbeth sy'n perthyn i'r iaith Gymraeg yn unig. Yr hyn a gysylltodd Caradoc Evans a J. O. Francis ym meddwl Jones oedd y ffaith eu bod yn ysgrifennu gogyfer â chynulleidfa Saesneg a Seisnig a'u bod yn cael eu derbyn fel lladmeryddion y gwir – a hynny er gwaethaf y gwahaniaethau amlwg o ran amcan ac arddull. Perthyn yr agwedd honno, wrth gwrs, i fyd diflanedig, ond dyna'r pwynt. O'r tu mewn i seicoleg Cymro gwladgarol, ffyddlon i'w iaith a'i diwylliant Ymneilltuol, roedd yr agwedd honno'n rhesymol ac yn wrthrychol ddigon. Mae peidio â chymryd cyfrif o hynny yn arwain at farnu'r gorffennol yn ôl safonau na pherthyn iddo.

Awgrymaf fod agwedd Edwards at Jones yn enghraifft o'r broblem a drafodir gan yr athronydd Karl Popper mewn perthynas â gwaith gwyddonol Galileo. Glynodd Galileo, esbonia Popper, wrth ei ddamcaniaeth ef ei hun am achos llanw a thrai'r moroedd, gan wrthod derbyn yr wrthddamcaniaeth gyfredol parthed dylanwad y lleuad. Yn y pen draw, daeth yn eglur i bawb mai dylanwad y lleuad oedd yn gyfrifol am y llanw a phrofwyd, felly, bod Galileo'n anghywir. Ond, dywed Popper, bod beirniadu Galileo am y methiant hwn ar sail dadansoddiadau seicolegol yn anwybyddu'r cyd-destun syniadaethol y gweithiai ef ynddo. Y cyd-destun deall-usol hwnnw, a'r gwrthdaro rhwng elfennau gwahanol ohono na ddatryswyd yn ystod ei fywyd ef, a'i gwnaeth ymron yn amhosibl iddo beidio â gwrthod y ddamcaniaeth am ddylanwad y lleuad. Dadl Popper, felly, yw mai'r unig sail i asesiad cywir o ymateb y gwyddonydd i elfennau problemus yn y byd o'i gwmpas yw dealltwriaeth wrthrychol o'r ffordd yr ymddangosai'r byd hwnnw iddo ef ei hun. Ac os ydy hyn yn wir am Galileo, mae'n wir hefyd am J. Tywi Jones, er gwaethaf y gwahaniaeth amlwg rhyngddynt o ran graddfa pwysigrwydd ac ymestyniad y materion y buont yn eu trin.[60]

Os oes yna neges gyfredol yn yr hanes hwn, credaf ei fod yn ymwneud â chytbwysedd yr elfennau rwyf wedi eu dynodi fel cadwraeth a chynnydd. Y mae'n debyg bod hyn yn fater o bwys o hyd ac ymhobman, ond yn arbennig felly wrth inni wynebu'r grymoedd sy'n gyrru'r prosesau o globaleiddio masnachol a chyfathrebu digidol. Ac ar ben hynny, mae diwylliannau lleiafrifol fel y diwylliant Cymreig yn wynebu argyfwng neilltuol chwerw yn y cyfnod ôl-ôlfodernaidd hwn, wrth iddynt straffaglu i gasglu at ei gilydd y gweddillion prin o'u hunaniaeth a'u traddodiadau. Mae'n rhaid erbyn hyn ddarganfod ffordd i gytuno ar yr hyn yr ydym am ei amddiffyn yn y cyfnod nesaf. A dyna, yr ymddengys i mi, yw gwers yr hanes yr ydym wedi bod yn ei astudio – nid yn unig hanes yr anghydfod rhwng Jones a'r modernwyr, ond y ffordd yr oedd yn ymddangos i Edwards yn yr 1990au. Byddai'n eironi chwerw eithriadol pe bai methu datblygu'r ddealltwriaeth wrthrychol o'n hanes ni ein hunain yn ein harwain at droi yn erbyn yr union elfennau yn ein traddodiadau sydd wedi'n cadw ni'n fyw. Nid yw traddodiad yn beth yr ydych yn medru dianc rhagddo yn enw cynnydd. Mae Edward Shils, yn ein hatgoffa, 'Tradition enters into the constitution of meaningful conduct by defining its ends and standards and even its means'.[61] Mae'n dilyn felly bod y presennol yn rhan o unrhyw ddyfodol sydd yn ystyrlon i ni, a chyda'r presennol yr holl elfennau o'r gorffennol sydd wedi goroesi hyd at y pwynt cyfnewidiol hwnnw. Os awn am unrhyw reswm i ddiystyried yr union broses sydd wedi ein gwneud yr hyn ydym, mae'n anodd gweld ar ba sail y byddwn yn medru llunio dyfodol.

Nodiadau

1 Edward Shils, Tradition (Chicago: Gwasg Prifysgol Chicago, 1981), t. 4.

2 J. R. Jones, *Gwaedd yng Nghymru* (Lerpwl, Pontypridd: Cyhoeddiadau Modern Cymreig, 1970).

3 Gweler y gyfres o wyth erthygl a gyfrannodd Bobi Jones i *Barn* rhwng Tachwedd 1983 a Mehefin 1984. Esbonia ar ddechrau'r gyfres ei bod yn anffodus, o safbwynt academaidd, bod rhaid defnyddio gair sydd â chynodiad mor emosiynol, ond yn niffyg gair amgen defnyddia 'brad' i gyfleu'r 'weithred o ymbleidio gan berson gyda chenedl sy'n gorthrymu . . . neu'r parodrwydd ymarferol ar ei ran i gynnal neu i gydweithredu â'r drefn neu â'r diwylliant sy'n gwneud ei wlad ei hun rywfodd neu'i gilydd yn isradd. Fe all bradwyr o'r fath gyflawni'u gwaith oherwydd pob math o gymhellion yn ogystal ag yn ddiarwybod, nid cymhellion llai annheilwng yn fynych nag eiddo gwladgarwyr pybyr'. *Barn*, Tachwedd 1983, 380.

4 H. T. Edwards, *Wythnos yn Hanes y Ddrama yng Nghymru 11–16 Mai 1914* , Astudiaethau Theatr Cymru, 4 (Bangor: Cymdeithas Theatr Cymru, 1989); *Lle Grand am Ddrama, Abertawe a'r Ŵyl Ddrama Gymreig 1919–1989,* Darlith Radio Flynyddol BBC Cymru, 7 Ionawr 1990 (Llundain: Y Gorfforaeth Ddarlledu Brydeinig, 1990); *Arwr Glew Erwau'r Glo: Delwedd y Glöwr yn Llenyddiaeth y Gymraeg 1850–1950* (Llandysul: Gwasg Gomer, 1994).

5 —— *Lle Grand am Ddrama*, tt. 18–19.

6 Nid ysgrifennodd Saunders Lewis i'r theatr rhwng 1922 ac 1948, pan aeth ati i gwblhau *Blodeuwedd*. Parthed derbyniad *Gwaed yr Uchelwyr*,

gweler Ioan Williams (gol.), *Dramâu Saunders Lewis*, II, (Caerdydd: Gwasg Prifysgol Caerdydd, 1996), tt. 38–50 hefyd mewn perthynas â'r broses o ailgydio yn *Blodeuwedd*, tt. 212–15.

[7] H. T. Edwards, *Arwr Glew Erwau'r Glo*, t. 179.

[8] Parthed y pwynt hwn, gweler y dyfyniad o waith R. Tudur Jones, isod, nodyn 58.

[9] Diddorol yw sylw W. J. Gruffydd, bod y mudiad addysg yn gyfrifol nid yn unig am ladd yr iaith ond am danseilio'r grefydd Ymneilltuol a oedd, gyda radicaliaeth wleidyddol, wedi rhoi genedigaeth iddo. Dywed yn *Hen Atgofion*, 'Mewn un ffordd, un o'r agweddau tristaf ar gynnydd genedlaethol yw bod y plant yn tueddu i ladd y rhieni; y mae rhan fawr o'r newid sydd wedi dyfod ar y gred grefyddol a gwleidyddol yn deillio'n uniongyrchol o'r Addysg newydd.' Gweler W. J. Gruffydd, *Hen Atgofion* (Aberystwyth: Cambrian News Press, 1936), t. 44.

[10] Ym Mhrifysgol Rhydychen bu derbyn erthyglau Eglwys Lloegr yn amod o gael eich derbyn yn fyfyriwr; yng Nghaergrawnt bu'n amod derbyn gradd o'r brifysgol. Parhaodd y sefyllfa hon tan Ddeddf Diwygio'r Prifysgolion, 1854.

[11] Wedi ei ddyfynnu gan y Parch. E. O. Davies, *Ein Cyffes Ffydd 1823–1923*) (Caernarfon: Y Llyfrfa, 1923), t. 22. Ceir disgrifiad hynod fanwl o'r ffordd yr erydwyd y ddysgeidiaeth Galfinaidd gaeth yn ystod y bedwar-edd ganrif ar bymtheg yn Owen Thomas, *Cofiant y Parchedig John Jones Talsarn*, (Wrecsam: Hughes a'i Fab, 1870). Roedd Owen Thomas yn dadcu i Saunders Lewis.

[12] Parthed *Maesymeillion* gan D. J. Davies, gweler Ioan Williams, *Y Mudiad Drama yng Nghymru 1880–1940* (Caerdydd: Gwasg Prifysgol Cymru, 2006), tt. 69–70. Parthed *Dic Sion Dafydd* J. Tywi Jones, gweler isod, tt. 61 a 72.

[13] Gweler J. O. Francis, 'The Deacon and the Dramatist', *The Welsh Outlook*, Mehefin 1919, 159: 'What is the poor playwright to do when, having written a part that is a furious attack on deacons, the deacons come forward and earnestly beg the privilege of acting it? There is nothing left but to go home and think again.'

[14] 'Welsh Drama. Proposed Competition Week for Swansea', D. H. J. P. yn y *Cambria Daily Leader*, 17 Chwefror 1919, 3.

[15] *Cambria Daily Leader*, 31 Mawrth 1919, 5.

[16] Gweler *Cambria Daily Leader*, 'The Day's Gossip – A Wasted Opportunity', 3 Tachwedd 1919, 10: 'It was a unique opportunity for the publication of a report which would embody a standard as a guide for any further work on the Welsh drama . . . Instead of this hundreds of words have been frittered away on the minutiae of acting'.

17 Parthed y dylanwadau cynnar ar Saunders Lewis, gweler D. Tecwyn Lloyd, *John Saunders Lewis: Y Gyfrol Gyntaf* (Dinbych: Gwasg Gee, 1988), tt. 70–1 ac Ioan Williams, *A Straitened Stage: A Study of the Theatre of J. Saunders Lewis* (Pen-y-bont ar Ogwr: Seren Books, 1991), tt. 21–7.

18 Saunders Lewis, 'Anglo-Welsh Theatre. The Problem of Language', *Cambria Daily Leader*, 10 Medi 1919, 4.

19 —— 'The New Revivalists. A Note on the Theatre', *Cambria Daily Leader*, 2 Hydref 1919, 3.

20 ——'Welsh Drama. Asgre Lan', *Cambria Daily Leader*, 21 Hydref 1919, 4.

21 —— 'Drama Week. A Retrospect', *Cambria Daily Leader*, 25 Hydref 1919, 4.

22 —— 'A Speech and a Play', *Cambria Daily Leader*, 24 Hydref 1919, 5.

23 —— 'The Deacon and the Dramatist', *Welsh Outlook*, Mehefin 1919, 159.

24 ——'Three Short Plays', *Cambria Daily Leader*, 22 Hydref 1919, 4.

25 —— 'Drama Week, A Retrospect', 4.

26 Ceir astudiaeth o fywyd a gwaith J. Tywi Jones yng nghyfrol Noel Gibbard, *Tarian Tywi: Cofiant y Parch J. Tywi Jones* (Caernarfon: Gwasg y Brython, 2011).

27 J. Tywi Jones,'Y Ddrama yng Nghymru', *Y Darian*, 12 Chwefror 1920, 5.

28 Am syniadau Adorno (1903–69), gweler *Dialectic of Enlightenment, Philosophical Fragments* (1947), gan Max Horkenheimer and Theodor Adorno, cyf. Edmund Jephcott (Stanford, California: Gwasg Prifysgol Stanford, 2002).

29 J. Tywi Jones, 'Y Ddrama yng Nghymru', t. 5.

30 Am y drafodaeth rhwng Tom Parry a Kate Roberts, gweler I. M. Williams, 'Ideoleg ac Estheteg yn y Mudiad Drama', *Gwerddon*, 2, Hydref (2007), 87–103.

31 J. Tywi Jones, 'Wythnos o Ddrama', *Y Darian*, 30 Hydref 1919, 1.

32 —— 'Wythnos o Ddrama', 1.

33 Saunders Lewis, 'Y Ddrama', *Y Darian*, 13 Tachwedd 1919, 2.

34 J. Tywi Jones, 'The Present State of Welsh Drama', *Welsh Outlook*, Rhagfyr 1919, 302–3.

35 J. D. Williams, 'The Day's Gossip – J. S. Lewis Re-enters', *Cambria Daily Leader*, 3 Rhagfyr 1919, 8. William Poel (1852–1934), actor a chyfarwyddwr, enwog yn bennaf am ei waith i'r Elizabethan Stage Society a'i ymosodiadau ar y confensiynau cyflwyno cyfredol; Harley Granville Barker (1877–1946), actor, dramodydd a chyfarwyddwr a gydweithiai â Poel a George Bernard Shaw, cadeirydd y British Drama League am dair blynedd ar ddeg ac awdur nifer o lyfrau dylanwadol, yn cynnwys *The Exemplary Theatre* (1930).

[36] Gweler J. Tywi Jones, 'Nodiadau'r Golygydd', *Y Darian*, 11 Rhagfyr 1919, 4.

[37] Saunders Lewis, 'Welsh Drama of Today. "Degraded and Commercialised"', *Cambria Daily Leader*, 9 Ebrill 9 1920, 4.

[38] D. T. Davies, 'Welsh Folk Drama: Its Future', *Welsh Outlook*, March 1920, 65.

[39] —— 'Welsh Folk Drama', 65.

[40] —— 'Welsh Folk Drama, 66.

[41] J. Tywi Jones, 'Y Ddrama yng Nghymru', *Y Darian*, 1920, Chwefror 12, 5.

[42] D. T. Davies, 'Y Ddrama', *Y Darian*, Mawrth 4, 1920, 5.

[43] —— 'The Competition at Cymmer – Societies' Need for Readers of Plays', *Western Mail*, 17 March 1920, 10.

[44] J. Tywi Jones, 'Y Ddrama yng Nghymru. Ateb i Mr. Davies', *Y Darian*, Ebrill 15, 1920, 5.

[45] D. T. Davies, 'Y Ddrama yng Nghymru', *Y Darian*, Ebrill 8, 1920, 6.

[46] J. Tywi Jones, 'Y Ddrama yng Nghymru. Ateb i Mr D. T. Davies', 5.

[47] Gweler Ioan Williams (gol.), *Dramâu Saunders Lewis: Y Casgliad Cyflawn*, 2, (Caerdydd: Gwasg Prifysgol Cymru, 2000), t. 631.

[48] J. Tywi Jones, 'Dychweledigion', *Y Darian*, 10 Mehefin 1920, 3.

[49] Caerwyn, 'Y Ddrama yng Nghymru. Wrth Pa Safonau ei Llunir?', *Y Darian*, 9 Rhagfyr 9 1920, 6.

[50] Saunders Lewis, 'Nodyn ar Ibsen', *Y Darian*, 23 Rhagfyr 1920, 8.

[51] J. Tywi Jones, 'Y Ddrama yng Nghymru: Ateb i Mr. D. T. Davies', 5.

[52] 'Notes of the Month', *Welsh Outlook*, May 1920, 109.

[53] J. Tywi Jones, 'Y Ddrama yng Nghymru: Ateb i Mr Davies', *Y Darian*, 27 Mai 1920, 3.

[54] Kate Roberts, 'Y Ddrama a Chymru', *Y Darian*, 26 Chwefror 1920, 5.

[55] Ceir enghraifft anffodus iawn yn ei ymateb i sylwadau coeglyd J. O. Francis ar ddylanwad te ar seicoleg trigolion Gogledd Cymru. Gweler 'The Shadow on the North', *Welsh Outlook*, Hydref 1919, 17–18 ac 'Yr Eglwysi a'r Ddrama', *Y Darian*, 19 Chwefror 1920, 5.

[56] H. T. Edwards, 'Lloi Pasgedig Smithfield', *Golwg*, 2/17, Ionawr 1990, 22.

[57] H. T. Edwards, *Arwr Glew Erwau'r Glo*, t. 179.

[58] R. Tudur Jones, *Ffydd ac Argyfwng Cenedl: Cristionogaeth a Diwylliant yng Nghymru 1890–1914*, 1 (Abertawe: Tŷ John Penri, 1981), t. 19.

[59] Gweler D. Jenkins (gol.), *Erthyglau ac Ysgrifau Kate Roberts* (Abertawe: Christopher Davies, 1935), t. 307.

[60] Gweler Karl Popper , 'A Case of Objective Historical Understanding', yn *Objective Knowledge: An Evolutionary Approach* (Rhydychen: Gwasg Clarendon, 1972), tt. 170–80.

[61] Shils, *Tradition*, t. 33.

Llyfryddiaeth Gyfeiriadol

Berry, R. G., *Ar y Groesffordd: Drama Gymreig mewn pedair act*, (Caerdydd: Educational Publishing Company, 1920).

Davies, D. T., *Ble Ma Fa?: drama mewn un act, yn nhafodaith Cwm Rhondda* (Aberystwyth: Gwasg y Ddraig Goch, 1913).

Davies, D. T., *Ephraim Harris: drama mewn tair act yn nhafodiaith Morgannwg* (Caerdydd: Welsh Outlook Press, 1914).

Davies, D. J., (1919), *Maesymeillion: drama fuddugol Eisteddfod Castell Nedd* (Caerdydd: Argraffwyd dros Gymdeithas yr Eisteddfod, 1918).

Davies, E. O., *Ein Cyffes Ffydd 1823–1923* (Caernarfon: Y Llyfrfa, 1923).

Edwards, H. T., *Wythnos yn Hanes y Ddrama yng Nghymru 11–16 Mai 1914*, Astudiaethau Theatr Cymru: 4 (Bangor: Cymdeithas Theatr Cymru, 1984).

Edwards, H. T., *Lle Grand am Ddrama Abertawe a'r Ŵyl Ddrama Gymreig 1919–1989*, Darlith Radio Flynyddol BBC Cymru , 7 Ionawr 1990 (Llundain: Y Gorfforaeth Ddarlledu Brydeinig, 1990).

Edwards, H. T., 'Lloi Pasgedig Smithfield', *Golwg*, 2/7, (1990), tt. 21–2.

Edwards, H. T., *Arwr Glew Erwau'r Glo: Delwedd y Glöwr yn Llenyddiaeth y Gymraeg 1850–1950* (Llandysul: Gwasg Gomer, 1994).

Evans, D., *Jack y Bachgen Drwg: sef drama Gymreig newydd, yn darlunio dylanwad cwmni drwg mewn chwech o benodau* (Aberdâr: argraffwyd dros yr awdur, 1888).

Francis, J. O., Change: *A Glamorgan play in four acts* (Aberystwyth: Argraffwyd gan Williams Jones, 1913).

Gibbard, N., *Tarian Tywi; Cofiant y Parch J. Tywi Jones* (Caernarfon: Gwasg y Brython, 2011).

Granville-Barker, H., *The Exemplary Theatre* (Llundain: Chatto and Windus, 1930).

Gruffydd, W. J., *Hen Atgofion* (Aberystwyth: Cambrian News Press, 1936).

Jenkins, D., (gol.), *Erthyglau ac Ysgrifau Kate Roberts* (Abertawe: Christopher Davies, 1935).

Jones, J. R., *Gwaedd yng Nghymru* (Lerpwl a Phontypridd: Cyhoeddiadau Modern Cymreig, 1970).

Jones, J. Tudur, *Ffydd ac Argyfwng Cenedl: Cristionogaeth a Diwylliant yng Nghymru, 1890–1914* (Abertawe: Tŷ John Penri, 1981).

Jones, J. Tywi, *Dic Siôn Dafydd, Richard Jones-Davies, Esq.: drama Cymreig* (Caerfyrddin: W. Evans a'i Fab, 1913).

Jones, J. Tywi, *Jac Martin, neu bobl Llanderwydd: drama Cymreig* (Caer-fyrddin: W. Evans a'i Fab, 1913).

Jones, R. M., (Bobi), 'Brad – yn Ffordd o Fyw', *Barn*, 1, (1983), 380–1.

Lewis, J. Saunders, *Gwaed yr Uchelwyr: drama mewn tair act* (Caerdydd: Educational Publishing Company, 1922).

Lewis, J. Saunders, *Buchedd Garmon; Mair Fadlen* (Aberystwyth: Gwasg Aberystwyth, 1937).

Lewis, J. Saunders, *Amlyn ac Amig. Comedi* (Aberystwyth: Gwasg Aberystwyth, 1947).

Lewis, J. Saunders, *Blodeuwedd: drama mewn pedair act* (Dinbych: Gwasg Gee, 1948).

Lewis, J. Saunders, *Cymru Fydd* (Llandybïe: Llyfrau'r Ddryw. 1967).

Lloyd, D. Tecwyn, *John Saunders Lewis: y gyfrol gyntaf* (Dinbych: Gwasg Gee, 1988).

Popper, K., 'A Case of Objective Historical Understanding', yn *Object-ive Knowledge: An Evolutionary Approach* (Rhydychen: Gwasg Claren-don, 1972), tt.170–80.

Shils, E., *Tradition* (Chicago: Gwasg Prifysgol Chicago, 1981).

Thomas, G., *Cyfoeth ynte Cymeriad?* (Wrecsam: Hughes a'i Fab, 1911).

Thomas, O., *Cofiant y Parchedig John Jones, Talsarn* (Wrecsam: Hughes a'i Fab, 1870).

Williams, I. M., *A Straitened Stage: A Study of the Theatre of J. Saunders Lewis* (Pen-y-bont ar Ogwr: Seren Books, 1991).

Williams, I. M., *Dramâu Saunders Lewis: Y Casgliad Cyflawn, cyfrolau I, II* (Caerdydd: Gwasg Prifysgol Cymru, 1996, 2000).

Williams, I. M., *Y Mudiad Drama yng Nghymru 1880–1940* (Caerdydd: Gwasg Prifysgol Cymru, 2006).

Williams, I. M., 'Ideoleg ac Estheteg yn y Mudiad Drama', *Gwerddon*, 2 (2007), 87–103.

Rhestr yr erthyglau mewn cyfnodolion y cyfeirir atynt yn y bennod, wedi eu dosbarthu yn ôl eu ffynhonnell ac wedi eu trefnu yn ôl dyddiad cyhoeddi.

1919

Cambria Daily Leader

17 Chwefror, 3, '*Ar y Groesffordd*. Saturday Night's Performance in Swansea', D.H.J.P.

31 March, 5, 'Welsh Drama. Proposed Competition Week for Swansea', Dienw.

10 Medi, 4, 'Anglo-Welsh Theatre. The Problem of Language', J. Saunders Lewis.

2 Hydref, 3, 'The New Revivalists. A Note on the Theatre', J. Saunders Lewis.

21 Hydref, 4, 'Welsh Drama. *Asgre Lan*', J. Saunders Lewis.

22 Hydref, 4, 'Three Short Plays', J. Saunders Lewis.

24 Hydref, 5, 'A Speech and a Play', J. Saunders Lewis.

25 Hydref, 4, 'Drama Week: A Retrospect', J. Saunders Lewis.

3 Tachwedd, 10, 'The Day's Gossip – A Wasted Opportunity', J. D. Williams.

3 Rhagfyr, 8, 'The Day's Gossip – J. S. Lewis Re-enters', J. D. Williams.

1920

9 Ebrill, 4, 'Welsh Drama of Today. "Degraded and Commercial-ised"', J. Saunders Lewis.

Y Darian

1919

30 Hydref, 1, 'Wythnos o Ddrama', J. Tywi Jones.

13 Tachwedd, 2, 'Y Ddrama', J. Tywi Jones.

11 Rhagfyr, 4, 'Nodiadau'r Golygydd', J. Tywi Jones.

1920

12 Chwefror, 5, 'Y Ddrama yng Nghymru', J. Tywi Jones.

19 Chwefror, 5, 'Yr Eglwysi a'r Ddrama', J. Tywi Jones.

26 Chwefror, 5, ' Y Ddrama a Chymru', J. Tywi Jones.

4 Mawrth, 5, 'Y Ddrama', D. T. Davies.

8 Ebrill, 6, ' Y Ddrama yng Nghymru', J. Tywi Jones.

15 Ebrill, 5, 'Y Ddrama yng Nghymru. Ateb i Mr D. T. Davies', J. Tywi Jones.

27 Mai, 3, 'Nodiadau. Y Ddrama', J. Tywi Jones.

10 Mehefin, 3, 'Dychweledigion', J. Tywi Jones.

9 Rhagfyr, 6, 'Y Ddrama yng Nghymru. Wrth Pa Safonau ei Llunnir?', Caerwyn.

23 Rhagfyr, 8, 'Nodyn ar Ibsen', J. Saunders Lewis.

Welsh Outlook

Mehefin 1919, 158–60, 'The Deacon and the Dramatist', J. O. Francis.
Hydref 1919, 17–20, 'A Vagrant by the Dee. The Shadow on the North', J. O. Francis.
Rhagfyr 1919, 302–4, 'The Present State of Welsh Drama', J. Saunders Lewis.
March 1920, 65–6, 'Welsh Folk Drama: Its Future', D. T. Davies.
May 1920, 109, 'Notes of the Month', Dienw.

Western Mail

17 March 1920, 10, 'The Competition at Cymmer – Societies' Need for Readers of Plays', D. T. Davies.

4

Chwarae Rhan yng Nghynhyrchiad Cymru Fydd

M. Wynn Thomas

'Y "pageant master"': fel yna y cyfeiriodd Hywel Teifi Edwards yn gellweirus ato'i hun wrth gyflwyno copi o'i gyfrol olaf, *The National Pageant of Wales*, i'm gwraig a finne. Mae'r hunan-ddisgrifiad yn un hynod awgrymog, gan fod Hywel yn cael cymaint o flas ar y gweddau theatrig ar gymeriadau ac ar ddigwyddiadau lliwgar ei genedl, yn arbennig felly yn ystod y bedwaredd ganrif ar bymtheg yr ymserchai ef mor angerddol ynddi. Ac, wrth gwrs, roedd e ar ben ei ddigon pan yn denu'r 'theatr yr abswrd' yma i sylw'i gydwladwyr drwy gyfrwng ei berfformiadau geiriol digymar ar lwyfannau mawr a mân ei wlad.

Yn wir, enghraifft eithriadol liwgar o 'theatr yr abswrd' y gorffennol oedd 'The National Pageant of Wales' 1909 ar un olwg, o'i ddechrau hyd at ei ddiwedd. Beth ond ffars allai'r fath berfformans fod, gan fod ei ddehongliad anhanesyddol o hanes mor gyntefig o ddethol, ac mor naïf o amrwd? Pwy alle synied o ddifri am yr Arglwydd Tredegar, arwr 'The Charge of the Light Brigade', fel Llywelyn ein Llyw Olaf, neu am ficer parchus Aberpergwm fel Dewi Sant, neu ddotio ar yr Arglwyddes Bute fawreddog yn ffugio bod yn Dame Wales? A beth am lewion Clwb Rygbi Caerdydd yn esgus bod yn filwyr brwd Ifor Bach? Ond fe ddeallai Hywel yn iawn arwyddocâd y fath sioe ddoniol ar ddiwedd cyfnod hir o ganrifoedd pan na fu gan y genedl yr un drefn neu sefydliad a'i galluogai i adnabod ei hanes. O leiaf, fe lwyddodd i feithrin ymwybyddiaeth genedlgarol o ryw fath.

Serch y wedd bositif yma ar y Pasiant, roedd diniweidrwdd y pantomeim mawr a lwyfannwyd yng nghysgod waliau Castell Caerdydd – diniwedirwydd a ymylai ar dwpdra ar brydiau – yn gwarantu i bwysigion y 'Gymru Newydd' (y Gymru ddiwydiannol Saesneg) bod modd creu dolen gyswllt ddiogel rhyngddynt a gorffennol cythryblus eu gwlad. Trwy ddiberfeddu hanes a'i ramantu yn y fath fodd, fe fedrent sicrhau na fyddai ei cenedlgarwch tila'n pergylu eu hymrwymiad i'r Goron, y Sefydliad, y Fyddin, a'r Ymerodraeth Brydeinig. Fel y dywedodd the *South Wales Daily News* yn ei Saesneg hunan-foddhaus gorau, '[such] an object lesson could not fail to instil into the minds of the young the higher patriotism that in their forefathers kept Wales a distinct and national unity and made her a more powerful factor in imperial progress because she was true to herself'.[1] Trwy wneud dim ond perfformio'u cenedlgarwch amodol, hynod ochelgar, ar lwyfan dros dro, fe gâi dinasyddion amlycaf Caerdydd y sicrwydd mai dim ond 'chwarae rhan' yr oeddent mewn gwirionedd. Hwyl a sbri am gyfnod byr oedd y cyfan. Dim mwy: dim byd o ddifrif. Yn wir, roedd y bwlch doniol o amlwg rhwng eu bywydau bob dydd a'r rhannau melo-dramatig yr oeddent yn eu chwarae a'r gwisgoedd ffansi a oedd amdanynt, yn tanlinellu'r ffaith mai 'ffug-chwarae' oedd y cyfan. Yn eu hachos hwy, yr oedd perfformio Cymreictod gyfystyr â chymryd rhan mewn pantomeim hynafol.

Ac eto, fe fu'r profiad o gydweithio, ac (yn achos y gynulleidfa) o gyd-wylio a chyd-gyfranogi, yn fodd i feithrin ymwybyddiaeth dorfol, ac chydymddibyniaeth genedlaethol o ryw fath. Fe ddeall-wyd hyn yn iawn gan Gymry llawer mwy pybyr, llawer mwy ym-rwymedig, a llawer mwy unplyg na chriw rhyfedd, brith y ddinas fawr. Os taw *Young Wales Lite* y Sefydliad Cymreig Prydeingar parchus oedd i'w weld yn ei holl ogoniant ar lwyfan y Pasiant, Cymry Cymraeg llwyr ymroddgar oedd selogion diwylliannol *hard core* mudiad Cymru Fydd go iawn. Am yn agos i ddau ddegawd cyn 1909 fe fu rhai ohonynt yn llunio dramâu hanesyddol poblog-aidd a fyddai'n addysgu eu cydwladwyr drwy gynnig iddynt adloniant dengar maethlon ac yn cyflwyno peth o hanes y genedl i'w sylw ar yr un gwynt. Ac un o'r prysuraf o'r dramodwyr gwleid-yddol hyn oedd Beriah Gwynfe Evans.[2]

Fe geir darlun cryno, pefriog o fyw ohono wrth ei waith bob dydd fel newyddiadurwr yng nghanolfan y wasg Gymraeg yng Nghaernarfon mewn ysgrif gan gyfoeswr ifanc iddo, E. Morgan Humphreys.[3] Cofia am y clamp o bensil a ddefnyddiai Evans, am ei broffesiynoldeb cyfrwys, am ei egni dihysbydd, am fanylder a miniogrwydd ei sylwgarwch, ac am bendantrwydd ei farn a'i fynegiant. Noda hefyd ei fod yn tipyn gwell gohebydd nag oedd yn olygydd, gan ei fod yn rhy anystwyth ei anian i fedru cyd-weithio'n barod, ac i ennyn parch a brwdfrydedd ei weithwyr. Priodolir hyn gan Humphreys i'r ffaith fod Evans nid yn unig yn perthyn i enwad yr Annibynwyr, ond ei fod hefyd wedi treulio'i flynyddoedd cynnar yn gweithio fel ysgolfeistr. Bid a fo am hynny, roedd yr unplygrwydd meddwl ac ewyllys a'i nodweddai yn rhan annatod o'i ymrwymiad llwyr i'r 'achos' y cysegrwyd ei fywyd iddo'n gyfan gwbl; sef achos Cymru Fydd a'r dasg o godi'r hen wlad yn ei hôl.

Wrth reswm, roedd cefnogaeth ddibynadwy'r wasg leol, ddydd-iol o'r pwys mwyaf i'r gwleidyddion oedd wrthi'n llunio ac yn llywio datblygiad y Gymru Newydd ar lawr Tŷ'r Cyffredin. Pa arf gwell oedd wrth law i sicrhau bod eu 'campau' yn cael eu dwyn i sylw'r werin, a hynny gan gyfrwng y medrent ei reoli?[4] Gan fod cewri amlwg fel Tom Ellis a Lloyd George yn arwain yr ymgyrch ar y pryd doedd dim prinder defnydd dramatig, gyson gyffrous, ac amlygwyd cyfrwysdra diharebol Lloyd George, er nad oedd eto ond yn wleidydd ifanc ar ei brifiant, pan achubodd ar gyfle i berchnogi'r wasg yn ei etholaeth ei hun drwy alluogi cwmni lleol i brynu papur dylanwadol *Y Genedl Gymreig*. 'Gwyddai Lloyd George yn dda beth oedd gwerth y wasg,' meddai E. Morgan Humphreys, 'yn enwedig gwasg yng nghanol yr etholaeth yr oedd newydd gael ei ethol i'w chynrychioli'[5]; a deallai'r cadno'n iawn mai'r golygydd fydde'n penderfynu cynnwys, cywair a chyfeiriad pob papur.[6] Felly mynnodd Lloyd George bod Beriah Evans yn cael ei benodi'n olygydd *Y Genedl*, gan wybod y medrai ddibynnu ar ei deyrngarwch diwyro i fudiad Cymru Fydd a'i gefnogaeth lwyr i'w arweinyddion. Yn y swydd allweddol honno y bu o ddechrau 1892 hyd at ddiwedd 1894, ac fel y cawn weld, fe gychwynnodd golofn yn *Y Genedl* a fyddai, maes o law, yn datblygu'n nofel ddramatig hynod ddiddorol am helyntion gwleidyddiaeth San Steffan.

Ond yr oedd gan Beriah Evans ddiddordeb byw iawn hefyd ym mhrif gyhoeddiadau Cymru Fydd ar hyd y nawdegau, sef y cylchgronau cynhwysfawr, swmpus, megis *Cymru Fydd* a *Young Wales*, a gynhyrchwyd gan y mudiad. Hwyrach mai gan y rhain y gwireddwyd orau sylw enwog, craff Benedict Anderson yn ei gyfrol hynod ddylanwadol *Imagined Communities*. Yn ystod y bedwaredd ganrif ar bymtheg, meddai, chwaraeodd y wasg ran gwbl allweddol yn natblygiad ymwybod newydd pobloedd Ewrop o berthyn yn bennaf nid i wladwriaeth ond i 'genedl': '[it was the new forms of] the novel and the newspaper . . . [that] provided the technical means for re-presenting the *kind* of imagined community that is the nation.[7]

Pwysleisia Anderson na fedrai'r ffenomenon newydd yma o gymuned ymffurfio tan i fath newydd o ymwybod o gyd-berthyn a chyd-ddibynnu ddatblygu oddi fewn i gymdeithasau lle na fuasai gan unigolion gwasgaredig cynt ymdeimlad dwfn o gyfundeb ac o gymuned cenedlaethol. Roedd gan O. M. Edwards a'i debyg ddealltwriaeth reddfol o hyn. Cysegrwyd ei gylchgronau i'r gwaith o feithrin ymwybyddiaeth o berthyn i Gymru ymhlith eu darllenwyr, a golygai hynny ymdrech fwriadus i ddileu'r hen raniadau rhwng bröydd gwahanol, tafodiaethau gwahanol ac enwadau gwahanol, rhwng ardaloedd cefn gwlad ac ardaloedd diwydiannol, a hyd yn oed rhwng y Gymru Gymraeg a'r Gymru Saesneg. Do, fe roddodd cylchgrawn *Cymru Fydd* sylw arbennig o amlwg i gartrefi Cymru; y bröydd, yr arferion a'r ieithweddau lliwgar o wahanol a nodweddai'r wlad. Ond fe wnaeth hynny er mwyn magu cariad lleol a fydde'n arwain yn naturiol at gariad at genedl gyfan, ac er mwyn dwyn ardaloedd ynysig cyfoethog o wahanol Gymru i sylw gwerthfawrogol ei gilydd. Ymdrech ydoedd i wneud rhanbarthau Cymru'n ymwybodol o berthyn i un wlad gyfan gyfansawdd. Cymuned o gymunedau; dyna'r freuddwyd a goleddwyd gan *Gymru Fydd*, ac y mae holl ddiwyg a threfn weledol y rhifynnau, yn ogystal â'u cynnwys, yn arwyddo ac yn hyrwyddo'r freuddwyd fawr honno.

I'r un perwyl, y mae *Cymru Fydd* hefyd yn ymroi'n gyson i'r gorchwyl o gydio Cymru'r presennol wrth Gymru'r gorffennol, gan fod yr ymwybyddiaeth o berthyn i gymuned y genedl yn dibynnu ar adnabyddiaeth o ddolen gyswllt â hanes, yn ogystal ag o berthyn i uned gyfansawdd holl fröydd y presennol. Ond serch hyn oll, y mae un wedd gwbl allweddol ar fywyd cyfoes y genedl Gymraeg a Chymreig nad yw nemor fyth yn derbyn sylw yn nalennau *Cymru Fydd*, a honno'n amlwg yw y wedd wleidyddol. Un rheswm am hynny, wrth gwrs, yw mai cenedlaetholwr diwyll-iannol oedd O. M. Edwards yn y bôn. Yr ail reswm yw oherwydd fod O. M. Edwards yn reddfol ddrwgdybus o genedlgarwch gwleid-yddol, am y bydde'n rhwym o greu rhwygiadau oddi fewn y genedl yr oedd Edwards â'i fryd yn llwyr ar ei chyfannu – a hynny hwyrach am y tro cyntaf yn ei hanes hir. Ond nid dyna farn Beriah Gwynfe Evans. Un o wŷr Lloyd George oedd ef, a sylweddolai mai yn y byd gwleidyddol y bydde dyfodol ei wlad yn cael ei benderfynu yn y pen draw.

Yr oedd yn naturiol iddo, felly, ddymuno sicrhau bod y Cymry'n derbyn hyfforddiant i'w galluogi i ddeall sut oedd gwleidyddiaeth yn gweithio. Roedd trwch y 'werin' yn bur anwybodus o wyddor arbennig y byd cymhleth hwnnw, a cheisiodd Evans ei orau glas i'w goleuo. Er enghraifft, fe luniodd lawlyfr hynod ddefnyddiol yn 1894 a esboniai'n glir, yn syml ac yn fanwl i'r Cymry Cymraeg oblygiadau ymarferol y ddeddf a roesai fod i'r cynghorau plwyf a'r cynghorau dosbarth newydd.[8] Ynddo, fe bwysleisiodd fod yma gyfle go iawn o'r diwedd i weithwyr cyffredin Cymru gipio rai o brif gyfryngau grym o ddwylo'r sgweiariaid a'r offeiriaid Anglicanaidd estron. Dyna'n wir oedd bwriad Deddf Llywodraeth Leol 1894, ond ni fedrai'r chwyldro cymdeithasol a gwleidyddol a alluogwyd ganddi ddigwydd os nad oedd aelodau'r dosbarth gweithiol yn ddigon hyddysg yn ei goblygiadau a'i phosibiliadau hi i fedru manteisio'n weithredol ar eu cyfle.

Ond fe roedd gan Beriah Gwynfe Evans ddiddordeb yr un mor angerddol yng ngwleidyddiaeth San Steffan. Deallai fod y Cymry cyffredin yn cael eu hanfanteisio'n ddirfawr am nad oedd gan-ddynt yr un syniad am 'ddiwylliant' estron hynod Tŷ'r Cyffredin lle y gwnaed cynifer o'r penderfyniadau a effeithiai fwyaf ar ddyfodol eu gwlad. Golygai hyn eu bod hefyd yn bur anwybodus am ymdrechion y to newydd, ifanc, dawnus o aelodau seneddol a gynhwysai Tom Ellis a Lloyd George ac fe allai hynny arwain, maes o law, at ddiffyg gwerthfawrogiad o'u gwaith a diffyg cefnogaeth i'w hachos. Felly, gyda golwg ar oleuo ei ddarllenwyr, fe aeth ati i sgrifennu colofn ysgafn, ddifyr ar gyfer pob rhifyn o'r *Genedl* yn adrodd hanes dychmygol yr aelodau hyn yn Llundain bell. Cyhoeddwyd y golofn yn y papur am ddwy flynedd (1892–94) ac yna, bedair blynedd yn ddiweddarach, fe'u casglwyd ynghyd a'u ehangu i lunio nofel a gyhoeddwyd dan y teitl *Dafydd Dafis: Hunangofiant Ymgeisydd Seneddol* (1898).[9]

Wrth lunio'r nofel, fe bwysodd Beriah Gwynfe Evans yn bur drwm ar ei brofiad o lunio dramâu, gan ei fod yn grediniol bod y ddrama yn cynnig adloniant dengar hwyliog, a'i bod felly'n ffordd hwylus o addysgu.[10] Ond tybiai ymhellach bod mabwysiadu dulliau drama hefyd yn fodd perffaith i bwysleisio mai theatr wleidyddol oedd San Steffan ei hun; bod angen deall hynny os am weithredu'n effeithiol yno; a bod yn rhaid felly i wleidyddion ifainc newydd Cymru Fydd ddysgu sut i chwarae rhan addas ac effeithiol yn y ddrama fawr a lwyfannwyd yn Llundain. Yn eu hachos hwy, golygai hynny ddatblygu cymeriad newydd – roedd yn rhaid i 'hogiau'r werin' Gymraeg fel Tom Ellis a Lloyd George ddysgu sut i ymrithio'n greaduriaid cymdeithasol a gwleidyddol soffistigedig a fedrai ddal eu tir yn wyneb holl gyfrwystra profiadol gwybodusion gorau Lloegr. Fel y dengys Beriah Gwynfe Evans yn ei nofel, fe roedd yr aelodau seneddol Cymraeg a gynrychiolai amcanion Cymru Fydd wrthi'n brysur felly'n esgor ar fath newydd o Gymreictod drwy berfformio'u Cymreictod mewn dull, ac ar lwyfan, na welwyd eu tebyg gan Gymru cyn hynny.

Yn y cyswllt hwn, mae'n berthnasol dwyn i gof syniadau diweddar dylanwadol Judith Butler a'i dilynwyr parthed 'performative identity'.[11] Maentumiant nad cyneddf naturiol mo hunaniaeth person, eithr cynnyrch cymdeithasol. O'r crud fe'n cyflyrir i ymddwyn, a hyd yn oed i deimlo, mewn ffyrdd sy'n 'naturiol' a 'normal,' a hynny dim ond am eu bod yn arferol a chyfarwydd yn ein cymdeithas. Hynny yw, fe ddysgwn yn ddiarwybod i ni'n hunain o'r cychwyn cyntaf sut i 'berfformio'n' ufudd drwy chwarae'r rhan a ddarperir ar ein cyfer. Ond dim ond cynnyrch hanes cymdeithas arbennig sy'n bod dros dro yw'r arferion hyn yr ydym yn eu mewnoli'n ddiarwybod gan gredu mai craidd a chynsail ein hunaniaeth unigryw ni'n hunain ydynt. Nid rhyw anian eneidiol tragwyddol mohonynt. A phan sylweddolwn hynny, fe sylweddolwn ymhellach bod modd inni ymryddhau o'u gafael ac ymddwyn, a 'bod ein hunain', mewn ffyrdd amgen. 'Fake it till you make it,' yw cyngor bachog Leo McGarry yn y gyfres deledu boblogaidd *The West Wing*. Ac y mae'r syniad y medrwn araf lunio personoliaeth o'r newydd drwy 'chwarae rhan' (role-playing), a chymryd arnom fod yn rhywun arall, yn lled gyfarwydd inni i gyd yng nghyd-destun therapi'r meddwl ac yn nghyd-destun diwylliant poblogaidd lle gall creaduriaid egsotig fel 'Madonna' a 'Lady Gaga' ymddangos.

Y mae'r hyn sy'n wir am hunaniaeth person hefyd yn wir am hunaniaeth genedlaethol. Gellir addasu rhai o sylwadau mwyaf treiddgar Judith Butler at bwrpas trin y testun sydd dan sylw yn yr ysgrif hon fel a ganlyn:

That [national identity] is performative suggests that it has no ontological status apart from the various acts that constitute its reality. This also suggests that if the reality is fabricated as an interior essence, that very interiority is an effect and function of a decidedly public and social discourse.[12]

Ar un ystyr awgrymog o leiaf, dyna sydd gan Beriah Gwynfe Evans mewn golwg, wrth grybwyll, ar ffurf nofel, bod angen bellach i Gymry gyfnewid yr 'hunaniaeth genedlaethol' arferol y maent mor gartrefol yn ei harddel am hunaniaeth Gymreig newydd sy'n gweddu i'r Gymru newydd y mae gwleidyddion Cymru Fydd wrthi'n ddiwyd yn ei chreu. Fel y dengys ei nofel, drwy 'berfformio'r' Cymreictod hwn yn unig y dygir ef i fod, er mor ddoniol ac mor anodd i'w ddeall bo'r perfformiad ar brydiau. Ac y mae dysgu arfer ieithwedd – neu 'ddisgwrs' – newydd yn wedd anhepgorol ar y perfformiad hwn.

* * *

Ar ôl casglu colofnau'r *Genedl* ynghyd ac ychwanegu penodau newydd atynt, fe gyhoeddodd Beriah Gwynfe Evans y cyfan ar ffurf nofel yn 1898. Addurnwyd y gyfrol â chartwnau a luniwyd yn bennaf gan artistiaid Cymraeg, gan sichrau bod y cyfanwaith yn cyd-weddu â breuddwyd Tom Ellis y byddai'r celfyddydau cain yn derbyn yr un parch â llenyddiaeth yn y Gymru newydd.[13] Gosododd Ellis gryn bwyslais ar feithrin diddordeb y Cymry yn y celfyddydau gweledol, gyda golwg ar eu gwneud yn genedl fwy diwylliedig. 'Teimla'r awdur yn falch', meddai Beriah Gwynfe Evans yn ei ragymadrodd, 'i feddwl ei fod wedi llwyddo i ddangos i'r byd fod Cymru yn gallu cynyrchu talent arlunyddol o'r radd flaenaf, bod i'r dalent hono faes cyfreithlawn yn llenyddiaeth gartrefol y genedl, ac y medr Cyhoeddwyr Cymru wneud cyf-iawnder â chynyrch Celf Cymru'.[14] Ond fe roedd pwrpas arall hefyd i'r 'gwawdluniau' hyn. Roeddent yn ategu'r ffaith fod y nofel yn ymwneud ag actorion y byd gwleidyddol a oedd yn chwarare rhan yn y sioe fawr ddifyr a lwyfannwyd yn feunyddiol yn San Steffan.

Amlygir hyn yn glir yn syth ar gychwyn y nofel. Ar yr wyneb-ddalen, ceir llun o baentiwr arwyddion wrth ei waith ar ben ysgol yn ychwanegu draig goch at yr arfbais pendefigaidd ynghrog uwchben drws tŷ crand Dafydd Dafis yn ardal fwyaf ffasiynol Llundain: 963 Park Lane. Ar waelod yr ysgol, canfyddir draig fawr goch yn dal arwydd yn esbonio mai 'Sion Cymro, Paentiwr Peisarfau Trefedigaethol Mr Balfour' yw'r gweithiwr diwyd. (Roedd y Ceidwadwr pendefigaidd Iarll Balfour yn ysgrifennydd tramor ar y pryd, ac maes o law fe ddaeth yn Brif Weinidog y Deyrnas Unedig.) Ar y llawr dan draed y ddraig gorwedd darnau o bapur ac arnynt sloganau Cymru Fydd: Llyfrgell Genedlaethol, Addysg, Tir, Degwm. Ac mae'r ddraig yn sathru dan ei thraed bapur yn galw am 'Hawliau Cymro, Cymru a Chymraeg.' Yr ochr arall i'r llun saif gŵr a gwraig bonheddig, wedi eu gwisgo yn null ffasiwn diweddara'r cyfnod, yn syllu'n edmygus ar yr arfbais sy'n ymffurfio uwch eu pennau. Yna'n dwt yn y bwlch lle dylai drws ymddangos fe welwn lun o'r awdur, Beriah Gwynfe Evans. Ond yr hyn sy'n berthnasol i'r drafodaeth bresennol yw fod y darlun wedi ei batrymu yn y fath fodd fel ei bod yn ymddangos fod llen theatr wedi ei

hagor i'r chwith ac i'r dde, gan ddatgelu prif actor a chynhyrchydd
y ddrama sydd i ddilyn: Beriah Gwynfe Evans.

Tanlinellir y cyfeiriad hwn at fyd y theatr yn y rhagymadrodd
i'r llyfr. Yno mae Evans yn esbonio mai ef yw yr awdur anhysbys
a adroddodd y straeon am Dafydd Dafis yn y *Genedl*, ac ymlawenha
ei fod wedi llwyddo 'i roddi portreadau mor gywir o'r hyn a
gymerai le o'r tu ôl i'r llenni fel y tybiai hyd yn nod [*sic*] y chwar-
aewyr mai rhai o'u cwmni hwy eu hunain a wnaethai ei brad!'[15]
Cyfeirio y mae at y dyfalu a fi ymhlith yr aelodau seneddol ynghylch
pwy fu'n gyfrifol am ddatgelu eu cyfrinachau drwy gyfrwng y
stori am anturiaethau Dafydd Dafis.

Mae'r stori'n cychwyn pan yw bachgen bach tlawd o gefn gwlad
Cymru yn anelu'i gamrau at Lundain, ac yn gweud ei ffortiwn
drwy werthu llaeth yn y ddinas fawr. Mae Beriah Gwynfe Evans
felly'n fwriadol yn mabwysiadu patrwm bywyd ystrydebol o
ymddyrchafol, a hynny am mai nid yn y bennod gynnar yna o
stori ei 'arwr' y mae ei brif ddiddordeb o gwbl. Diniweityn lled
smala yw Dafydd, a chanolbwyntia'r nofel ar ei hanes ar ôl iddo
wneud ei ffortiwn a phriodi Claudia – merch ddeniadol chwimwth
ei meddwl, parod ei thafod, a chraff ei sylwadau sy'n arfer holl
gastau tybiedig y rhyw fenywaidd er mwyn cael y llaw uchaf ar
ei gŵr. Mae'r nofel ar ei gorau pan fo'r ddau wrthi'n sgwrsio'n
smala:

'Ies, David, diar,' ebe'r wraig eilwaith, 'Ei wont tw get iw intw
ddihows!'

'Be andros,' ebe fi wrthyf fy hun, 'sy ar Claudia 'rwan?' . . .

'Hwot dw iw mîn 'y nghalon i?' meddwn. 'Ei am in ddi hows
now, mei diar!'

'Ei *dw* wish iw wd toc sensibli, David,' ebe hithau, gan guro blaen
ei throed ar y ffwtstwl sidan – arwydd sicr nad oedd hi yn meddwl
cymeryd dim lol. 'Now dw pwt ddat horid paper owt of iwar
hand ffor a minit, and listen.'[16]

Cyfeirio y mae, ymddengys, at Dŷ'r Cyffredin. Mae wedi gosod
ei huchelgais ar barchus swydd aelod seneddol i'w gŵr, ac ni
chymer Claudia mo'i gwrthod.

Fel y dengys y darn uchod, y mae gan Dafydd druan gryn dipyn i'w ddysgu, ac arwyddir hynny'n gyson yn y nofel gan ei fethiant doniol i ddeall geirfa estron y byd y mae bellach yn ymdroi ynddo. Arwydd yw hyn mai ond yn araf iawn y daw i ddeall goblygiadau'r rôl newydd y mae disgwyl iddo ei chwarae, ac yntau'n ŵr bonheddig cefnog. A thrwy ddilyn hynt addysgu Dafydd sut i ymddwyn fel aelod soffistigedig o'r dosbarth canol ffyniannus, y mae Beriah Gwynfe Evans hefyd, ar yr un pryd, wrth gwrs, yn addysgu ei gyd-Gymry sut i ymrithio'n genedl fodern, wâr, eithr heb droi eu cefnau ar y nodweddion, arferion a gwerthoedd y maent wedi arfer eu harddel.

Claudia yn bendifaddau sy'n bennaf cyfrifol am ddysgu ei gŵr, a cheir enghraifft fendigedig o hyn yn achos un arall o'r camddealltwriaethau sy'n britho eu perthynas. Y tro hwn, y mae Claudia yn syfrdanu Dafydd drwy ofyn iddo brynu anrheg pur ryfedd ar ei chyfer:

> 'Ddi ffact of the mater is, David, iw myst get a teigar!'
> 'Tad anwyl!', llefis, gan lamu ar fy nhraed, a rhodio'n wyllt rhyd y stafell. 'Be da chi'n feddwl w i, deydwch.' . . .
> Chwarddodd Claudia wrth weld fy anesmwythder.
> 'Mi ryda chi, David, yn un digri,' ebra hi. 'Mae'n faich arno chi i gadw fyny ag arferion yr oes, ond mae'n rhaid gwneud neu mynd yn gyff gwawd i rei llawer is na chi. Mae pawb sy'n rhywun y dyddia yma yn cadw teigar, a gyn eich bod chi wedi mynu'r dogcar newydd uchel yna, mae'n rhaid i chitha gael teigar i fynd hefo fo.'[17]

Mae Dafydd druan, yn ei ddryswch llwyr, yn protestio'n groch am yn hir, ond yn ôl ei harfer y mae Claudia yn drech nag ef, ac felly dyma fe'n ildio i'r anorfod ac yn mynd i chwilio'n llwyddiannus am enau teigr ar ei chyfer. A hithe oddi cartref, mae'n gosod y teigr yn y gegin, a phan yw Claudia yn dod yn ei hôl, fe glywir sgrech annaearol yn dod o'r man hwnnw. O fynd i chwilio, ceir hyd i'r forwyn, Sarah, yn sefyll ar ben stôl yn sgrechian nerth esgyrn ei phen, ac wrth ei thraed Ffeido, ci anwes Claudia, yn gelain yn dynn yn safnau'r teigr bach. Camddealltwriaeth sydd wrth wraidd y cyfan, wrth gwrs. Yr enw ffasiynol cyfoes ar gyfuniad o was lifrau ac osler yw 'teiger', mae'n debyg, ac y mae Claudia'n cael cyfle arall i wneud sbri am ben gwiriondeb ei gŵr.

Fesul cam, felly, y mae Dafydd yn araf ddysgu sut i droedio'r llwybr sy'n ei arwain at gael ei dderbyn fel aelod cyflawn o'r *bourgeoisie*. A chwarae'r ffŵl bydd yn rhaid iddo am gyfnod eto, nes iddo ddysgu sut i chwarae'r rôl sy'n gweddu i'w statws newydd. Ond, fel y sylwyd yn barod, ni chaiff Claudia ei bodloni gan ymrithiad ei gŵr yn aelod parchus o'r dosbarth canol cefnog. Y mae awydd pellach arni i'w weld yn aelod seneddol. Fel y sylweddolwyd eisoes, rwy'n siwr, nid cymeriad amlochrog, cyflawn mo Dafydd Dafis o gwbl, wrth gwrs. Dyfais ydyw i alluogi Beriah Gwynfe Evans i addysgu ei ddarllenwyr am wleidyddiaeth gyffrous y cyfnod yn Nhŷ'r Cyffredin pan oedd y Gwyddelod terfysglyd, afreolus yn cynllwynio'n eithriadol effeithiol o blaid ymreolaeth i Iwerddon, a'r Cymry Rhyddfrydol – a oedd, yn ôl yr arfer, lawer mwy dof a pharod i gydymffurfio â'r drefn – yn deisyfu dat-gysylltiad a dadwaddoliad yr eglwys wladwriaethol, Eglwys Loegr, yng Nghymru. Felly, mae anwybodusrwydd Dafydd ynghanol yr holl gyffro hwn yn fodd hynod hwylus i Evans esbonio i'w gyd-Gymry arferion rhyfedd, dyrys, trefn wleidyddol gyfrin palas Westminster.

Mae ei arwr hyd yn oed yn cael trafferth yn syth o'r cychwyn i ddeall y man cyfarfod sydd gan Tom Ellis mewn golwg pan yw'n cytuno i'w groesawu i'r Tŷ. O'r herwydd, mae Dafydd yn cael ei gythruddo gan y nodyn a dderbynia gan ei gyfaill:

'Wel, deyd mae o' [medde wrth Claudia yn ei wylltineb] 'am imi weitied iddo fo yn y lobi, fel taswn i ryw ffwtman iddo fo! Aed Ellis a'i Hows of Comons i'w grogi cyn rhosa i iddo fo yn y lobi! Fasa fawr gyn i iddo gael lle imi yn y wêtingrwm gan nad sut. Lobi'n wir! Mi ro i lobi iddo fo' a theflais ei lythyr ar y bwrdd.[18]

Ac mae pethau'n mynd o ddrwg i waeth, oherwydd ar ôl iddo gael mynediad i gysegr sancteiddiolaf y Tŷ, mae'n methu amgyffred ystyr y 'Difishon Bell,' ac yna mae'n tybied mai at ryw 'Mr Majority banks' y cyfeirir pan glyw Saeson yn ynganu enw'r Prif Chwip, Mr

Marjoribanks – neu'n hytrach 'Mr Marshbanks,' fel y maent hwy yn ei ddweud. 'Oh, Dafydd! Dafydd!', medde Tom Ellis wrtho pan glyw am y camgymeriad, a dyma Marjoribanks ac yntau ill dau yn:

> Chwerthin am y gora fel dau ffŵl gwirion, a'm gadal ina'n ffŵl gwirionach fyth i sbio arnyn nhw heb wybod beth oedd yn bod. A dyna lle 'roedd y bobol erill yn y lobi o gwmpas, byddigions i gyd, yn spio'n syn ar y ddau wirion rheiny'n chwerthin fel tasa nhw mewn pantomeim.[19]

Ond y gwir amdani, ar un olwg, yw mai cymryd rhan mewn pantomeim y mae'r ddau, wedi'r cyfan. Theatr yw San Steffan, ac mae'n rhaid i Dafydd Dafis, ynghyd â'i ddarllenwyr, ddod i ddeall mai actorion, ar un ystyr, yw'r gwleidyddion hwythau.

Mae Dafydd yn dal i faglu'n gyson wrth geisio cael crap ar hyn oll. Rhaid iddo ddysgu ystyr y cyfeiriadau at 'Room Number ffiffteen' (sef yr ystafell ddiharebol y mae'r Gwyddelod arfer ymgasglu ynddi er mwyn cynllwynio), ac at 'yr Ogof' (sef term i ddisgrifio grŵp o aelodau anfoddog sy'n ymbaratoi i wrthryfela yn erbyn y Llywodraeth). Ac mae Beriah Gwynfe Evans yn cael hwyl am ben ei fethiant i ddeall ystyr arbennig y gair 'clos' – gair ymddangosiadol gartrefol sy'n gyfarwydd iawn i Dafydd y gwirionyn:

> Mi wyddwn yn iawn be oedd clos cyn imi 'rioed ddod i Lundain; clos penglin fasa nhad yn wisgo bob amser. Mae'n wir wedi imi ddod i gyffyrddiad â rhai o bobl y South, Towyn Jones 'rwan, a rhei felly, mi gefis allan mai nid peth i wisgo ydi clos yno, ond buarth. Ond 'toedd dim buarth yn yr Hows of Comons, a'r unig clos welis i yno oedd y clos penglin a wisgid gan rai o'r swyddogion. Ond wrth wrando a sylwi a pheidio deyd llawer, mi ddois i i wybod mai 'Adran' feddylid wrth 'Clos' yn iaith y Senedd.[20]

'Iaith y Senedd'; ieithwedd arbennig a siaredir yno; sgript ddieithr y mae'r actorion hwythau'n glynu'n ufudd wrthi, oherwydd hebddi, ni fedrant chwarae'r rhan a ddisgwylid ganddynt.

* * *

Echel 'plot' y ddrama a chwaraeir yn San Steffan, fel y gellid disgwyl, yw yr ymdrech i ddatgysylltu a diwaddoli yr eglwys wladwriaethol yng Nghymru. Ond mae yna isleisiau hefyd i'r ddrama, ac y mae un o'r rhai mwyaf diddorol ohonynt yn ymwneud ag ymdrechion menywod i sicrhau eu hawliau cymdeithasol a gwleidyddol. Fel yr awgryma Judith Butler, golyga hynny eu bod yn ceisio ymrithio'n gymeriadau benywaidd gwahanol iawn i arfer cymdeithasol eu cyfnod. Mae'n rhaid iddynt 'berfformio' eu benyweidd-dra mewn ffordd gwbl groes i'r disgwyl; ffordd heriol o amgen.

Mae'r diweddar Ursula Masson wedi olrhain hanes cenhadaeth ymryddhad gyffrous rhai o'r menywod a berthynai i'r mudiad Rhyddfrydol yng Nghymru ar ddiwedd y bedwaredd ganrif ar bymtheg mewn cyfrol safonol gynhwysfawr.[21] Noda fel y dechreuodd carfanau bychain ohonynt ymffurfio ar ddechrau degawd olaf y ganrif gyda'r bwriad o geisio diwygio'r drefn. Fe dyfodd ac fe ledodd yr awydd hwn i gynghreirio ac fe ymunodd y menywod 'radical' â chymdeithasau fel y WLA (Women's Liberal Association) ac yn arbennig y WUWLA (Welsh Union of Women's Liberal Associations). Llywydd yr olaf am gyfnod hir oedd Norah Philipps, un o arweinwyr mwyaf blaenllaw y mudiad ennill hawliau, ac ochr yn ochr â hi fe ddaeth gwragedd eraill megis Gwyneth Vaughan a Sybil Thomas i'r amlwg. Fe wna Masson un sylw arbennig o ddiddorol yn y cyswllt presennol:

> as well as events, and cause and effect, [this] book is concerned with women's political language. It is my contention that, in the 1890s, women placed themselves at the 'spoken centre' of the Welsh nation. The phrase is Patrick Joyce's: he suggests that Gladstonian discourse brought women to the 'spoken centre' of British Liberalism in the 1880s. The religious and moral appeal of Gladstone's 1879 Midlothian campaign, and his direct call on women to involve themselves in Liberal politics as a peculiarly womanly and moral duty, had been remembered as a watershed moment by Liberal activists, and the terms and tenor of his address were often to be echoed in the speech of Nonconformist Liberal women of Wales. Joyce has represented this as a development in which women exercised no agency, and from which they derived no power; they were included in a discourse of nation and 'the people,' but had no role in shaping meanings.[22]

Fel y cawn weld, mae digon o dystiolaeth yn nofel Beriah Gwynfe Evans ei fod yn cael ei anesmwytho braidd gan barabledd newydd gwragedd wrth fynnu 'ymyrryd' yn y byd gwleidyddol a arferai fod yn eiddo'n llwyr i ddynion. Er ei fod yn awyddus iawn i feithrin y 'Cymro newydd' a gynrychiolwyd gan Tom Ellis, Lloyd George – a Dafydd Dafis, wrth gwrs! – nid oedd yr un mor gefnogol i'r 'Gymraes newydd' a welai'n ymddangos fel hunllef o flaen ei lygaid. Nid oedd lle i fod yn ei 'Gymru Fydd' ef i ddrychiolaeth 'annaturiol' o'r fath, ac er mwyn tawelu ei ofnau fe ymatebodd i'r bygythiad drwy ei drin fel testun melodrama gomic.

Yn wir, mae ar un ystyr yn gosod delwedd y fenyw 'ŵr-aidd', afreolus yn syth ar ganol ei ddarlun, oherwydd dyna yw Claudia ei hun wedi'r cyfan. Yn syth o gychwyn y nofel, y mae Dafydd Dafis yn barod iawn i gydnabod mai ei wraig sy ben: 'Eithr nid eiddo gŵr ei ffordd – nenwedig os bydd o'n briod, a'i wraig o'n fyw, a honno rywbeth tebyg i Claudia'.[23] Nid Cymraes mohoni hi, ond mae'n arwyddo'r ymwthgarwch newydd sy'n nodweddu gwragedd ymgyrchol y cyfnod ar draws gwledydd Prydain. Buan iawn y dengys ymhellach mae hyhi, ac nid ei gŵr, sy wedi ei dawnu â greddf wleidyddol yn ogystal, ac amlygir honno droeon. Dyna'i thriniaeth gyfrwys hi o un o hoelion wyth Cymru Fydd yn Nhŷ'r Cyffredin, sef Bryn Roberts AS. 'Claudia'n swyno Bryn – a'i rostio fo' (t. 136): dyna sylw cryno Dafydd Dafis ar eu cyfarfyddiad.

> Mi wyddwn fod Claudia am sugno'i waed o; ac eto ddyliach chi byth mo hynny wrth ei gwelad a'i chlywad hi hefo fo ar y ffordd i'r deining-rwm. Mi roedd ei chwerthiniad hi mor ysgafn a pherorus a chlychau arian, a'i llygid hi'n dawnsio yn ei phen hi, ac mi roedd yn debycach lawer i Hogan deunaw oed yn scwrsio hefo'i chariad nag oedd hi i ddynes wedi cynllwyno i ddal Aelod Seneddol diniwad i'w rostio fo'n fyw. (t. 139)

A dyna'n union y mae'n ei wneud, drwy wasgu Bryn i gornel a'i orfodi i syrthio ar ei fai am yrru llythyr i'r *Times* yn beirniadu ymddygiad 'penboethiaid' yr ymgyrch ddatganoli yn y Senedd. Yn ei ddryswch a'i ddicter am ei bod hi'n 'gneud sport' am ben ei lythyr, dyma Bryn yn ymateb yn swrth: 'Tydw i ddim yn credu, Mrs Davies, fod merchaid wedi cael eu bwriadu gan y Brenin Mawr i ymyryd mewn petha fel yma' (t. 141). Os do fe: dyma'r menywod eraill sy wedi ymgasglu am ginio yn ymateb yn syth:

'Rhag cwilydd i chi, Mr Roberts!' ebra [Claudia], gan ddropio'i ffishfforc ar y plat. 'Did iw hiar ddat Mrs Philipps?'

'No. Hwot was it?' ebra'r westyas.

'Ranc heresy,' ebra Claudia.

'Byt dw sei hwot it was,' ebra un arall o'r ledis.

'Wel,' ebra Claudia, wedi llwyddo i dynu llygid pawb atyn nhw'ch dau. 'Mr Bryn Roberts ses ddat Profidens nefer intended wman tw tec part in pyblic affers.'

'Oh, Mr Roberts, how cwd iw!' ebra Mrs Philipps. 'And iw ar two tec ddi tsher at mei miting at Caernarvon necst Thyrsde!'

'Ei nefer cwd haf thot iw cepabl of sytsh a sentiment, Mr Roberts!' ebra Mrs Brynmor Jones, gan chwyddo'r corws.

'Men wer disifers efer,' ocheneidiai rhyw Hogan ifanc y pen arall i'r bwrdd. (t. 142)

Ynghudd yn y doniolwch, yn fy marn i, y mae anesmwythyd. Mae llafaredd newydd, ffraeth merched yn ymdebygu, yng nghlyw Beriah Gwynfe Evans, i udo haid o gŵn hela sydd wedi cael hyd i'w prae.

Ac, yn wir, y mae Claudia'n ddidostur pan fydd wedi ei chythruddo. Y mae nifer o gewri eraill y Blaid Ryddfrydol yn y Senedd y naill ar ôl y llall yn derbyn yr un driniaeth â Bryn Roberts ganddi, gan gynnwys Lloyd George ei hun. Drwy arfer cyfrwystra, mae'n ei orfodi i wneud yr hyn nad yw byth yn ei wneud, sef ateb nodyn y mae'n ei ddanfon ato. Mae'n rhoi cymaint o bryd tafod i Sir William Harcourt nes fod hwnnw'n cyffesu wrth Dafydd Dafis:

'Iwar weiff is a remarcabli ffein wman, Mr Davies, in meni respects Ei meit se a gloryis wman, won in fact of hwm eni man meit wel ffil prowd. Ei congratiwlet iw mei diar ffelo on hafing sytsh a weiff – byt Ei thanc hevn shi is *not* Ladi Harcort!'[24]

Eiddo'i gŵr yw gwraig, noder. Ac yn y cyswllt hwn, mae'n ddefnyddiol fod y gair 'gwraig' yn golygu 'gwraig briod' yn y Gymraeg, yn ogystal â 'benyw [aeddfed]' – fel petai'r ddau gyfystyr â'i gilydd! Ar ben hyn oll, y mae Claudia'n ddigon egr i fynd i'r afael hyd yn oed â'r GOM ('Grand Old Man') ei hun – sef neb llai na William Gladstone, y cawr enfawr hwnnw o wleidydd. Mae'n perswadio Dafydd i'w ganlyn yn ddirgel yr holl ffordd i Biarritz, er mwyn bod y cyntaf i fedru adrodd fod Gladstone am roi'r gorau i fod yn brif weinidog ac arweinydd y Blaid Ryddfrydol o'r diwedd.

Fe wneir y berthynas rhwng Claudia ac arweinwyr y mudiad hawliau i ferched oddi fewn i rengoedd y Blaid Ryddfrydol yng Nghymru yn ddiamwys o glir mewn pennod gyfan a gysegrir i'r testun. Mae'n agor mewn ffordd awgrymog, gan fod Dafydd wedi ceisio dianc i'r gwely'n gynnar (gan honni ei fod wedi cael ychydig yn ormod i'w yfed) er mwyn osgoi cerydd Claudia am beidio ufuddhau i'w gorchmynion. Ond, yn ôl ei harfer, y mae hi'n rhy graff i gael ei thwyllo. Fore trannoeth, dyma hi'n sôn wrtho am ei chyfeillgarwch newydd â 'Mrs Wynford Philipps', '*Sytsh* a neis litl wman. And oh! *sytsh* a tôcer! Iw nefer herd won leic her.'[25] Yr awgrym, wrth gwrs, yw, nad yw 'Mrs Philipps' yn siarad yn y modd 'priodol' i fenywod – yn enwedig menywod priod – y disgwyliai Dafydd Dafis a'i debyg iddi wneud. Yr hyn *nad* yw Claudia'n ei esbonio yw beth oedd testun y sgwrs a fu rhyngddi a Norah Philipps (i roi iddi nid ei henw priod llawn ond ei phriod enw fel menyw), oherwydd hi oedd un o arweinwyr amlycaf, mwyaf diwyd a mwyaf dawnus mudiad y merched yng Nghymru. Serch hynny, esbonia Claudia nad yw 'Mrs Philipps' yn medru Cymraeg, ac felly ei bod hi wedi cytuno i lunio arwyddair i'r mudiad yn ei lle. A beth yw hwnnw ond 'Y gwyr [*sic*] yn erbyn y byd.' (t. 34) Wrth gwrs, y mae Dafydd Dafis uwchben ei ddigon â'r camsyniad hwn, ac mae'n cael hwyl ar ei esbonio i Claudia. Yn gwbl groes i'w dymuniad, y mae Claudia wedi yngan y 'gwir-ionedd' – sef mai priod ddyletswydd y gŵr, ac nid y wraig, yw gweithredu'n gyhoeddus: adref, ym mynwes ei theulu, y mae ei phriod le hi. Ond y mae Claudia, yn ôl ei harfer, yn llawer rhy chwim ei meddwl i gael ei llorio, a dyma hi'n ateb yn syth: 'Oh, ddat's ol reit. Dyna'r hyn oeddwn i am ddeyd welwch chi. Mi rydw i am roid fy ngŵr i i sefyll yn erbyn y byd gan nad sut' (t. 34).

Yng ngweddill y bennod, gwelir nid yn unig Claudia ond hefyd ei 'chwiorydd yn yr achos' yn dal eu tir wyneb yn wyneb â gwleidyddion amlyca'r dydd, gan gynnwys Tom Ellis a Lloyd George. Mae'r profiad o wrando arnyn nhw yn ysgytwad i Dafydd Dafis, ac yn y paragraff olaf un, ceir ei gyffes fod y profiad yn codi arswyd arno:

Dyna'r tro y deuthym i ddeall gynta fod merched eraill 'blaw Claudia'n teimlo dyddordeb mewn gwleidyddiaeth; ac wrth wrando ar Mrs Wynford Philipps a Mrs Williams Idris, ac erill o honyn nhw, yn siarad â Claudia, mi ddechreuais feddwl fod anhawsderau a pheryglon Aelodau Seneddol yn debyg o gynyddu yn hytrach na lleihau yn y dyfodol. Mae plesio dynion yn orchwyl caled yn y byd yma, ond mi fasa plesio'r merched i gyd yn amhosibl. Po fwya oeddwn i'n feddwl am y peth lleia i gyd oeddwn i'n leicio'r rhagolwg o fynd yn A. S. ar gais Claudia na neb arall.[26]

Tanlinellir y pwynt gan gartŵn manwl 'Ab Caledfryn', William Williams (1837–1915), artist a ddysgwyd ym more ei oes gan Hugh Hughes, ac a ddaeth yn adnabyddus yn bennaf am ei bortreadau. Teitl y gwawdlun yw 'The Emancipation of Woman – Rhydd-Freiniad Y Ddynes.' Ynddo gwelir gŵr yn dal chwip, ac ar ei siaced y geiriau 'Gormes Deddf'. O'i flaen mae twr o naw o ferched wedi ymgasglu'n amddiffynnol o amgylch menyw sy'n lled-orwedd ar y llawr a'i garddyrnau wedi eu cydio wrth ei gilydd gan gadwyn. Ar y gadwyn gwelir y gair 'vote', ynghyd â'r gair 'Israddoldeb.' Mae saith merch allan o'r naw yn eistedd yn dawel a pharchus, er fod geiriau megis 'Women's Institute' a 'Rhyddid' i'w gweld yn britho'u dillad. Ond mae dwy ferch yn ymddwyn mewn ffordd bur wahanol, gyda'r naill yn cario basged yn llawn grawn a ffrwythau sy'n nodi 'Graddau'r Brifysgol,' a'r llall yn gwisgo het a betgwn y wisg 'draddodiadol' Gymreig ac yn chwifio ysgub â'r geiriau 'Woman Suffrage' arno'n fygythiol uwch ei phen.

Odditano, ceir esboniad o'r llun mewn darn yn dynwared dull Llyfr y Datguddiad:

And behold, in my vision, I saw the Woman pressed to earth by the weight of her burdens, and bound head and foot by the fetters of traditional inferiority. Over against her stood Man, the Oppressor, armed with his Whip of Power, and wearing the badge of Oppressive Statutes; while, with the broom of Woman suffreage uplifted in brawny arms, Gwyneth Vaughan aimed a vengeful blow at the Oppressor's head. Gertrude Stewart, by means of the 'Vote' File, was releasing the Woman from her fetters, Lady Henry Somerset at the same time relieving her of her burdens; Mrs Wynford Philipps brought the Women's Institute Medicated Bowl to wash her wounds and bruises; Mrs Howell Idris hurried forward with the Tea Tray of Freedom to revive her; and Mrs Brynmor Jones brought a tempting bucket of the luscious fruit of University Degrees to slake the poor creature's thirst for knowledge; while ready as ministering angels to render further assistance, were a host of others led by Miss Gee, Edith Oldham, and Eluned Morgan.

Fe welir, felly, fod y llun yn mynegi dwy wedd wahanol ar ofnau dynion ynghylch ymddangosiad 'y Ferch Newydd'. Ar y naill law, y pryder y bydde merched bellach yn arfer yr union nodweddion 'benywaidd' hynny yr oedd Oes Fictoria'n eu mawrygu'n ddibaid – sef eu 'greddf naturiol' i gefnogi, i gysuro, ac i ymgeleddu eu gwŷr – eithr i gyfeiriadau 'annaturiol' newydd, gan eu defnyddio fel arfau eu gwrthryfel yn erbyn gorthrwm y drefn wrywaidd oedd ohoni. Ac ar y llaw arall, y pryder y bydde merched yn gollwng eu 'benyweidd-dra' heibio ac yn ymrithio'n ŵr-aidd – sylwer ar y disgrifiad arwyddocaol hwnnw o Gwyneth Vaughan, y ferch sy'n chwifio'r ysgub: 'with the Broom of Woman Suffreage uplifted in brawny arms.' Ymhellach, mae'n arwyddocaol iawn mai delwedd neb llai na 'Dame Wales' ei hun – ond delwedd sydd bellach wedi ymffyrnigo – a welir yn y llun hwn o Gwyneth Vaughan. Ac wrth gwrs, drwy fabwysiadu arddull Llyfr y Datguddiad, arwyddir yn glir fod y 'weledigaeth' y mae'r cartŵn yn ei hymgorffori yn weledigaeth frawychus, hunllefus, 'apocalyptaidd' ei harwyddocâd. Y mae Diwedd y Byd yn prysur agosáu – ac yn wir yr oedd ofnau 'milflynyddol' yn gyffredin iawn ym mhob cwr o fywyd yn 1898, pan gyhoeddwyd hunangofiant Dafydd Dafis.

Mae'r cartŵn yn ei gwneud hi'n berffaith eglur fod ymddang-osiad y 'Ferch Newydd' a fynnai ryddid cymdeithasol ac hawliau gwleidyddol yn golygu, yn ei hanfod, fod merched bellach yn siarad ac yn ymddwyn – hynny yw yn 'perfformio' ac yn 'bod' – mewn ffordd gwbl newydd. Ond mae'r cartŵn hefyd yn gyfadd-efiad anfwriadol fod yr ymwybyddiaeth hwn nad yw 'rhywedd' (y ddelwedd gymdeithasol o'r 'ferch') yn 'naturiol', eithr yn ddim ond cynnyrch 'perfformiad,' yn codi'r braw eithaf am y golyga nad yw'r ddelfryd Fictoraidd o'r ferch fel angel pentan yn ddim ond rhith. Fel y dywed Butler:

> In the place of an original identification [hynny yw, y syniad fod y fath greadur gwreddiol, 'naturiol' yn bod â'r wraig a gynhyrchwyd gan Oes Fictoria] which serves as a determining cause, gender identity might be reconceived as a personal/cultural history of received meanings subject to a set of imitative practices [hynny yw, perfformiadau] which refer laterally to other imitations and which, jointly, construct the illusion of a primary and interior gendered self.[27]

O'r herwydd, os yw'r ferch yn y gwawdlun sy'n chwifio'i hysgub mewn ystum mor fygythiol yn codi ofn, yna mae'r merched sy'n eistedd yn sedêt, fel petaent mewn parlwr parchus, yn peri hyd yn oed mwy o annifyrwch i ddarllenwyr gwreiddiol nofel Beriah Gwynfe Evans. Oherwydd terfysgwyr yw'r gwragedd llonydd hyn i gyd! Ufudd-dod ymddangosedig yn unig yw eu hufudd-dod nhw.

Darlun tebyg i olygfa o fyd y theatr a geir yn llun Ab Caledfryn, ac yn y modd hwn y mae nofel Beriah Gwynfe Evans yn gosod y ddrama fawr y mae mudiad y merched yn ei pherfformio ochr yn ochr â drama fawr San Steffan y mae Dafydd Dafis yn adrodd amdani. Yn y naill theatr fel y llall, fe welir Cymry, yn wŷr ac yn wragedd, yn araf ddysgu sut i 'berfformio' eu Cymreictod yn y dulliau newydd y mae'n rhaid iddynt eu mabwysiadau os yw'r genedl y mae Cymru Fydd yn awyddus i'w chynrychioli ac i'w harwain am gamu ymlaen i'r dyfodol.

* * *

Ond os yw'r nofel yn syllu'n hyderus i'r dyfodol, y mae hefyd, ar yr un gwynt, yn bwrw cip pryderus tuag yn ôl. A ydy hybu Cymru

Fydd yn golygu troi cefn yn derfynol ar y Gymru Fu annwyl, tybed? Dyna'r cwestiwn sy'n mudlosgi ym meddyliau cenedlaetholwyr fel Beriah Gwynfe Evans ar ddiwedd y bedwaredd ganrif ar bymtheg, ac y mae *Dafydd Dafis* yn ymdroi'n anesmwyth uwchben y dilemma hwn. Dro ar ôl tro fe bwysleisir nad oes na hollt na bwlch rhwng y Llundeinwr llewyrchus, cefnog, lled 'fonheddig', a'r llaethwr gwledig gwerinol o Lanidris. Wedi iddo ymrithio'n 'David Davies, 393 Park Place,' y mae Dafydd yn cyfaddef ei fod wedi ei orfodi gan Claudia i loywi'i Saesneg, ac 'un o ganlyniadau fod Claudia wedi gwneud imi ymgymysg hefo'r doctoriaid dysgedig ydi mod i rwan yn defnyddio ambell air mawr trwm, afrosgo'.[28] Ond serch hynny, y mae'n dal yn driw i'w gefndir cynnar ac yn gwrthod anghofio am ei wreiddiau: 'Mi rydw i wedi cadw hyny o'r wlad gyni o hyd; fydd dim yn dda gyn i'r *sheets* yma i'r gwely' (t. 305). Na'n wir: am lapio'i flancedi cynnes cyfarwydd amdano y mae Dafydd Dafis o hyd.

A thra bod 'Cynlas' yn cael ei adnabod bellach fel 'Mistar Ellis AS', a Howell Williams yn dewis newid ei enw i Mr Williams Idris, mae Dafydd yn glynu'n styfnig, bron tan y diwedd, wrth ei enw bedydd. Yn y ginio fawreddog a gynhelir i ddathlu sefydlu Prifysgol Cymru, mae e'n manteisio ar ei gyfle i leisio'i bryderon ynghylch y gweddnewidiadau cymdeithasol ysgubol a wêl o'i gwmpas ym mhob man:

> 'Wel dyma ni, 'rwan,' ebra un o honyn nhw, 'ar ben y ffordd i godi'r Hen Wlad yn ei hôl miwn gwirionedd.'
>
> 'Ia,' ebra un arall, 'wedi cael yr Iwnifersiti mi ddaw rhyw lun ar Gymru bellach.'
>
> 'Reit iw ar, mei boi,' ebra y trydydd, 'Ddi lyrned proffeshyns wil now stand sym tshans in Wêls.'
>
> 'Cambria redifeifys!' llefai un arall gan daro'r bwrdd nes 'roedd y gwydra'n clecian.
>
> 'Iyng Wêls tw ddi ffrynt!' ebra gŵr pen arall i'r bwrdd, a dyma hi'n hwre fawr.
>
> 'Rhoswch chi, hogia,' ebra fine. 'Mi rydw i gymint o Iyng Wêls a'r un o hono chi, ond mi rydw i'n tybied ei bod yn bosib ini anghofio'r graig o'r hon ein naddwyd, a dibrisio gwaith y rhai aeth o'n blaen ni.'[29]

A dyma Dafydd Dafis yn bwrw i'r dwfn ac yn ei morio hi wrth glodfori'r glewion ddi-'ddigree' a fu – hoelion wyth yr enwadau a'r capeli o gyfnod William Williams a John Elias hyd at ddegawd olaf 'oleuedig' y bedwaredd ganrif ar bymtheg. A phwy sydd yno wrth ei ymyl yn codi ei lewys ac yn amenio ei bregeth ar ei diwedd? Pwy ond y 'dysgedigion' pennaf ohonynt i gyd: Isambard Owen a Tom Ellis. Ymhellach, wrth iddo dewi y mae Dafydd Dafis yn sylweddoli ei fod wedi ymddwyn fel prif actor ac arwr golygfa arwyddocaol allweddol yn nrama fawr datblygiad y Gymru newydd:

> Mi rydw i'n hoffi aros, mewn dychymyg 'rwan, ar yr olygfa hono, gwarogaeth ddigamsyniol yr hogia bywiog pan ddeallasant pwy oeddwn i, a chyfeillgarwch cynes Isambard a Tom Ellis a'r gwŷr mawr y treuliais i awr bellach yn eu cwmni difyr cyn cychwyn adre. (t. 252)

Ond nid yw ei bryderon yn cael eu lleddfu gan ei gamp yn tawelu'r 'hogia'. Cynyddu, yn hytrach na chilio, a wna'i wewyr meddwl ynghylch canlyniadau cymysg dyrchafiad cymdeithasol 'y werin" – bywyn bod y 'genedl' yn ei dyb ef a'i debyg – wrth i'r nofel ddirwyn i'w therfyn, ac amlhau a chymlethu a wna'r cyfeiriadau theatrig wrth i'w gyfyng-gyngor ddwysáu.

Ar ôl i Dafydd Dafis dreulio blwyddyn gyfan mewn carchar tywyll du wedi iddo gael ei herwgipio gan benboethiaid Gwyddelig â'u bryd ar sicrhau mai cwynion Iwerddon, ac nid Cymru, fydd ar ben agenda'r llywodraeth, mae e'n dioddef dryswch meddwl difrifol sy'n esgor ar chwalfa nerfol. Yn ei waeledd mae'n cael ei boenydio gan hunllefau lle mae'r digri'n gymysg â'r bygythiol. 'Gweledigaethau Dafydd Dafis' yw'r rhain, wedi eu modelu'n fwriadol ar *Weledigautheu'r Bardd Cwsc*. Ymwneud y maen nhw â digwyddiadau pwysica'r cyfnod yng ngwleidyddiaeth Cymru. Yn eu plith y mae'r olygfa arswydus honno o Wragedd Gwrthryfelgar Bygythiol a bortreadwyd yng nghartŵn 'Ab Caledfryn'. Wrth ddarllen am y golygfeydd hunllefus hyn, fe sylweddolwn fod plot y 'ddrama' y mae Dafydd Dafis wedi bod yn ei mynychu yn 'theatr' San Steffan yn dechrau gwallgofi a'i fod ef bellach wedi colli pob rheolaeth arni. Mae tempo'r newid – sef tempo'r 'newydd' – wedi cynyddu cymaint nes mynd yn drech na Dafydd Dafis druan.

Ond diolch yn bennaf i Claudia, fe ddaw dihangfa annisgwyl i'w ran, ac unwaith yn rhagor fe ddefnyddir iaith y theatr i arwyddo'r ddihangfa honno. Mae'r rhan a chwaraewyd ganddi wrth sicrhau rhyddid i'w gŵr yn dwyn sylw edmygus y mawrion at ei achos, ac yn sgil hynny fe benderfynir i'w wneud yn Iarll Dafydd. Y Frenhines Fictoria ei hun sy'n perfformio'r seremoni, a bryd hynny y mae Dafydd yn cael sioc i glywed mai gwir enw ei annwyl Claudia, y wraig y bu'n briod â hi ers blynyddoedd, yw 'Baroness Gwladys of Ty Dafydd in Carnarfonshyr and of Ypland Cort in Iorcshyr'[30]. Erbyn hyn, wrth gwrs, mae nofel Beriah Gwynfe Evans wedi troi'n ffantasi llwyr, ac mae'r ddrama gomic y mae Dafydd yn chwarae ei ran ynddi pan yw'n cael ei urddo'n iarll gan Fictoria yn ei 'droing rwm' ac yn manteisio ar ei gyfle i wahodd y frenhines, yn ei thro, i de ar ei aelwyd ef, yn fodd i Beriah fynegi, eithr yn anuniongyrchol a than gêl, ei amheuon dybryd ynghylch y 'Cymry newydd' sy'n troedio llwyfan y Tŷ'r Cyffredin.

A chan fod y nofel, ar ei diwedd, yn dynesu fwyfwy at fyd y theatr, mae'n briodol iawn ein bod yn darganfod yn y tudalennau olaf mai 'yn y thiatr, neu'n hytrach yn lobi'r thiatr,'[31] y cyfarfu Dafydd Dafis â Claudia yr ail waith, ac mae drwy ei hachub hi, yr adeg honno, o afael dau ŵr oedd ar fin ei chipio hi a'i dwyn hi i ffwrdd, y bu iddo ennill ei serch. Yn wir, y mae'r olygfa lle y mae Dafydd yn llorio'r ddau ddihiryn, y naill ar ôl y llall, yn olygfa sy'n nodweddiadol o felodramâu poblogaidd Oes Fictoria. Dim rhyfedd, felly, fod y nofel yn gorffen drwy fod ei hawdur a'i 'chymeriadau' yn ffarwelio â'r darllenwyr a fu hefyd yn gynulleidfa eu drama:

ANERCH FFARWEL CYNYRCHWYR 'DAFYDD DAFIS'

(Yr Awdwr, yr Arlunwyr, a'r Cyhoeddwr yn Ymddangos ar y
Llwyfan yn Ffrynt y Llen – Gwel y Darlun Gyferbyn)

'Pa le mae Dafydd? Ble mae Claudia wen?

Ha Gyfaill! Wele hwynt tu draw i'r llen!
Ond erys gwersi eu bywydau mad
Yn wersi i bob Cymro ym mhob gwlad.
Mae'n hysgrifbin, a'n pwyntil yn ddigoll
A thlyswaith yr argraffydd, un ac oll
Yn dweyd yn groew, yn iaith Dafydd bur
Ac a llais Claudia'n adseinio'n glir: –

'Os cynt drwy lawer dyrnod frad
Cadd Cymru anwyl aml glwy,
Rhowch chwithau help i wneud ein gwlad
Yn Gymru Well, — yn Gymru Fwy!'

Y ddrama, felly, sy'n cael y gair olaf, ac ar derfyn y nofel fe ddatgelir
mai rhyw fath o 'Interliwt' cyfoes yw'r testun rŷn ni newydd
ei ddarllen: fersiwn modern ydyw o'r dramâu gwerinol poblog-
aidd difyr a didactig a sgrifennwyd gan Twm o'r Nant. Drych
deniadol oedd yr Interliwtiau, a alluogai'r gynulleidfa i adnabod
ei chymdeithas ac i'w hamgyffred hi'n well. A'r un hefyd oedd
nod y 'ddrama' a luniwyd ac a berfformiwyd gan Beriah Gwynfe
Evans. Cynnyrch cyfnod o chwyldro cymdeithasol oedd *Dafydd
Dafis: Hunangofiant Aelod Seneddol*, ac y mae'n naturiol, efallai, fod
adnoddau unigryw byd y ddrama a chyfrwng y theatr yn apelio'n
arbennig at gyfnod o'r math. Fel yr esbonia Judith Butler yn rhag-
ymadrodd ei llyfr am 'berfformio' hunaniaeth, *Gender Trouble*,
pan fydd cymdeithas yn gweddnewid, mae newydd-deb a chyf-
newidioldeb y rhannau y mae'n rhaid i bobl eu chwarae bryd
hynny yn amlygu'r rhyddid sydd ganddynt i drawsffurfio eu
hunain.[32] Yr adeg honno mae bywyd bob dydd yn ymdebygu i'r

profiad o berfformio ar lwyfan theatr. A dyna paham, efallai, y
gwnaeth mudiad Cymru Fydd – mudiad â'i fryd ar weddnewid
cymdeithas gyda golwg ar genhedlu cenedl newydd – esgor ar
'nofel' theatrig Beriah Gwynfe Evans wrth i'r bedwaredd ganrif
ar bymtheg ddirwyn i ben.

Nodiadau

[1] Hywel Teifi Edwards, *The National Pageant of Wales* (Llandysul: Gwasg
Gomer, 2009), t. 5.
[2] Ymhlith ei gynhyrchiadau ar gyfer y llwyfan yr oedd *Glyndŵr, Tywysog
Cymru* a luniwyd ar gyfer Pasiant yr Arwisgo yn 1911.
[3] E. Morgan Humphreys, 'Beriah Gwynfe Evans,' yn *Gwŷr Enwog Cynt*
(Yr Ail Gyfres) (Aberystwyth: Gwasg Aberystwyth, 1953), tt. 120–131.
[4] Gweler Aled Gruffydd Jones, *Press, Politics and Society: A History of
Journalism in Wales* (Caerdydd: Gwasg Prifysgol Cymru, 1993).
[5] Humphreys, *Gwŷr Enwog Cynt*, tt. 123–4.
[6] Trafodir hyn ymhellach yn A. G. Jones, *Press, Politics and Society*,
t. 134.
[7] Benedict Anderson, *Imagined Communities: Reflections on the Origins and
Spread of Nationalism* (Llundain: Verso, 1983), tt. 123–4.
[8] Beriah Gwynfe Evans, *Y Cyngor Plwyf. Pa Fodd i'w Ethol a'i Weithio, sef
Llawlyfr Deddf Llywodraeth Leol 1894*.
[9] Evans, *Dafydd Dafis: sef Hunangofiant Ymgeisydd Seneddol* (Gwrecsam:
Hughes a'i Fab, 1898).
[10] John Gwilym Jones, 'Dramâu Beriah Gwynfe Evans,' *Swyddogaeth
Beirniadaeth* (Dinbych: Gwasg Gee, 1977), tt. 303–15.
[11] Judith Butler, *Gender Trouble: Feminism and the Subversion of Identity*
(Efrog Newydd a Llundain: Routledge, 1999).
[12] Butler, *Gender Trouble*, t. 173.
[13] Thomas E. Ellis, *Speeches and Addresses* (Wrecsam: Hughes a'i Fab, 1912),
yn enwedig tt. 3–84.
[14] Gweler Peter Lord, *The Visual Culture of Wales* (Caerdydd: Gwasg
Prifysgol Cymru, 2000), tt. 325–6.
[15] Evans, *Dafydd Dafis*, t. vi.
[16] —— *Dafydd Dafis*, t. 2.
[17] —— *Dafydd Dafis*, t. 173.
[18] —— *Dafydd Dafis*, t. 7.
[19] —— *Dafydd Dafis*, t. 51.
[20] —— *Dafydd Dafis*, t. 79.

21 Ursula Masson, *'For Women, for Wales and for Liberalism': Women in Liberal Politics in Wales, 1880–1914* (Caerdydd: Gwasg Prifysgol Cymru, 2010); hefyd K. Cook a N. Evans, '"The Petty Antics of the Bell-Ringing Boisterous Band": The Women's Suffrage Movement in Wales, 1890–1918,' yn A. V. John, gol., *Our Mothers' Land: Chapters in Welsh Women's History 1830–1939* (Caerdydd: Gwasg Prifysgol Cymru, 1991), tt. 159–88.

22 Evans, *Dafydd Dafis*, t.3.

23 —— *Dafydd Dafis*, t.5.

24 —— *Dafydd Dafis*, t. 245.

25 —— *Dafydd Dafis*, t. 33.

26 —— *Dafydd Dafis*, t. 37.

27 Butler, *Gender Trouble*, t. 176.

28 Evans, *Dafydd Dafis*, t. 266.

29 —— *Dafydd Dafis*, t. 248.

30 —— *Dafydd Dafis*, t. 334.

31 —— *Dafydd Dafis*, t. 315.

32 Butler, *Gender Trouble*, tt. xvi–xviii.

Llyfryddiaeth Gyfeiriadol

Anderson, Benedict, *Imagined Communities: Reflections on the Origins and Spread of Nationalism* (Llundain: Verso, 1983).

Butler, Judith, *Gender Trouble: Feminism and the Subversion of Identity* (Efrog Newydd a Llundain: Routledge, 1999).

Cook, K., ac Evans, N., '"The Petty Antics of the Bell-Ringing Boisterous Band": The Women's Suffrage Movement in Wales, 1890–1918,' yn A. V. John (gol.), *Our Mothers' Land: Chapters in Welsh Women's History 1830–1939* (Caerdydd: Gwasg Prifysgol Cymru, 1991).

Edwards, Hywel Teifi, *The National Pageant of Wales* (Llandysul: Gwasg Gomer, 2009).

Ellis, Thomas E., *Speeches and Addresses* (Wrecsam: Hughes a'i Fab, 1912).

Evans, Beriah Gwynfe, *Y Cyngor Plwyf. Pa Fodd i'w Ethol a'i Weithio, sef Llawlyfr Deddf Llywodraeth Leol 1894* (Caernarfon: Cwmni'r Wasg Genedlaethol Gymreig, 1894).

Evans, *Dafydd Dafis: sef Hunangofiant Ymgeisydd Seneddol* (Gwrecsam: Hughes a'i Fab, 1898).

Humphreys, E. Morgan, *Gwŷr Enwog Cynt* (Yr Ail Gyfres) (Aberystwyth: Gwasg Aberystwyth, 1953).

Jones, Aled Gruffydd, *Press, Politics and Society: A History of Journalism in Wales* (Caerdydd: Gwasg Prifysgol Cymru, 1993).

Jones, John Gwilym, *Swyddogaeth Beirniadaeth* (Dinbych: Gwasg Gee, 1977).

Lord, Peter, *The Visual Culture of Wales* (Caerdydd: Gwasg Prifysgol Cymru, 2000).

Masson, Ursula P., *'For Women, for Wales and for Liberalism': Women in Liberal Politics in Wales, 1880–1914* (Caerdydd: Gwasg Prifysgol Cymru, 2010).

5

Perfformio Cenedl y Dychymyg: Iolo Morganwg a Dechreuadau Gorsedd y Beirdd

Cathryn A. Charnell-White

Y mae Gorsedd y Beirdd yn ystod Oes Fictoria, a'r modd y gallu-ogodd y Cymry i daflunio hunanddelwedd weddus i gynulleid-faoedd brodorol ac estron, yn faes y meddiannodd Hywel Teifi Edwards yn gyflawn iddo'i hun. Mewn cyfrolau megis *Codi'r Hen Wlad yn ei Hôl 1850–1914* (1989), *Codi'r Llen* (1998), *Gŵyl Gwalia* (1980) a *The National Pageant of Wales* (2009), cynigiodd ddadan-soddiad arloesol o'r agweddau perfformiadol a oedd ar waith yn natblygiad hunaniaeth genedlaethol Cymry cymhleth Oes Fictoria a'r tu hwnt. Rwy'n cofio Hywel Teifi Edwards yn traethu ar y pwnc i Gymdeithas Lenyddol Taliesin, Prifysgol Aberystwyth, yng ngoruwch-ystafell y Cŵps pan oeddwn yn fyfyriwr israddedig ddechrau'r 1990au. Dyma oedd y tro cyntaf erioed i mi ei glywed yn siarad yn gyhoeddus ac, i'r sawl a gafodd y fraint o wrando arno'n traethu, afraid dweud bod y profiad yn un gwirioneddol wefreiddiol. Siaradodd yn huawdl o'r fron, a llwyddodd i gyflwyno naratif gymhleth am y cyflwr ôl-drefedigaethol heb ddrysu ei gynulleidfa â therminoleg theoretig astrus: yr oedd yn berfformiad ynddo'i hun! O droi at ei waith ysgolheigaidd, gwelir ar waith yr un deallusrwydd diymdrech yn gwau dadleuon tyn, cyfoethog, difyrrus a di-jargon mewn fframwaith deallusol ôl-drefedigaethol. Yn hyn o beth, Edwards oedd esboniwr mawr cyflwr seicolegol Cymry'r cyfnod a'r modd y synient am yr hyn a elwir gan Benedict Anderson yn genedl y dychymyg, 'the imagined nation'.[1] Deallodd mai cenedl Gymreig wneuthuriedig, neu graig diwylliannol, a welid yng ngorseddau ac eisteddfodau Cymru Oes Fictoria, a bod iddynt werth perfformiadol di-ail, diolch i'r fframwaith parod a roddwyd yn ei le gan grëwr yr Orsedd, Edward Williams (Iolo Morganwg 1747–1826). Gan mai ychydig iawn a ysgrifennodd Edwards am Edward Williams ei hun,[2] bydd y bennod hon yn driw i'w feddylfryd deallusol yn hytrach na'i ymateb uniongyrchol i'r gorseddau cynnar. Archwilir y genedl a ddychmygwyd gan Edward Williams, ynghyd â'r modd yr oedd y cyfarfodydd gorseddol a gynhaliodd yn Llundain a Morgannwg yn yr 1790au yn perfformio ei ddehongliad ef ei hun o genedligrwydd y Cymry. Bwriad y bennod hon, felly, yw gosod cyd-destun ar gyfer agwedd feirniadol Hywel Teifi Edwards tuag at y genedl a berfformiwyd gan yr orsedd fel y'i gwaddolwyd i Oes Fictoria.

Cenedl y Dychymyg

Y mae'r Orsedd yn perthyn i weledigaeth farddol ehangach a grëwyd gan Edward Williams, sef Barddas, neu 'Bardism' fel y galwai hi hefyd. Yr oedd Barddas yn waith oes ac yn llafur cariad, a bu Williams yn gweithio arni yn weddol gyson o'r 1780au cynnar hyd ei farwolaeth yn 1826, a'r 'potsian' cyson sy'n cyfrif am gymhlethdod ei weledigaeth a'i natur drofaus.[3] Ac yntau'n saer maen o Gymro oddi cartref yng ngorllewin Lloegr a Llundain yn yr 1770au cynnar a'r 1790au cynnar, yr oedd Edward Williams yn fwy cyfarwydd â Lloegr ac arferion Seisnig na'r rhan fwyaf o Gymry ei ddydd. Cafodd brofiad uniongyrchol hefyd o'r rhagfarn gwrth-Gymreig a oedd yn rhemp yn ystod y cyfnod. Gellid, felly, ystyried yr hunaniaeth farddol a fabwysiadodd, nid yn unig yn gyfrwng i drosgynnu ei statws cymdeithasol yng nghylchoedd llenyddol elitaidd a radicalaidd Llundain, ond yn gyfrwng i drosgynnu ei Gymreictod: nid Cymro cyffredin oedd Edward Williams ond 'Iolo Morganwg', Bardd Braint a Defod Gorsedd Beirdd Ynys Prydain. Yr oedd yn Gymro a haeddai barch; rhywbeth tra dieithr i Gymry'r ddeunawfed ganrif pan oedd digrifluniau o'r tirlun Cymreig, ac o arferion ac iaith y Cymry yn elfennau cyson yn niwylliant ysgrifenedig a gweledol Lloegr.[4] Dangosodd

Prys Morgan mai fel barbariaid digymrodedd y synnid am y Cymry o'r tu hwnt i Glawdd Offa o'r unfed ganrif ar bymtheg ymlaen, ac eithrio ysbaid byr pan ddaeth syniadau Rhamantaidd am yr anwariad aruchel (S. *noble savage*) i feirioli'r ddelwedd farbaraidd gyfarwydd.[5]

Ac yntau'n effro i'r hinsawdd Rhamantaidd hwnnw, yr hyn a wnaeth Williams oedd troi'r ddeinameg hon ar ei phen: nid cenedl y Cymro oedd yn farbaraidd, eithr cenedl y Sais; a'r ddeuoliaeth hon rhwng Cymru wâr a Lloegr anwar yw fframwaith deallusol cynhaliol ei weledigaeth farddol. Trwy gyfrwng Barddas, bwriadai wyrdroi ystrydebau negyddol a sarhaus cyfoes, gan brofi y tu hwnt i bob amheuaeth mai cenedl syber oedd y Cymry, mai etifeddiaeth a faged ar garreg yr aelwyd oedd eu hetifeddiaeth ddiwylliannol gyfoethog, a bod y diwylliant hwnnw yn haeddu sylw a pharch yr holl fyd. Yn wir, cynulleidfa Saesneg ei hiaith oedd gan Williams mewn golwg, oherwydd Saesneg yw iaith y rhan fwyaf o'r deunydd perthnasol, boed yn ddeunydd mewn llawysgrif neu yn gyfrolau print megis *The Heroic Elegis of Llywarç Hen* (1792), *Poems, Lyric and Pastoral* (1794) a *The Myvyrian Archaiology of Wales* (1801–07).

Hynafiaethydd craff oedd Williams ac, felly, yr oedd yn ym-wybodol o'r prosesau hanesyddol a gyfranasai at ddarostyngiad y Cymry. Mewn traethawd ar lawysgrifau Cymraeg a gyhoeddwyd yn *The Myvyrian Archaiology*, tair cyfrol o destunau canoloesol Cymraeg, dangosodd Williams ei fod yn ymwybodol, nid yn unig o oblygiadau gwleidyddol y Deddfau Uno i Gymru, ond ei fod hefyd wedi deall yr effaith niweidiol a gawsant ar y wlad o safbwynt cymdeithasol a diwylliannol.[6] Deallai mai tynged y concredig oedd yn cyfrif am ei hisraddoldeb diwylliannol honedig, a deallai hefyd mai eu hanes, eu diwylliant, a'u hiaith cyffredin oedd yn diffinio'r genedl a arddelid gan y Cymry. Yr oedd Williams yn effro iawn hefyd i'r ffaith mai gormes diwylliannol oedd yn garn i ddull y canol Seisnig o fesur gwerth diwylliannol a syber-wyd gwledydd Celtaidd yr ymylon â llinyn mesur diwylliannol Seisnig, Saesneg ei iaith. Crynhoir ei ddealltwriaeth o'r cyflwr ôl-drefedigaethol yn y sylw canlynol, sef dryll, neu nodyn mewn gwagle:

The great error of English writers when they write any thing about Wales arises from their viewing most things thro' false mediums. Thus the Welsh Language is viewed in a light similar to that wherein they would view the Cherokee Language . . . A Welsh custom viewed thro the medium of an English usage is something similar, or conceived to be so. And a great number of things are viewed thro the mediums of long continued prejudices . . .[7]

Felly, wrth fynd ati i amddiffyn diwylliant y genedl Gymreig, cynigiodd Williams linyn mesur a fyddai yn ddealladwy i gynulleidfa gyfoes; sef cyntefigiaeth (S. *primitivism*), un o brif haenau deallusol Rhamantiaeth yr oes.[8]

Cwlwm o syniadau ynghylch datblygiad cymdeithas neu wareiddiad, ynghyd ag arwyddocâd diwylliannol gwahanol gyfnodau, yw cyntefigiaeth. Credai athronwyr yr Oleuedigaeth fel Rousseau fod dyn cyntefig a'i gyflwr yn rhagori ar ddyn modern ac, felly, dwy o themâu sylfaenol hanesyddiaeth, hynafiaethau a beirniadaeth lenyddol y ddeunawfed ganrif oedd bod hen wareiddiad a chywreinrwydd hynafol yn arwyddion o deilyngdod cyfoes cenedl.[9] Cymhwyswyd cyntefigiaeth i feirniadaeth lenyddol am y tro cyntaf yn y ddadl ffyrnig ynghylch y cerddi ffug a dadogodd yr Albanwr James Macpherson ar y bardd Ossian; dadl a oedd yn sbardun deallusol arwyddocaol i Williams yng nghanol yr 1770au pan oedd ei ddiddordebau hynafiaethol a llenyddol yn cyniwair.[10] I Macpherson, ac i hynafiaethwyr Gwyddelig megis Joseph Cooper Walker, Charlotte Brooke a Sylvester O'Halloran, cynrychiolai cyntefigiaeth arf deallusol grymus, nid yn unig ar gyfer mynegi arwahanrwydd eu priod ddiwylliannau, ond ar gyfer eu cadarnhau hefyd.[11]

Gwelir yng ngwaith John Pinkerton berthynas agos rhwng cyntefigiaeth a defnyddio ymchwil i hanes cynnar at ddibenion cenedlaethol. Er na chytunai Williams â hanesyddiaeth Eingl-Sacsonaidd Pinkerton, ysgogwyd ef gan y llythyron a gyhoeddwyd gan Pinkerton yn *The Gentleman's Magazine* yn 1788, sef *Letters to the People of Great Britain, on the Cultivation of their National History.* Ei syniad llywodraethol oedd bod hanes cynnar cenedl yn ddrych i'w hunaniaeth genedlaethol:

As the study of our history has declined, true patriotism has declined; and to attempt its revival may, it is hoped, be regarded as a service both to patriotism and to literature.[12]

Gorau po fwyaf syber oedd hanes cynnar gwlad neu genedl, felly, ac ym Mhrydain ac Iwerddon daeth y modd y portreadwyd eu trigolion cynnar mewn astudiaethau hynafiaethol, barddoniaeth a chelfyddydd gain yn rhan o broses gymhleth o hunan-ddilysu cenedlaethol.[13] I Williams, yr oedd y derwyddon a'r beirdd yn rhan o'r broses hon o daflunio delfrydau'r presennol tuag yn ôl i'r gorffennol, a'r hyn a wnaeth ef oedd impio disgwrs cyntefigiaeth, ynghyd â disgyrsiau amrywiol anachronistaidd ac ymddangosiadol anghymarus ar gyff y traddodiad barddol Cymraeg; sef derwydd-iaeth, Jacobiniaeth, diwinyddiaeth Undodaidd, dwyreinoldeb, Saeryddiaeth Rydd ac *Arthuriana*. Y mae amlygrwydd goddef-garwch, rhyddfrydiaeth, rhesymoliaeth a dyngarwch yn Barddas yn adlewyrchu ymrwymiad deallusol Williams i'r Oleuedigaeth yn ogystal â'i obsesiynau unigryw, a hynny mewn dull sy'n gwbl gydnaws â dull *bricoleur* hunanaddysgiedig fel y bardd a'r gwneuth-urwr printiau, William Blake. Gŵr oedd Blake a luniodd ei system ei hun rhag iddo gael ei gaethiwo gan system neb arall.[14] Felly, hefyd, Williams a luniodd system a ryddhâi'r Cymry rhag disgwrs meddylfryd ymerodrol y dydd ac a ddangosai'r wlad yn cofleidio egwyddorion Ymoleuedig.[15]

Y mae Barddas, felly, yn fwy na gweledigaeth amgen o'r tradd-odiad barddol Cymraeg; system hollgynhwysfawr ydyw sy'n dyst honedig i wareiddiad hynafol ac amlweddog Cymru:

> 'a noble spirit of Liberality, genuine morality, and Liberty runs through it, and it does very considerable honour to the Nation that gave it existence, its great leading principle was that of civilizing the community.[16]

Y mae rhesymeg Williams yn syml iawn: nid creadigaeth cenedl anwar yw'r system gynhenid resymegol a moesol hon. Oherwydd eu hymlyniad wrth system hunanwareiddiol o'r fath, y mae'r Cymry yn bobl gynhenid wâr, ac felly hefyd eu hiaith, eu llên a'u

diwylliant. Am ei bod yn genedl 'farddol', nid oedd modd i'r
genedl Gymreig fod yn genedl 'farbaraidd', a phrif fyrdwn Barddas
yw rheitiach moesoldeb y Cymry a soffistigeiddrwydd hynafol yr
iaith Gymraeg.

O ran moesoldeb Cymru, ceisiodd chwalu'r rhagfarnau cyfoes
ynghylch twpdra ac anfoesoldeb honedig y Cymry trwy ddangos
mai rhinwedd genedlaethol sy'n tarddu o'r traddodiad barddol
yw uniondeb moesol:

> The wisdom derived from pure morality was the grand and
> ultimate object of ancient British Bards and Bardism.[17]

Ategir hyn drachefn mewn ymateb uniongyrchol o'i eiddo i erthygl
a ddarllenasai ym mis Mai 1805 yn y *Monthly Review* a oedd yn
lladd ar lenyddiaeth Gymraeg ac yn galw am ddileu'r iaith Gymraeg
er mwyn dod â'r Cymry i gorlan gwareiddiad. Lluniodd ateb
barddol ffrom sy'n tynnu ar naratifau hunanddilysol ei weledigaeth.
Dadleuodd mai cyfrwng gwareiddiol yw llenyddiaeth ac, felly,
gall hybu gwareiddiad neu ynteu ei ddifa. Yn ôl rhesymeg cyntefig-
aidd Williams, a hithau'n amddifad o rinweddau hunanwareiddiol
Barddas, cerbyd ar gyfer dinistrio gwareiddiad yw'r llenyddiaeth
a grëir yn Lloegr:

> English Literature has hardly any thing in view but improvement
> of fortune, the sordid acquisition of wealth, not the attainment of
> virtue and pure morality . . . [It] Gratifies the wishes of avarice
> and Pride, calling to his aid the numerous Artifices of Pedantry,
> self-interest and vain glory, [the] thing of all others the most
> abhorrent of Genuine Civilization.[18]

Wrth ddadlau ar gorn Barddas, a holl rym rhethregol cyntefigiaeth
a pherffeithiolrwydd yn gefn iddo, troes Williams y ddeinameg
'Cymru farbaraidd, Lloegr wâr' ar ei phen. Yn hytrach na derbyn,
fel y mynnai syniadaeth gyfoes ynghylch datblygiad cymdeithas,
fod masnacheiddiwch y byd llenyddol Seisnig yn arwydd o'i soffisti-
geiddrwydd gwareiddiol, mynnai Williams ei bod yn arwydd o
farbareiddiwch y Sais. Mewn cyferbyniad llwyr, dadleuodd fod

llenyddiaeth Gymraeg, a'r iaith Gymraeg hithau, yn offerynnau ar gyfer hybu gwareiddiad, a hynny, wrth gwrs, oherwydd eu hymlyniad wrth Barddas:

> It has no loose immoral books of any kind, none that fewel the unruly passions, none that inculcate the pernicious doctrines of infidelity, none that lead the understanding into those labyrinths of scepticism that lead, never to return, the public mind into the depths of immorality . . . There can be no doubt but that the preservation and retention of the Welsh Language will be [the] greatest blessing of all others to Wales. In this language and in no other can civilization and truly useful . . . knowledge be advanced and sustained amongst the Welsh. Compare the Lower classes in England with those of the same order in Wales, and let impartiality decide . . . I will venture to say [that] the first are mere savages compared to the last.[19]

Fel yr amlygir yn y dyfyniad uchod, rhoddodd Williams le arbennig i'r iaith Gymraeg yn ei system ar gyfer cadarnhau hunaniaeth Gymreig. Yn wir, hi yw'r allwedd i fytholeg dderwyddol Barddas a'r gorseddau a gysylltir â hi. Mewn ymgais i wyrdroi honiad Camden mai'r Rhufeiniaid a ddaeth â gwareiddiad i'r Cymry, lluniodd Williams amserlen uchelgeisiol ac optimistaidd ar gyfer yr iaith Gymraeg trwy honni ei bod yn bedair neu'n bum mil mlwydd oed.[20] Defnyddiodd Barddas i geisio dangos mai iaith ddiwylliedig, gaboledig ers canrifoedd lawer oedd y Gymraeg: broliodd fod ganddi stôr gynhenid o dermau artistig a gwyddonol, ac nad oedd angen iddi, felly, fenthyg geirfa dechnegol o'r Lladin a'r Groeg, fel y gorfu'r iaith Saesneg.[21] Yn ôl ei arfer, aeth i eithafion rhyfygus wrth geisio profi mai syberwyd cynhenid oedd syberwyd y Cymry. Derbynnid bod llythrennedd yn cynrychioli cam ymlaen yn natblygiad gwareiddiad ac, felly, dyfeisiodd Williams wyddor, Coelbren y Beirdd, er mwyn profi bod y Cymry yn llythrennog cyn dyfodiad y Rhufeiniaid, ac ymhell cyn dyfodiad yr Eingl-Sacsoniaid.

> The Welsh with their Language, retain in its words and phrases . . . a tolerable history of their progress in arts, literary knowledge,

and civilization. They are, I believe, the most tenacious, the Jews, perhaps, excepted, of ancient customs and usages and national peculiarties, of any civilized people in Europe and the English the least so.[22]

Yn ôl ei resymeg wyrdroedig, nid ffrwyth llafur Gruffydd Jones Llanddowror a'r SPCK yw safonau llythrennedd uchel y Gymru gyfoes, eithr ffenomen farddol.

Er bod dadleuon o'r fath yn dangos mor gomic y gallai syniadau Williams fod o fynd â hwy i'w pen draw rhesymegol, ni ddyrchafodd yr iaith Gymraeg yn unswydd er mwyn tynnu blewyn o drwyn y Sais; roedd ei gariad a'i barch tuag ati yn gwbl ddiffuant, a gwelir hyn yn ei agwedd bragmataidd wrth amddiffyn purdeb a theithi'r Gymraeg. Tua diwedd ei oes, yr oedd Williams yn arbennig o sensitif i newidiadau ieithyddol, a byddai'n drwm ei lach ar gystrawen Seisnigaidd awduron cyfoes ag ef; yr oedd Cymraeg coch *Seren Gomer* a'r *Greal* yn dân ar ei groen, a disgrifiodd arbrofion orgraffyddol William Owen Pughe fel 'the most grating and horrid cacophany'.[23] Ceidwaid Barddas oedd y beirdd a'r derwyddon, a chadarnhawyd egwyddorion sylfaenol a gwâr Barddas trwy gyfrwng Gorsedd y Beirdd. Yn hyn o beth, gellid ystyried Gorsedd Edward Williams, Iolo Morganwg, yn sefydliad cynhenid Gymreig i'r Cymru a sefydlwyd mewn cyfnod pan oedd y wlad a'r genedl yn amddifad o sefydliadau cenedlaethol. Rhagor na hynny, yr oedd hwnnw'n sefydliad yr oedd y Gymraeg yn *raison d'être* iddi, yn hytrach nag ystyriaeth eilaidd. Hon, yn ei hanfod, oedd y genedl a ddychymygwyd ac a berfformiwyd yn nefodaeth yr orsedd ac yn y farddoniaeth a ddatganwyd mewn cyfarfodydd gorseddol. Troir nesaf i ystyried perfformadwyedd y sefydliad cynhenid hwnnw, sef Gorsedd Beirdd Ynys Prydain.

Perfformadwyedd Gorsedd y Beirdd

Nid ydyw perfformio a pherfformadwyedd o reidrwydd yn ymwneud â ffurf gynrychioliadol neu fimetig, ac nid ydyw ychwaith yn gyfyngedig i'r theatr.[24] Fel cysyniad beirniadol, y mae perfformio

yn cydnabod gallu disgwrs i 'greu' yn ogystal â 'disgrifio'; gan
hynny, gall olygu gweithgarwch neu broses sy'n cyflawni (S. *to
enact*) cysyniad, disgwrs neu fodel megis hunaniaeth ryweddol,
ddiwylliannol, wleidyddol, ethnig, neu grefyddol.[25] O ran perfform-
adwyedd Gorsedd y Beirdd, ffenomen ddiwylliannol effemeraidd
oedd cyfarfodydd gorseddol cynharaf Edward Williams. Nid oes
gofnodion cyflawn ohonynt wedi goroesi ac, felly, rhaid eu hail-
adeiladu ar sail amrywiol destunau: cerddi, caneuon, adroddiadau
papur newydd, traethodau a sgriptiau byrion. Er gwaethaf y
dystiolaeth hanesyddol anghyflawn, y mae cyfarfodydd gorseddol
Williams yn hynod ddiddorol o safbwynt perfformadwyedd,
oherwydd gellid synio amdanynt fel ffurf ar ymarferiad (S. *praxis*)
lle gwelir gorgyffwrdd rhwng y perfformiadol (yr allanolion a'r
paraffernalia) a'r testunol (y cerddi a'r fformwlâu a ddatganwyd
mewn cyfarfodydd).

O ddechrau gyda'r allanolion a'r paraffernalia, ystyr mwyaf
perthnasol yr enw benywaidd 'gorsedd' yw 'llys barn, brawdle,
cynhadledd, cynulleidfa, cynulliad',[26] ac ni fagodd arwyddocâd
fel enw torfol, 'yr Orsedd' tan y bedwaredd ganrif ar bymtheg.
Cwrdd barddol oedd gorsedd er mwyn cymhwyso a hyfforddi
beirdd, rheoleiddio'r gyfundrefn a chyflawni'r swyddogaeth
farddol o drosglwyddo i'r oesoedd a ddêl weledigaeth Barddas o
genedl y Cymry.[27] Gwelir, felly, bod syniadau gorseddol Williams
wedi eu gwreiddio mewn dwy ffrwd eisteddfodol: traddodiadau
brith Cymru am yr eisteddfod ganoloesol a gynhaliwyd i awdur-
dodi'r urdd broffesiynol a'i thraddodiadau, ac hefyd y mudiad
eisteddfodol cyfoes y bu Jonathan Hughes a Thomas Jones, gyda
chymorth Cymdeithas y Gwyneddigion, yn hybu o 1789 ymlaen.[28]
I bob pwrpas, felly, yr oedd 'gorsedd' ac 'eisteddfod' yn gyfystyr
i Williams a'i gymheiriaid, eithr ychwanegodd Williams haen
wleidyddol danseiliol trwy adleisio ieithwedd radicalaidd a diwyg-
iadol yr 1790au, nid yn unig yn *rationale* a defodaeth ei gyfarfodydd
gorseddol, ond yn y termau Saesneg cytras a ddefnyddiodd ar eu
cyfer: *convention, congress* ac *assembly*.[29] Os mynner, Gorsedd y
Beirdd oedd braich weinyddol Barddas ar gyfer diogelu'r tradd-
odiad barddol Cymraeg. Hi hefyd oedd wyneb cymdeithasol
Barddas, a'i bwriad oedd hyrwyddo ymwybyddiaeth hanesyddol

a thraddodiadau democrataidd, gweriniaethol a heddychol y Gymru a ddychymygasid ganddo.

Fe fu Williams yn ddigon diwyd yn disgrifio swyddogaeth a defodaeth Gorsedd y Beirdd mewn testunau traddodiadol, ond yr oedd ei gyfarfodydd gorseddol hefyd yn bethau byw, gweddol fyrfyfyr a berfformiwyd dan ei arolygiaeth ofalus; disgrifiwyd ef fel 'Pontifex Maximus' yng nghanol cylch gorseddol Eisteddfod Caerfyrddin 1819 gan ei gofiannydd cyntaf, Elijah Waring.[30] Digwyddiadau syml a *minimalist*, i bob golwg, oedd gorseddau'r 1790au. Byddai'r beirdd yn ymgynnull mewn cylch o gerrig mân, nid wedi eu gwisgo mewn gynau llaes urddasol, eithr wedi rhwymo breichrwy (rhwymyn braich) plaen am eu llewysau. Dyma ddisgrifiad o gyfarfod gorseddol a geir yn y gyfrol o gerddi Saesneg a gyhoeddwyd gan Williams yn ystod y cyfnod estynedig a dreuliodd yn Llundain rhwng 1792 ac 1795, sef *Poems, Lyric and Pastoral*:

> The Welsh Bards always meet in the open air whilst the Sun is above the horizon, where they form a *circle of stones*, according to the ancient custom; this circle they call *Cylch Cyngrair*, the *Circle of Concord*, or of *Confederation*. In these days, however, it is formed only of a few very small stones, or pebbles, such as may be carried to the spot in one man's pocket; but this would not have been deemed sufficient by those who formed the stupendous *Bardic Circle* of *Stone-henge*.[31]

Gan fod amrywiol ddisgyrsiau Barddas wedi eu hengodio ym mhob ystum ddefodol, nid yr olygfa orseddol, fel y cyfryw, oedd yn bwysig eithr ei harwyddocâd disgyrsiol. Dyma ddod at wraidd y gorgyffwrdd rhwng y perfformiadol a'r testunol, a'r modd y mae'r cyfarfodydd gorseddol cynnar yn bwrw goleuni ar y syniad o berfformadwyedd y testun a thestunoldeb perfformiad,[32] yn ogystal â'r modd y gellid honni bod defodaeth orseddol yn gwireddu, yn ogystal â disgrifio, yr hunaniaeth genedlaethol a berfformiwyd ganddi.

Yn y lle cyntaf, y mae'r cylch gorseddol yn ofod trawsnewidiol ac, felly, y mae'r lleoli corfforol o fewn y cylch yn arwyddocaol oherwydd, o gamu i'r cylch yn droednoeth, ymgorfforai gorseddogion *rationale* heddychlon a chydraddol Barddas a'i defodaeth;

croesent, yn llythrennol, drothwy syniadol. Dyfynnwyd uchod un disgrifiad yn unig o'r digwyddiadau y tu mewn i'r cylch gorseddol, a cheir eraill â chanddynt bwyslais ychydig yn wahanol. Er enghraifft, y mae un fersiwn o'r traethawd 'A Short Account of the Ancient British Bards' yn nodi pwysigrwydd 'llygad goleuni' ('the eye of light'):

> The Bards always held their meetings or Gorseddau in the open air and a conspicuous place, whilst the sun was above the horizon: *yn wyneb haul a llygad goleuni*, or *yn llygad haul, ag wyneb goleuni*.[33]

Adleisir yma'r syniad Clasurol o oleuni fel trosiad ar gyfer doethineb a oedd yn un o drosiadau cynhaliol yr Oleuedigaeth, y *siècle des lumières*, a fynnai yrru tywyllwch barbariaeth ar ffo trwy ddysg a rhesymeg, a hyder yng ngallu'r ddynoliaeth.[34] Y mae goleuni hefyd yn nodwedd sydd, o bosibl, yn adleisio defodaeth a brawdgarwch saeryddiaeth rydd.[35] Gan fod nifer o seiri rhyddion y ddeunawfed ganrif hefyd yn arddel cyffredinoliaeth ac adfywiad moesol a gwleidyddol, diau hefyd, fel y dangosodd Andrew Prescott, fod adleisiau cyffredinol o saeryddiaeth rydd yn Barddas, yn ogystal ag yn y trosglwyddo llafar sy'n nodweddu cyfarfodydd a strwythur cymdeithasaidd saeryddiaeth rydd a gorseddau Williams.[36]

Y mae urddau'r beirdd a'r derwyddon eu hunain hefyd yn perfformio arwyddocâd cyfoes Williams trwy dynnu ar ddisgwrs heddychol a rhyddewyllysiol, yn ogystal ag ymrwymiad oes yr Oleuedigaeth i ddysg: y mae gwisg wen y Derwydd yn arwydd o burdeb, gwisg las y Bardd yn arwydd o heddwch a gwisg werdd yr Ofydd yn arwydd o ddysg.[37] Ond o'u gwisgo mewn cyfarfod gorseddol (naill ai ar ffurf gŵn llaes neu freichrwy disylw), y mae allanolion gorseddol o'r fath nid yn unig yn cynrychioli rhinweddau honedig y genedl, ond yn eu hymgorffori hefyd mewn termau perfformiadol. Yn yr un modd, wrth weinio'r cledd a oedd yn symbol o heddwch a statws y bardd fel cennad heddwch, 'Herald of Peace',[38] gwireddir heddychiaeth Cymru'r gorffennol a heddychiaeth gorseddogion y presennol mewn modd sy'n atgyfnerthu perthynas gilyddol y gorffennol a'r presennol yng ngweledigaeth farddol Williams. Gwelir bod allanolion a defodaeth gorseddol,

oherwydd eu bod wedi gwreiddio'n ddwfn mewn sawl ffrwd
ddisgyrsiol, nid yn unig yn cynrychioli math arbennig o hunaniaeth
Gymreig, ond yn creu neu'n ymgorffori'r union gyflwr y cyfeiriant
ato.[39] Gellid cymhwyso'r un rhesymeg, sef bod modd creu neu
gonsurio hunaniaeth allan o gyd-destun disgyrsiol, at y datganiadau
neu'r datganiadau llafar sy'n rhan o ddefodaeth orseddol.

Amlygir perfformadwyedd yr orsedd mewn sylwadau gan
Williams yngylch pwysigrwydd trosglwyddo llafar a swydd-
ogaeth barddoniaeth fel cyfrwng i drosglwyddo gwybodaeth neu
ddysg:

> The term Bard does not signify merely a poet, it is more properly
> synonymous to the term priest, for such it certainly originally
> meant. A genius for, and a knowledge of, the laws and nature of
> poetry, was absolutely necessary . . . towards qualifying any one
> to be a Bard. And the reason of this was that in the infancy of
> society before the use of letters was known, verse or song was the
> only means, or at least the best, of transmitting to futurity, and to
> distant persons and places, what they then possessed of knowledge.
> The doctrines of religion, precepts of morality, laws and regulations
> of society, and other articles of useful knowledge, were in verse
> capable of being learned, remembered, and transmitted to posterity.
> Men will learn songs or poems of each other with ease, and with
> equal ease remember them, whereas prose discourses can not
> possibly be learned, or retained in the memory, with sufficient
> exactness and fidelity; or at least not by one in ten thousand.
> But all, even persons of very slender capacities, may learn a
> song, remember it, and transmit it with fidelity and accuracy to
> another. For this reason poetical genius and abilities were deemed
> indispensable requisites in the qualification of a Bard . . .[40]

Yr oedd llefaru neu gyhoeddi traddodiadau a gwybodaeth ddefn-
yddiol yn bwysig, felly, er mwyn eu serio ar gof a chadw:

> As one of their methods of preserving them [sef egwyddorion
> gwybodaeth a thraddodiadau], was the recital of them at the
> Gorsedd, by which all, the illiterate as well as the literate, became
> acquainted with them, till they were so rooted in the public memory
> as never to be capable of changing or undergoing any alteration.[41]

Cadw cof cenedl a wnaed mewn gorsedd, felly, ond yn sgil y gynnen ynghylch ffugiadau yr Albanwr James Macpherson o gerddi a briodolwyd i'r bardd Ossian, bwriadai Williams amddiffyn dilys-rwydd trosglwyddo llafar hefyd, a hynny er gwaethaf y ffaith ei fod yn defnyddio'r cyfrwng llafar i gyfiawnhau ei ffugiadau ei hun.[42]

Daw hyn â ni at agwedd berfformiadol fwyaf confensiynol y gorseddau, sef y deunydd a berfformiwyd. O ystyried mor dan-seiliol eu natur oedd y cyfarfodydd gorseddol a gynhaliwyd yn Llundain (eu harwyddair oedd Heddwch a Rhyddid),[43] nid yw'n syndod i Williams gyfansoddi ei gerddi mwyaf radicalaidd ar eu cyfer. Cynhaliwyd y cyfarfod gorseddol cyntaf ym mis Mehefin 1792 ar Fryn y Briallu. Yr unig gofnod cyfoes yw'r gân faith ar y fytholeg farddol, 'Ode on the Mythology of the Ancient British Bards',[44] sy'n folawd, o fath, i ryddid, rheswm, gwirionedd a heddwch. Nodir bod Williams wedi ei pherfformio yn y cyfarfod gorseddol cyntaf oll hwnnw ynghyd â'r ail un ym mis Medi y flwyddyn honno. Gellir bwrw bod Williams hefyd wedi perfformio 'Breiniau dyn' yn y cyfarfod gorseddol cychwynnol. Anthem genedlaethol amgen a genid ar dôn 'God Save the King' yw 'Breiniau dyn' sydd, wrth adleisio cyfrol bolemaidd Thomas Paine, *Rights of Man* (1791), yn ddatganiad cyhoeddus o Jacobiniaeth barddol a brawdgarwch radicalaidd. Y mae ei naws feseianaidd hefyd yn fynegiant gorfoleddus o hyder yn y Chwyldro Ffrengig a'i effeithiau:

> Dercha dy lais i Iôn,
> A'th gerdd yn felus dôn,
> Ac wrthi glŷn;
> Bid ban dy lafar gref,
> Fel sŵn taranau'r nef,
> Nes deffro'r byd â'th lef,
> Cân freiniau dyn.
>
> Rhyddid sy yn awr
> Fal llew rhuadwy mawr:
> Pob tir a'i clyw:
> A'r gwir sydd ar ei daith,
> Dros yr holl ddaear faith,

Yn seinio peraidd iaith
I ddynolryw.

Clyw'r brenin balch di-ras,
A thi'r offieirad bras:
Dau ddiawl ynglŷn!
Hir buoch fal dau gawr,
I'r byd yn felltith fawr,
Gan drochi'n llaid y llawr
Holl freiniau dyn.[45]

Cynhaliwyd ail orsedd yn yr un lleoliad fis Medi'r flwyddyn honno; yr oedd Williams, David Samwell (Dafydd Ddu Feddyg; 1759–1822), William Owen Pughe (1759–1835) ac Edward Jones (Bardd y Brenin; 1752–1824) yn bresennol a cheir adroddiad o'r digwyddiad ym mhapur newydd y *Morning Chronicle* a luniwyd, naill ai gan Samwell, neu gan Williams ei hun:

> The Bardic Tradition, and several Odes were recited. Two of the Odes, one by David Samwell, on the Bardic Discipline, the other by Edward Williams, on the Bardic Mythology, were in English and the first that were ever in the language recited at a Congress of Ancient British Bards. This was with an intention to give the English reader an idea of what, though very common in Wales, has never been properly known in England.[46]

Deallai cyd-orseddogion Williams y berthynas gilyddol rhwng dyrchafu Cymru'r gorffennol a chefnogi'r achosion cyfoes a oedd ymhlŷg, nid yn nisgyrsiau tanseiliol Barddas, ond yn y cerddi a berfformiwyd yn y gorseddau cynnar, megis cerddi dychanol i'r Brenin Siôr III,[47] a cherddi o fawl i'r breninleiddiad chwedlonol, Rhita Gawr.[48] Deallent hefyd yr effaith a ddymunai Williams ei gael ar ei gynulleidfa ddealledig y tu hwnt i gwmni hwyliog y Gwyneddigion; sef cynulleidfa Seisnig ddarllengar.

Bwriadai Williams gynnal trydedd gorsedd ym mis Rhagfyr, ond ymddengys nas gwireddwyd ei gynlluniau oherwydd yr hinsawdd wleidyddol stormus. Diddymwyd brenhiniaeth Ffrainc erbyn diwedd 1792 ac, yn ei lle, sefydlwyd gweriniaeth a oedd yn

atebol i sofraniaeth y bobl. O ganlyniad, yn Ewrop achlân tan-
seiliwyd seiliau dwyfol honedig brenhiniaeth, yn ogystal ag awdur-
dod y drefn etifeddol a chrefydd wladwriaethol. Yr oedd y rhwyg
rhwng yr Eglwys a'r wladwriaeth yn achos gofid i lywodraeth
Prydain Fawr, ond dyfnhawyd yr ymdeimlad gwrthchwyldroadol
gan y Dychryn; sef cyflafan waedlyd ym mis Medi 1792 a dienyddio
Brenin a Brenhines Ffrainc, y naill ym mis Ionawr 1793 a'r llall ym
mis Hydref y flwyddyn honno. O dan yr amgylchiadau, felly, yr
oedd mawrygu Cymru ddemocrataidd a phroto-weriniaethol yn
gyhoeddus yn annoeth a dweud y lleiaf. Yn sicr, yr oedd yn ormod
i'r brenhinwr teyrngar Edward Jones a hysbysodd y Cyfrin Gyngor
fod gan Williams gysylltiadau â chymdeithas deyrnfradwrol;
atafaelwyd papurau Williams ac ymddangosodd gerbron y Cyfrin
Gyngor.[49] Ni ellid pleidio rhyddid a brawdoliaeth fyd-eang yn
agored o dan y fath amgylchiadau a bu'n rhaid i Williams geisio
cadw proffil isel.

Adnewyddwyd gweithgarwch gorseddol Williams ym Mor-
ganwg wedi iddo ddychwelyd i Gymru yn 1795, a gwelir newid
yn ffocws y cyfarfodydd a gynhaliodd yn ei gynefin. Yn sgil ei
weithgarwch yn sefydlu Cymdeithas Dwyfundodiaid De Cymru,[50]
y mae disgwrs Undodaidd yn glir yng ngorseddau Morganwg.
Gellid cyplysu ymlyniad Barddas wrth un Duw ag Undodiaeth,[51]
ac ymhellach yng Ngorsedd Mynydd y Garth yn 1798 yr oedd
cyfansoddi emynau newydd ar gyfer yr achos Undodaidd ymhlith
y testunau a osodwyd i'r beirdd: 'Caniadau dwyfol neu hymnau
ar ddull Salmau Dafydd, ar ddymuniad Eglwysi Dwyfundodwyr
Deheubarth'.[52] Yr oedd Williams yn emynydd toreithiog, ac y
mae nifer o'i salmau yn dwyn perthynas uniongyrchol â Gorsedd
Beirdd Ynys Prydain;[53] o 1814 ymlaen yr oedd nifer o gyfarfod-
ydd gorseddol Williams yn hybu'r achos Undodaidd. Ymhellach,
dangosodd Geraint H. Jenkins y modd yr oedd Undodiaeth, ynghyd
â gelyniaeth bersonol Williams a'r Esgob Burgess, yn gefnlen i'r
eisteddfod yng Nghaerfyrddin yn 1819 pan ddaethpwyd â'r orsedd
dan adain yr eisteddfod am y tro cyntaf.[54]

Yn ei hastudiaeth o'i waith, dadleuodd Gwyneth Lewis y
bwriadai Williams ddefnyddio Barddas a Gorsedd y Beirdd yng
Nghymru fel academi Gymraeg ei hiaith ac fel cyfrwng i ledaenu

Undodiaeth radicalaidd.[55] Perfformir y wedd hon ar Gymru ei
ddychymyg mewn cywydd a luniwyd gan Williams ar gyfer gorsedd
ar Fynydd y Garth yn 1797,[56] a berfformiwyd mewn gorsedd ar
Fynydd Dinorwig, sir Gaernarfon yn 1799, ac a gyhoeddwyd wedi
marwolaeth Williams yn yr ail argraffiad o'i emynau Undodaidd,
Salmau yr Eglwys yn yr Anialwch (1834).[57] Y mae 'Cywydd gorymbil
ar heddwch' yn ategu ei wrthwynebiad ideolegol i ryfel, ac yn
cyflwyno rhyfel fel un o gyfryngau gormes brenhinol.[58] Yn ôl y
weledigaeth farddol, cennad heddwch oedd y Bardd a disgwylid
i elynion ar faes y gad ollwng eu harfau yn ei bresenoldeb.[59] Y mae
dwy adran o'r cywydd yn annerch milwr,[60] ond oherwydd swydd-
ogaeth heddychlon y bardd y mae Williams yn cyfrif ei hun ymhlith
y beirdd sy'n melltithio'r milwr.[61] Adleisir ei arwyddair barddol
enwocaf, 'Y gwir yn erbyn y byd', yn y ffrâm a rydd i'w ddadl, sef
'Gwir a'i drin ar frenhinoedd'.[62] Yn y darn a ddyfynnir isod, gwelir
mai 'tystion gwychion i'r gwir' yw'r beirdd sy'n driw i egwyddorion
Barddas, ac amddiffyn y gwirionedd yw eu nod:

> Er maint ein gwae, mae i'n mysg
> A gâr hedd a gair addysg;
> Rhai tystion gwychion i'r gwir,
> A'i wawl i'n plith a welir;
> Taer eu llais, er maint yw'r llid,
> A'r amledd, a'u mawr ymlid.
> Er maint budredd, llyfredd llwyr,
> Yma soniant am synnwyr,
> A diball wawl cydwybod,
> Gair eu Naf, y gwir a'i nod;
> Dyred! O! dangnef dirion,
> At a'th gais â'u llais yn llon.
> Awen y gerdd yn eu gwaith
> Sy'n gweini sain eu gwiniaith,
> Cân a rydd, cain yw'r oddeg,
> Yn ein mysg, ei dysg yn deg.
> E'th fawl beirddion gwychion gant,
> Â'u meliaith hwy'th ganmolant,
> Adroddant ein derwyddon
> Gân newydd a dedwydd dôn;[63]

Swyddogaeth y bardd yw canu'r gwir: 'Fy marddair, y gair a'm gwedd/ Yw gair uniawn gwirionedd'.[64]

Enaid hoff cytûn i Williams o safbwynt anghydffurfiaeth resymegol oedd Thomas Evans (Tomos Glyn Cothi; 1764–1833). Lluniodd yntau gywydd ar yr un pwnc sy'n datguddio 'y Gwir yn erbyn y Byd' trwy gondemnio offeiriaid a brenhinoedd am beidio â meithrin heddwch:

> Does gobaith daw esgobion,
> Ofer haid, i fawrhau hon;
> A brenhinoedd heb floedd flwng
> Dalu iddi barch deilwng:
> Gynnen llawn ac ennyn llid,
> A rhyfel, pob rhyw ofid,
> Ydyw gwynfyd a bryd bron
> Ceidwaid pob rhyw hocedion;
> A bradwyr, heb wiw rodiad,
> I'r werin yw'r gerwin gad.
>
> Difwyn i borthi'r defaid
> Yw'r 'ffeiriadon hyllion haid;
> Ceisiant, heb gêl, ryfeloedd
> Â geiriau blin, garw eu bloedd.[65]

Fodd bynnag, er bod Evans yn adleisio rhethreg a dicter Williams, y mae ei gywydd yn fwy *engagé* o safbwynt gwleidyddol ac, felly, yn cynnwys naratif o'r anawsterau a wynebai'r diwygwyr y mae'n eu parchu fwyaf; sef Richard Brinsley Sheridan, Charles James Fox, Charles Stanhope a Charles Grey.[66] Cerdd sy'n cyfleu brawdgarwch deallusol a barddol â Williams yw hon felly. Y mae gwrthglerigiaeth Williams ac Evans yn bwnc cerdd orseddol arall sydd yn dangos grym y gair llafar, sef 'Trioedd yr Offeiriaid'. Lluniwyd y gyfres hon o dribanau Morgannwg i'w perfformio mewn gorseddau yn 1797 ac 1798. Dyma'r ddau bennill clo:

Tri pheth a wela i'n gyfion:
Rhoi clod i hael ei galon,
   Parch i'r dyn a wedo'r gwir,
A chebyst i'r 'ffeiradon.

Tri pheth a gâr fy nghalon:
Heddychu rhwng cymdogion,
   Cadw'r iawn rhag mynd ar goll,
A chrogi'r holl 'ffeiradon.[67]

Copïwyd hwynt i lawysgrif bersonol Evans, 'Y Gell Gymysg', gan Williams, ond cynigiodd Evans ddarlleniadau amgen o linellau clo ymffrostgar y ddau bennill: yn lle 'A chebyst i'r 'ffeiradon' cynigiodd 'A'u haeddiant i'r 'ffeiradon', a meiriolodd 'A chrogi'r holl 'ffeiradon' yn 'Diswyddo'r holl 'ffeiradon'.[68] Gan mai cerdd a luniwyd ar gyfer cael ei datgan mewn gorsedd oedd hon, gellid dehongli ymyrraeth olygyddol Evans fel amlygiad o'i bryder ynghylch rhoi bywyd i'r disgwrs a ymgorfforir yn y geiriau. Dagrau pethau i Thomas Evans oedd na fuodd yn ddigon gofalus wrth berfformio ei egwyddorion gwleidyddol ei hun; yn 1802 carcharwyd ef am deyrnfradwriaeth wedi iddo gael ei ddal yn canu 'Cân Rhyddid', fersiwn Gymraeg o'r 'Marseillaise', mewn cwrw bach.[69]

Ymhelaethodd Williams ar bwysigrwydd llafaredd a swyddogaeth y bardd mewn drafft arbennig o'r traethawd 'A Short Account of the Ancient British Bards' sy'n cynnwys manylion ychwanegol ac yn agor cil y drws ar union natur y perfformio.[70] Y mae'r drafft yn cynnwys atodiad sy'n atgynhyrchu 'sgriptiau' byrion ar gyfer gwahanol agweddau ar y cyfarfodydd gorseddol, megis cyhoeddi gorsedd, agor a chloi cyfarfod, derbyn a chadarnhau aelodau, a graddio beirdd.

Short speeches were used in opening and closing a Gorsedd; formal with respect to the matter, they need not be so in the words, such as the following: *Y Gwir yn erbyn y Byd*. Ag yn nawdd Beirdd Ynys Prydain pawb a gyrchant hyn o le, lle nid noeth arf yn eu herbyn, a phawb a geisiant Urddas a Thrwyddedogaeth wrth

Gerdd a Barddoniaeth, Ceisiant gan Wallter Mechain, a Gwilym
Owain, a Dafydd Ddu Eryri, a Sion Penllyn, a hwynt oll a yn *Feirdd
trwyddedog ymraint* Beirdd Ynys Prydain. *Y Gwir yn erbyn y Bŷd.*[71]

Ar un gwastad, y mae ieithwedd ffug-ganoloesol a hunan-
ymwybodol y datganiadau hyn yn rhan annatod o'r perfformiad,
nid yn unig am eu bod yn rhoi dilysrwydd hanesyddol honedig
ar y datganiadau, ond am eu bod yn tanlinellu aralledd a natur
drawsffurfiol y gorseddau. Ar wastad arall, gellid ystyried y
sgriptiau byrion hyn yn fodd o sicrhau y dilynir iawn-ddefodaeth
('formal with respect to the matter, but they need to be so in the
words'), ond y mae'r patrwm o agor a chloi'r datganiadau gydag
arwyddair, unwaith eto, yn sylweddoliad o ymlyniad y beirdd
wrth wirionedd: cynhyrchir y gwir trwy sefyll yn y cylch gorseddol
a datgan y fformwla, yr arwyddair, neu'r cerddi priodol.

Apêl a pharhad Gorsedd y Beirdd

Y mae cyfnodau o argyfwng yn cyd-fynd â phob trobwynt neu
ddatblygiad yn hanes Gorsedd y Beirdd.[72] Fe'i ganed yng nghysgod
Chwyldro Ffrengig 1789 ac ymrafael gwleidyddol yr 1790au ac,
er gwaethaf ei gorwelion cenedlaethol, bu'n lleol ei dylanwad
ymhlith Cymdeithas y Gwyneddigion yn Llundain, beirdd ac
Undodwyr Morgannwg a chylch barddol gogleddig David Thomas
(Dafydd Ddu Eryri). Gyda gorseddau Cymdeithas y Maen Chwŷf,
Pontypridd dan ofal Thomas Williams (Gwilym Morganwg;
1778–1835) cafwyd cenhedlaeth newydd o gefnogwyr yn ogystal
â chyfnod o ymbarchuso. Cynhaliwyd y gorseddau hyn rhwng
1814 ac 1817 yn sgil yr heddwch rhwng Ffrainc a Phrydain pan
ddaeth y Rhyfeloedd Napoleonaidd i ben. Y testun a osodwyd i'r
beirdd ar gyfer yr orsedd gyntaf yn y gyfres a gynhaliwyd ym
Mhontypridd 1 Awst 1814 oedd 'Addferiad Heddwch',[73] ac arwein-
iodd Edward Williams orymdaith ar hyd un o strydoedd y dref.[74]
Yn wahanol i orseddau dirgel yr 1790au, felly, digwyddiadau
cyhoeddus oedd gorseddau'r Maen Chwŷf, a daethant yn ganol-
bwynt ar gyfer gweithgarwch llenyddol yn yr ardal.

Daeth cyfnod o ddatblygiad arwyddocaol pellach i Orsedd y Beirdd yn 1819 pan gynhaliwyd Gorsedd fel rhan o eisteddfod a gynhaliwyd yng Nghaerfyrddin dan nawdd Cymdeithas Gymroaidd Dyfed ac a osododd cynsail ar gyfer dod â Gorsedd y Beirdd dan adain yr eisteddfod. Gellid dadlau mai ei pherthynas â'r eisteddfodau taleithiol a oedd yn gyfrifol am boblogeiddio Gorsedd y Beirdd yn y cyfnod hwn, oherwydd enillodd gynulleidfa newydd iddi, a thaflwyd elfennau radicalaidd Barddas i'r cysgod gan sicrhau bod ei gwedd gyhoeddus yn fwy derbyniol. Cyflawnodd eisteddfod Caerfyrddin 1819 agenda genedlaethol Barddas, oherwydd nid prawf o warineb hynafol Cymru yn unig oedd perfformiadau barddol Gorsedd y Beirdd, eithr cyfrwng i adfer Cymru. I Williams, yr oedd priodas Gorsedd y Beirdd a'r egin fudiad eisteddfodol yn nodi cychwyn cyfnod newydd i Gymru, 'the age of Restitution' (oes yr adferiad), chwedl yntau.[75] Yn wir, ei hymwneud â'r mudiad eisteddfodol taleithiol oedd dechrau gyrfa wirioneddol genedlaethol Gorsedd y Beirdd ond, fel y dengys gwaith ymchwil Hywel Teifi Edwards ar yr eisteddfod a ffigwr y bardd, ni fyddai'r yrfa honno yn ystod Oes Fictoria yn ddidramgwydd:

> Rhwng meini'r Orsedd safent ar wahân yn ffantasïwyr chwerthinllyd na fynnent dderbyn bod oes eu hofergoel, fel y Gymraeg hithau, drosodd. Ym 1819, yn yr eisteddfod bwysig gyntaf a gynhaliwyd yn y bedwaredd ganrif ar bymtheg, rhoddwyd i'r Gymraeg ddelwedd iaith echdoe, a bu'n gaeth i'r ddelwedd honno am weddill y ganrif.[76]

Prin y ceid perfformiad symlach na chyfarfodydd gorseddol y ddeunawfed ganrif dan oruchwyliaeth eu crëwr, Edward Williams.[77] Fodd bynnag fe drawsffurfiwyd Gorsedd y Beirdd wrth i genedlaeth newydd feddiannu ei defodaeth at ddibenion y Gymry a ddychmygent hwy. Y mae parhad y cerrig gorseddol yn tystio i boblogrwydd parhaus Barddas ac y mae eu maintioli yn dyst, nid yn unig i hoffter Oes Fictoria am basiant gweladwy a thrawiadol, ond i awydd pobl yr oes i ddefnyddio pasiant er mwyn sefydlu hunaniaeth sefydliadol barhaol i'r Orsedd. Yr un rhesymeg sydd y tu ôl i'r gwisgoedd urddasol, heb sôn am yr haenau defodol

a'r paraffernalia materol – yr hierarchiaeth a swydd yr Arch-
dderwydd, y corn hirlas, cyfarchion Mam a Merch y Fro, dawns
y blodau – a ychwanegwyd mewn cyfnodau diweddarach a
roes mwy o bris ar fateroldeb. Er mor bendodol oedd y Gymru a
ddychmygir yn Barddas, yr oedd ei strwythur, ei themâu a'i disgwrs
yn ddigon gwydn ac hefyd yn ddigon hyblyg i ganiatáu yr holl
newid ac addasu a ddigwyddodd wedi dyddiau Edward Williams.
Er enghraifft, gellid deall apêl Gorsedd y Beirdd a Barddas, gyda'u
pwyslais ar ragoriaeth ieithyddol, diwylliannol a moesol y genedl
Gymreig, i apolegwyr Cymru'r cyfnod argyfyngus a ddaeth yn
sgil Brad y Llyfrau Gleision (1847).

I gloi, y mae'r ddeinameg rhwng perfformadwyedd a thestun-
oldeb yng Ngorsedd y Beirdd yn codi cwestiwn pwysig ynghylch
ei chynulleidfa ddealledig. Er gwaethaf y ffaith eu bod yn cystadlu
â'r eisteddfodau a noddwyd gan Gymdeithas y Gwyneddigion,
gellid synio am gyfarfodydd gorseddol Williams fel eisteddfodau
amgen a gynigiai ddifyrrwch i aelodau dethol iawn o blith y
Gwyneddigion; yn yr un modd, dyweder, â chymdeithasau'r
Caradogion, yr Ofyddion a'r Cymreigyddion. Er bod Barddas
yn cynrychioli dehongliad goddrychol Williams o'r traddodiad
Cymreig, cydgordiai ei weledigaeth â delfrydau'r mudiad hynaf-
iaethol ac, yn hyn o beth, yr oedd Gorsedd y Beirdd yn gyfrwng i
orseddogion berfformio eu hunaniaeth dorfol ac i arddel yr hyn a
oedd ganddynt yn gyffredin, sef eu brawdgarwch gwleidyddol,
diwylliannol a chenedlgarol. Perfformio'r genedl i gyd-aelodau'r
genedl a wnaed yn y cyd-destun hwn, felly. Y mae'r un peth yn
wir am orseddau Morgannwg, gan gynnwys gorseddau'r Maen
Chwŷf. Agorwyd cynulleidfa leol Gorsedd y Beirdd yn sgil ei
chysylltiad â Chymdeithas y Maen Chwŷf, ac agorwyd cynulleidfa
genedlaethol ehangach yn sgil ei chysylltiad â mudiad yr eistedd-
fodau taleithiol. Yn y testunau sy'n ymwneud â Barddas a Gorsedd
y Beirdd, ac yn enwedig y testunau printiedig a grybwyllwyd
yn y bennod hon, anelai Williams ei neges gadarnhaol ynghylch
Cymru ddoe a heddiw at gynulleidfa ddarllengar, ddiwylliedig
Seisnig. Er nad oes modd dadlau yn glir mai disgwrs gwrth-
Brydeinig a geir yn Barddas, ac yn y modd y cyflwynir hi drwy
Orsedd y Beirdd, gellid dadlau bod Williams yn cynnig her i ddisgwrs

ymerodrol y wladwriaeth Brydeinig yn ei ddarlun o'r Cymry fel
y Prydeinwyr gwreiddiol a bod yr her yn cynnig patrwm moesol
a gwleidyddol dichonadwy i Brydeinwyr cyfoes yn ogystal. Yr hyn
a olygir yng ngwaith Hywel Teifi Edwards ar y genedl lân, lonydd
a ddychmygwyd gan Gymru gorseddol ac eisteddfodol Oes Fictoria,
yw eu bod wedi mewnoli'r disgwrs ymerodrol a Phrydeinig y bu
crëwr Gorsedd y Beirdd yn ei herio â chymaint o arddeliad.

Nodiadau

1   Benedict Anderson, *Imagined Communities: Reflections on the Origin and
    Spread of Nationalism* (argraffiad diwygiedig, London, 2006), tt. 4–7,
    passim.
2   Hywel Teifi Edwards, *The Eisteddfod* (Cardiff, 1990), tt. 16–17, 19. Ar
    gyfer llyfryddiaeth lawn Hywel Teifi Edwards, gweler Huw Walters,
    'Llyfryddiaeth yr Athro Hywel Teifi Edwards', yn Tegwyn Jones a
    Huw Walters (goln), *Cawr i'w Genedl: Cyfrol i Gyfarch yr Athro Hywel
    Teifi Edwards* (Llandysul, 2008), tt. 283–304.
3   Cathryn A. Charnell-White, *Bardic Circles: National, Regional and Personal
    Identity in the Bardic Vision of Iolo Morganwg* (Cardiff, 2007), tt. 1–43,
    passim.
4   Peter Lord, *Words With Pictures: Welsh Images and Images of the Welsh in
    the Popular Press, 1640–1860* (Aberystwyth, 1995); W. J. Hughes, *Wales
    and the Welsh in English Literature from Shakespeare to Scott* (Wrexham,
    1924). O ran testunau cynradd nodweddiadol, gweler [William Richards],
    Wallography or the Britton describ'd (London, 1682); Ned Ward, *A Trip to
    North-Wales: Being a Description of that Country and People* (London,
    1701).
5   Prys Morgan, 'Wild Wales: Civilizing the Welsh from the Sixteenth
    to the Nineteenth Centuries', yn P. Burke, B. Harrison a P. Slack (goln),
    Civil Histories: Essays Presented to Sir Keith Thomas (Oxford, 2001),
    tt. 265–84.
6   Owen Jones, Edward Williams a William Owen Pughe, *The Myvyrian
    Archaiology of Wales* (London, 1801), cyfrol I, p. x; LlGC 13112B, t. 12.
7   LlGC 13121B, t. 486.
8   Lois Whitney, *Primitivism and the Idea of Progress in English Popular
    Literature of the Eighteenth Century* (New York, 1973), tt. 7, 10–12, 14, 22,
    passim; M. M. Rubel, *Savage and Barbarian: Historical Attitudes in the
    Criticism of Homer and Ossian in Britain, 1760–1800* (Oxford, 1978);
    Murray Pittock, *Inventing and Resisting Britain: Cultural Identities in
    Britain and Ireland, 1685–1789* (London, 1997), t. 153.

9 Sam Smiles, *The Image of Antiquity: Ancient Britain and the Romantic Imagination* (London, 1994), tt. 75–112.

10 Rubel, *Savage and Barbarian: Historical Attitudes in the Criticism of Homer and Ossian in Britain, 1760–1800*, t. 22; Joep Leerssen, 'Ossian and the Rise of Literary Historicism' yn Howard Gaskill (gol.), *The Reception of Ossian in Europe* (London, 2004), tt. 110, 113; Mary-Ann Constantine, 'Ossian in Wales and Brittany' yn Gaskill (gol.), *The Reception of Ossian in Europe*, tt. 67–90; eadem., *The Truth Against the World: Iolo Morganwg and Romantic Forgery* (Cardiff, 2007), tt. 85–142.

11 Joep Leerssen, *Mere Irish and Fíor-Ghael: Studies in the Idea of Irish Nationality, its Development and Literary Expression prior to the Nineteenth Century* (Cork, 1996), *passim*; idem., *Remembrance and Imagination: Patterns in the Historical and Literary Representation of Ireland in the Nineteenth Century* (Cork, 1996).

12 'Philistor' (John Pinkerton), *Letters to the People of Great Britain on the Cultivation of their National History*, LVIII, part 1 (1788).

13 Smiles, *The Image of Antiquity*, tt. 75–112; Stuart Piggot, *The Druids* (London, 1999), tt. 20, 91–3.

14 Ar gyfer trafodaeth ar amlygrwydd ac arwyddocâd gwaith sy'n cynrychioli *bricolage*, gweler Jon Mee, *Dangerous Enthusiasm: William Blake and the Culture of Radicalism in the 1790s* (Oxford, 1992).

15 Gweler Damian Walford Davies, *Presences that Disturb: Models of Romantic Identity in the Literature and Culture of the 1790s* (Cardiff, 2002), t. 160.

16 LlGC 13121B, t. 206.

17 LlGC 13089E, t. 287.

18 LlGC 13121B, tt. 472–3.

19 Ibid., t. 475.

20 LlGC 13123B, tt. 383–4, 423–4.

21 Ibid., t. 183

22 LlGC 13097B, t. 207. Gw. hefyd LlGC 13087E, t. 22; Taliesin Williams (gol.), *Cyfrinach Beirdd Ynys Prydain* (Abertawy, 1829), tt. 11 ,14, 15.

23 LlGC 13121B, t. 424.

24 Carolina Duttlinger, Lucia Ruprecht ac Andrew Webber (goln), *Performance and Performativity in German Cultural Studies* (Oxford, 2003), tt. 9–10, 11. Gweler hefyd James Loxley, *Performativity* (London, 2007).

25 Mae gwaith Judith Butler, sy'n trafod perfformio rhywedd a hunaniaeth ryweddol, yn enghraifft dda o'r modd y defnyddir y term perfformadwyedd i ddisgrifio'r modd y mae strwythurau disgyrsiol yn creu, ac nid yn unig yn disgrifio, modelau o hunaniaeth ryweddol. Gweler *Gender Trouble: Feminism and the Subversion of Identity* (argraffiad diwygiedig, New York and London, 2007), tt. 34, 185–93; eadem, *excitable speech: A Politics of the Performative* (London, 1997), *passim*.

26 *GPC* II, t. 1495 *sub* 'gorsedd.'
27 Charnell-White, *Bardic Circles*, t. 182, t. 170.
28 Edwards, *The Eisteddfod*, t. 12; Helen Ramage, 'Eisteddfodau'r Ddeunawfed Ganrif', yn Idris Foster (gol.), *Twf yr Eisteddfod* (Abertawe, 1968), tt. 9–27; Charnell-White, *Bardic Circles*, tt. 119–22; eadem., 'Networking the nation: the bardic and correspondence networks of Wales and London in the 1790s', yn Mary-Ann Constantine a Dafydd Johnston (goln), *Footsteps of Liberty and Revolt: Essays on Wales and the French Revolution* (Cardiff, 2013), tt. 143–67.
29 Am drafodaeth helaethach, gweler Charnell-White, *Bardic Circles*, tt. 20–1, 121–3.
30 Elijah Waring, *Recollections and Anecdotes of Edward Williams* (London, 1850), tt. 52–3.
31 Edward Williams, *Poems, Lyric and Pastoral* (2 gyfrol, London, 1794), cyfrol II, t. 39.
32 Sef 'the performativity of the text, and the textuality of performance', yn Carolina Duttlinger et al. (goln), *Performance and Performativity in German Cultural Studies*, tt. 9–10.
33 Charnell-White, *Bardic Circles*, t. 189.
34 Gweler hefyd ddisgrifiad arall sy'n cynnwys pwyslais tebyg, LlGC 13089E, t. 451.
35 Andrew Prescott, 'Iolo Morganwg and Freemasonry', <*http://www.freemasons-freemasonry.com/prescott10.html*> [Cyrchwyd 19 Mai 2015]; Geraint H. Jenkins, 'Iolo Morganwg and the Gorsedd of the Bards of the Isle of Britain', *Studia Celtica Japonica*, 7 (1995), 365–86.
36 Gweler 'A Short Account of the Ancient British Bards', Charnell-White, *Bardic Circles*, tt. 186, 190; Prescott, 'Iolo Morganwg and Freemasonry'.
37 Charnell-White, *Bardic Circles*, tt. 20–1, 121–3, 176.
38 Charnell-White, *Bardic Circles*, tt. 176, 184.
39 'The act of representing something *is that thing itself*', Duttlinger et al. (goln), *Performance and Performativity in German Cultural Studies*, t. 13.
40 LlGC 13097B, tt. 123–4. Dyfynnir yn Charnell-White, *Bardic Circles*, t. 182.
41 LlGC 13097B, tt. 129–30. Dyfynnir yn Charnell-White, *Bardic Circles*, t. 185.
42 Constantine, *The Truth Against the World*, tt. 116–18; 129–42.
43 Charnell-White, *Bardic Circles*, t. 198.
44 Williams, *Poems, Lyric and Pastoral*, Cyfrol II, tt. 193–216.
45 Edward Williams, 'Breiniau dyn' (rhif 18), Charnell-White, *Welsh Poetry of the French Revolution 1789–1805* (Cardiff, 2012), tt. 154–61. Addasiad rhydd yw'r gerdd hon o gân radicalaidd gan Robert Thomson a

gyhoeddwyd yn 1792; gweler Mary-Ann Constantine ac Elizabeth Edwards, '"Bard of Liberty": Iolo Morganwg, Wales and Radical Song', yn Michael Brown, John Kirk ac Andrew Noble (goln), *Political Poetry and Song in the Age of Revolution. Volume 1 United Islands? The Languages of Resitance* (London, 2012) tt. 63–76.

46 Dyfynnir yn Geraint a Zonia Bowen, *Hanes Gorsedd y Beirdd* (Abertawe, 1991), t. 22. Cyhoeddwyd disgrifiad gan Edward Jones yn ei gyfrol *The Bardic Museum* (1802).

47 'Beddwers Siôr y Crinwas', LlGC 13126A, tt. 246–7; 'I ryfel Siôr y Crinwas', LlGC 21404F, 13b. Gweler Charnell-White, *Welsh Poetry of the French Revolution*, tt. 20–1, 23, 417–8, 435, 440.

48 Ar gyfer Rhita Gawr, gweler Charnell-White, *Welsh Poetry of the French Revolution*, tt. 20, 35, 39; David Samwell, 'The Resurrection of Rhitta Gawr', yn Elizabeth Edwards (gol.), *English-Language Poetry from Wales 1789–1806* (Cardiff, 2013), rhif 7, tt. 79–83.

49 Tecwyn Ellis, *Edward Jones Bardd y Brenin 1754–1824* (Caerdydd, 1957), tt. 24, 32; Geraint H. Jenkins, *The Bard of Liberty: The Political Radicalism of Iolo Morganwg* (Cardiff, 2012), t. 112.

50 Geraint H. Jenkins, 'The Unitarian Firebrand, the Cambrian Society and the Eisteddfod', yn Geraint H. Jenkins (gol.), *A Rattleskull Genius: The Many Faces of Iolo Morganwg* (Cardiff, 2005), tt. 269–92.

51 Gweler William Owen, *The Heroic Elegies of Llywarç Hen* (London, 1792), t. xxviii: 'at all times espoused the sacred doctrine of a belief in one God, the Creator, and Governor of the Universe'. Gweler hefyd D. Elwyn J. Davies, 'Astudiaeth o feddwl a chyfraniad Iolo Morganwg fel Rhesymolwr ac Undodwr' (traethawd Ph.D. anghyhoeddedig Prifysgol Cymru, 1975).

52 LlGC 13136A, t. 249.

53 Neilltuir adran benodol i salmau gorseddol Edward Williams yn Cathryn A. Charnell-White (gol.), *Detholiad o Salmau Iolo Morganwg* (Aberystwyth, 2009), tt. 258–66.

54 Gweler Charnell-White, *Bardic Circles*, t. 150; Jenkins, 'The Unitarian Firebrand, the Cambrian Society and the Eisteddfod'.

55 Gwyneth Lewis, 'Eighteenth-Century Literary Forgeries with Special Reference to the Work of Iolo Morganwg' (traethawd D.Phil. anghyhoeddedig Prifysgol Rhydychen, 1991), rhan II.

56 'Y Gell Gymysg', LlGC 6238A, t. 204.

57 Cedwir 'Cywydd gorymbil ar heddwch' ar glawr a chadw ar ddwy ffurf: fersiwn hir (282 o linellau) a fersiwn byr (184 o linellau). Cyhoeddwyd y fersiwn byr yn *Salmau yr Eglwys yn yr Anialwch* (1834), tt. 220–7.

58 Edward Williams, 'Cywydd gorymbil ar heddwch' (rhif 24), Cathryn A. Charnell-White, *Welsh Poetry of the French Revolution*, llau 31–42, tt. 184–6.

59 LlGC 13189E, t. 444; LlGC 13097B, t. 275.

60 'Cywydd gorymbil ar heddwch' (rhif 24), Charnell-White, *Welsh Poetry of the French Revolution*, llau 43–148, 169–82, tt. 184–99.

61 Charnell-White, *Welsh Poetry of the French Revolution*, ll. 170, t. 192.

62 Charnell-White, *Welsh Poetry of the French Revolution*, ll. 193, t, 194.

63 Charnell-White, *Welsh Poetry of the French Revolution*, llau 225–44, tt. 194–6.

64 Charnell-White, *Welsh Poetry of the French Revolution*, llau 203–4, t. 194.

65 Thomas Evans, 'Cywydd ar heddwch' (rhif 44), ibid., llau 125–38, tt. 328.

66 Charnell-White, *Welsh Poetry of the French Revolution*, llau. 145–68, t. 330. Gweler ymateb David Davis, Castellhywel i gywydd Thomas Evans: yn wyneb delfrydiaeth gwleidyddol a rhethreg radicalaidd Evans, ceir agwedd gwbl ymarferol yn englynion Davis wrth iddo bleidio bwyd dros ryddid, ibid., rhif 16, llau 5–12, t. 146.

67 Charnell-White, *Welsh Poetry of the French Revolution*, rhif 23, llau 89–96, tt. 180–2.

68 'Y Gell Gymysg', LlGC 6238A, llau 92, 96. tt. 215–20.

69 Marion Löffler, *Welsh Responses to the French Revolution: Press and Public Discourse 1789–1802* (Cardiff, 2012), tt. 33–5, 44, 48–9; Geraint H. Jenkins, '"A Very Horrid Affair": Sedition and Unitarianism in the Age of Revolutions', yn R. R. Davies a Geraint H. Jenkins (goln), *From Medieval to Modern Wales: Historical Essays in honour of K. O. Morgan and Ralph A. Griffiths* (Cardiff, 2004), tt. 175–96.

70 LlGC 13097B, tt. 123–52.

71 Charnell-White, *Bardic Circles*, t. 193. Gellir gweld y sgriptiau neu'r fformwlâu yn ibid., tt. 191–8.

72 Gweler trafodaeth lawn yn Charnell-White, *Bardic Circles*, tt. 118–57.

73 Charnell-White, *Bardic Circles*, tt. 148–50.

74 Owen Morgan (Morien), *The History of Pontypridd and the Rhondda Valleys* (Pontypridd, 1903), t. 6.

75 LlGC 13131A, t. 364.

76 Hywel Teifi Edwards, 'Y Gymraeg yn yr Eisteddfod', yn Geraint H. Jenkins (gol.), *Gwnewch Bopeth yn Gymraeg: Y Gymraeg a'i Pheuoedd 1801–1911* (Caerdydd, 1999), t. 279.

77 Williams, *Poems, Lyric and Pastoral*, cyfrol II, t. 39.

Llyfryddiaeth Gyfeiriadol

Anderson, Benedict, *Imagined Communities: Reflections on the Origin and Spread of Nationalism* (argraffiad diwygiedig, London, 2006).

Bowen, Geraint a Zonia, *Hanes Gorsedd y Beirdd* (Abertawe, 1991).

Brown, Michael, Kirk, John ac Noble, Andrew (goln), *Political Poetry and Song in the Age of Revolution. Volume 1 United Islands? The Languages of Resistance* (London, 2012).

Butler, Judith, *Gender Trouble: Feminism and the Subversion of Identity* (argraffiad diwygiedig, New York and London, 2007).

Butler, Judith, *Excitable speech: A Politics of the Performative* (London, 1997).

Burke, Peter, Brian Harrison a Paul Slack (goln), *Civil Histories: Essays Presented to Sir Keith Thomas* (Oxford, 2001).

Cathryn A. Charnell-White, *Bardic Circles: National, Regional and Personal Identity in the Bardic Vision of Iolo Morganwg* (Cardiff, 2007).

Cathryn A. Charnell-White, 'Networking the nation: the bardic and correspondence networks of Wales and London in the 1790s', yn Mary-Ann Constantine a Dafydd Johnston (goln), *Footsteps of Liberty and Revolt: Essays on Wales and the French Revolution* (Cardiff, 2013), tt. 143–67.

Cathryn A. Charnell-White, *Welsh Poetry of the French Revolution 1789–1805* (Cardiff, 2012).

Cathryn A. Charnell-White, (gol.), *Detholiad o Salmau Iolo Morganwg* (Aberystwyth, 2009).

Constantine, Mary-Ann, 'Ossian in Wales and Brittany' yn Gaskill (gol.), *The Reception of Ossian in Europe* (London, 2004), tt. 67–90.

Constantine, Mary-Ann, *The Truth Against the World: Iolo Morganwg and Romantic Forgery* (Cardiff, 2007).

Constantine, Mary-Ann ac Edwards, Elizabeth, '"Bard of Liberty": Iolo Morganwg, Wales and Radical Song', yn Michael Brown, John Kirk ac Andrew Noble (goln), *Political Poetry and Song in the Age of Revolution. Volume 1 United Islands? The Languages of Resistance* (London, 2012).

Constantine, Mary-Ann a Johnston, Dafydd (goln), *Footsteps of Liberty and Revolt: Essays on Wales and the French Revolution* (Cardiff, 2013).

Davies, D. Elwyn J., 'Astudiaeth o feddwl a chyfraniad Iolo Morganwg fel Rhesymolwr ac Undodwr' (traethawd Ph.D. anghyhoeddedig Prifysgol Cymru, 1975).

Davies, Damian Walford, *Presences that Disturb: Models of Romantic Identity in the Literature and Culture of the 1790s* (Cardiff, 2002).

Davies, R. R. a Jenkins, Geraint H. (goln), *From Medieval to Modern Wales: Historical Essays in honour of K. O. Morgan and Ralph A. Griffiths* (Cardiff, 2004).

Duttlinger, Carolina, Ruprecht, Lucia ac Webber, Andrew (goln), *Performance and Performativity in German Cultural Studies* (Oxford, 2003).

Edwards, Elizabeth (gol.), *English-Language Poetry from Wales 1789–1806* (Cardiff, 2013).

Edwards, Hywel Teifi, *The Eisteddfod* (Cardiff, 1990)

Edwards, Hywel Teifi, 'Y Gymraeg yn yr Eisteddfod', yn Geraint H. Jenkins (gol.), *'Gwnewch Bopeth yn Gymraeg': Y Gymraeg a'i Pheuoedd 1801–1911* (Caerdydd, 1999), tt. 275–95.

Ellis, Tecwyn, *Edward Jones Bardd y Brenin 1754–1824* (Caerdydd, 1957).

Gaskill (gol.), Howard, *The Reception of Ossian in Europe* (London, 2004).

Hughes, W. J., *Wales and the Welsh in English Literature from Shakespeare to Scott* (Wrexham, 1924).

Hutton, Ronald, *The Druids* (Hambleton, 2007).

Jenkins, Geraint H., 'Iolo Morganwg and the Gorsedd of the Bards of the Isle of Britain', *Studia Celtica Japonica*, 7 (1995), 365–86.

Jenkins, Geraint H., *The Bard of Liberty: The Political Radicalism of Iolo Morganwg* (Cardiff, 2012).

Jenkins, Geraint H., 'The Unitarian Firebrand, the Cambrian Society and the Eisteddfod', yn Geraint H. Jenkins (gol.), *A Rattleskull Genius: The Many Faces of Iolo Morganwg* (Cardiff, 2005).

Jenkins, Geraint H., (gol.), *A Rattleskull Genius: The Many Faces of Iolo Morganwg* (Cardiff, 2005).

Jenkins, Geraint H., '"A Very Horrid Affair": Sedition and Unitarianism in the Age of Revolutions', yn R. R. Davies a Geraint H. Jenkins (goln), *From Medieval to Modern Wales: Historical Essays in honour of K. O. Morgan and Ralph A. Griffiths* (Cardiff, 2004), tt. 175–96.

Jenkins, Geraint H., (gol.), *'Gwnewch Bopeth yn Gymraeg': Y Gymraeg a'i Pheuoedd 1801–1911* (Caerdydd, 1999).

Jones, Owen, Williams, Edward a Pughe, William Owen (goln), *The Myvyrian Archaiology of Wales* (London, 1801).

Jones, Tegwyn a Walters, Huw (goln), *Cawr i'w Genedl: Cyfrol i Gyfarch yr Athro Hywel Teifi Edwards* (Llandysul, 2008).

Leerssen, Joep, 'Ossian and the Rise of Literary Historicism' yn Howard Gaskill (gol.), *The Reception of Ossian in Europe* (London, 2004).

Leerssen, Joep, *Mere Irish and Fior-Ghael: Studies in the Idea of Irish Nationality, its Development and Literary Expression prior to the Nineteenth Century* (Cork, 1996).

Leerssen, Joep, *Remembrance and Imagination: Patterns in the Historical and Literary Representation of Ireland in the Nineteenth Century* (Cork, 1996).

Lewis, Gwyneth, 'Eighteenth-Century Literary Forgeries with Special Reference to the Work of Iolo Morganwg' (traethawd D.Phil. anghyhoeddedig Prifysgol Rhydychen, 1991).

Löffler, Marion, *Welsh Responses to the French Revolution: Press and Public Discourse 1789–1802* (Cardiff, 2012).

Lord, Peter, *Words With Pictures: Welsh Images and Images of the Welsh in the Popular Press, 1640–1860* (Aberystwyth, 1995).

Loxley, James, *Performativity* (London, 2007).

Mee, Jon, *Dangerous Enthusiasm: William Blake and the Culture of Radicalism in the 1790s* (Oxford, 1992).

Morgan, Owen (Morien), *The History of Pontypridd and the Rhondda Valleys* (Pontypridd, 1903).

Morgan, Prys, 'Wild Wales: Civilizing the Welsh from the Sixteenth to the Nineteenth Centuries', yn Peter Burke, Brian Harrison a Paul Slack (goln), *Civil Histories: Essays Presented to Sir Keith Thomas* (Oxford, 2001), tt. 265–84.

Owen, William, *The Heroic Elegies of Llywarç Hen* (London, 1792).

Piggot, Stuart, *The Druids* (London, 1999).

Piggot, Stuart, *The Druids* (London, 1999).

Pittock, Murray, *Inventing and Resisting Britain: Cultural Identities in Britain and Ireland, 1685–1789* (London, 1997).

'Philistor' (John Pinkerton), *Letters to the People of Great Britain on the Cultivation of their National History*, LVIII, part 1 (1788).

Prescott, Andrew, 'Iolo Morganwg and Freemasonry', http://www.freemasons-freemasonry.com/prescott10.html (cyrchwyd 19 Mai 2015).

Ramage, Helen, 'Eisteddfodau'r Ddeunawfed Ganrif' yn Idris Foster (gol.), *Twf yr Eisteddfod* (Abertawe, 1968).

[Richards, William], *Wallography or the Britton describ'd* (London, 1682).

Rubel, M. M., *Savage and Barbarian: Historical Attitudes in the Criticism of Homer and Ossian in Britain, 1760–1800* (Oxford, 1978).

Smiles, Sam, *The Image of Antiquity: Ancient Britain and the Romantic Imagination* (London, 1994).

Walters, Huw, 'Llyfryddiaeth yr Athro Hywel Teifi Edwards', yn Tegwyn Jones a Huw Walters (goln), *Cawr i'w Genedl: Cyfrol i Gyfarch yr Athro Hywel Teifi Edwards* (Llandysul, 2008), tt. 283–304.

Ward, Ned, *A Trip to North-Wales: Being a Description of that Country and People* (London, 1701).

Waring, Elijah, *Recollections and Anecdotes of Edward Williams* (London, 1850).

Whitney, Lois, *Primitivism and the Idea of Progress in English Popular Literature of the Eighteenth Century* (New York, 1973).

Williams, Edward, *Poems, Lyric and Pastoral* (2 gyfrol, London, 1794).

Williams, Taliesin (gol.), *Cyfrinach Beirdd Ynys Prydain* (Abertawy, 1829).

6

Yr Eisteddfod yng Ngweithiau Hywel Teifi Edwards: Parth Ymreolaethol dros dro?

Rowan O'Neill

Yn narlith Hywel Teifi Edwards yn Eisteddfod Genedlaethol Llanelli a'r Cylch 2000, ceir datganiad pwerus ac uniongyrchol am arwyddocâd a phwysicrwydd yr eisteddfod yn *psyche* Cymru. Teitl ei ddarlith oedd, 'Yr Eisteddfod Genedlaethol a delwedd y Cymry', ac yno cyflwynodd weledigaeth o'r eisteddfod fel grym a fu'n ganolog i barhad bywyd cenedlaethol yn y Gymru fodern.[1] Ychydig flynyddoedd ynghynt, yn 1995, bu Edwards yn feirniad ar gystadleuaeth yn yr adran rhyddiaith yn Eisteddfod Genedlaethol Bro Colwyn o dan y teitl, 'Sgwrs ddychmygol rhwng Eisteddfodwr ddoe ac Eisteddfodwr heddiw'. Wrth drafod ymdrech un o'r ymgeiswyr mae Edwards yn beirniadu ymateb eisteddfodwr ddoe, Mr Bifan, i'r fenyw ifanc, Nia, eisteddfodwraig heddiw, am ei fod yn, 'tueddu i fod yn garreg ateb iddi yn hytrach na charreg hogi'.[2] Yn y traethawd hwn byddaf yn defnyddio elfennau o waith Edwards fel math o garreg hogi er mwyn dadlau dros bwysigrwydd parhaol yr eisteddfod i ddatblygiad bywyd cenedlaethol Cymru a hynny ar sail ei arwyddocâd fel gweithred celfyddydol, cenedlaethol sy'n galluogi mynegiant gweledol o'r Gymraeg, sydd, yn ei dro, yn cynnig amlygiad rhyngwladol i'r iaith a'r diwylliant Cymraeg. Ar ben hynny, byddaf yn dadlau dros ystyried yr eisteddfod fel y'i cynrychiolir yng ngweithiau Edwards fel math o barth ymreolaethol dros dro gan ddilyn syniadaeth yr athronwr anarchaidd Hakim Bey.

Wrth agor ei ddarlith yn Llanelli, cyfeiria Edwards at sylwadau Saunders Lewis cyn i'r brifwyl ymweld â Llanelli yn 1930:

Yn 1930 ar drothwy trydydd ymweliad y brifwyl â Llanelli, y
tynnodd Saunders Lewis sylw at ddibristod y Cymry o hanes yr
Eisteddfod. Pa bryd, gofynnodd, y dôi hanesydd atebol nid yn
unig i groniclo ffeithiau'i thwf ond i gynnig, 'a penetrating vision
into its place in Welsh life and a special study of the sentiment
and activities that have crystallized about it?'³

Mae'n bosib dadlau taw Edwards oedd yr hanesydd hwnnw
gan feddwl am ei ymrwymiad wrth astudiaeth ysgolheigaidd o'r
eisteddfod fel y'i mynegir mewn gweithiau o'i eiddo megis *Gŵyl
Gwalia: Yr Eisteddfod Genedlaethol yn Oes Aur Victoria 1858–1868*
(1980) *Eisteddfod Ffair y Byd: Chicago 1893* (1990) *Yr Eisteddfod: Cyfrol
Ddathlu Wyth Ganmlwyddiant Yr Eisteddfod, 1176–1976* (1976) a'r
gyfrol cyfrwng Saesneg, *The Eisteddfod* (1990) yn y gyfres Writers
of Wales.⁴ Serch hynny, yn ei ddarlith yn 2000, aiff Edwards ymlaen
i drafod her Lewis gan gyfaddef nad yw hanes cynhwysfawr yr
eisteddfod eto wedi ei ysgrifennu a hynny er gwaethaf ei waith
a'i ymroddiad ei hun i'r maes.

Gan ddilyn yn ôl troed Lewis, mae Edwards yn gosod ei her ei
hun gan alw am brosiect prifysgol – '[g]orchwyl ysblennydd' i 'roi
i'r Cymry olwg fawr ar y grymoedd a fu'n adeiladu eu hunaniaeth
ar lwyfan eu sefydliad cenedlaethol poblogaidd hynaf'.⁵ Mae'n
disgrifio'r prosiect hwn mewn manylder gan gynnwys trin a thrafod
yr angen i olrhain twf yr eisteddfod leol fesul sir, gan ddadlau, 'fe
fyddai'r darlun a geid o ddylanwad hydreiddiol y 'mores' eistedd-
fodol ar ddiwylliant gwerin Cymru yn drawiadol' (t. 1). Mae'n
awgrymu cyfrol sy'n olrhain hanes yr eisteddfod fesul degawd o
1880 ymlaen gan ei fod eisoes wedi delio gyda'r ddau ddegawd
cyntaf yn ei waith ef. Ar ben hynny, dadleua y dylid gwneud
gwaith ar ddefnydd yr eisteddfod gan Gymry alltud; yn Lloegr,
Gogledd America, Patagonia, Awstralia a De Affrica ac yn olaf,
geilw am gyfrol am agweddau Lloegr tuag at yr eisteddfod o Oes
Fictoria ymlaen '(gan seicotherapydd yn ddelfrydol)' (t. 1) ac
ymateb y Cymry i'r cyfryw agweddau.

Yn ôl Simon Brooks, holl bwrpas gwaith Edwards yw'r ymdrech
barhaus i esbonio'r rhesymau hanesyddol dros gyfyngu'r Gymraeg
i rai peuoedd o weithgarwch cymdeithasol yn unig yn ystod y

bedwaredd ganrif ar bymtheg.[6] Yn y cyd-destun hwnnw, mae
Brooks yn cynnig bod Edwards yn canolbwyntio ar yr eisteddfod
yn ei waith fel, '"maes ymrafael" lle y mae gwahanol syniadau am
lenyddiaeth, gwleidyddiaeth a hunaniaeth Gymraeg, Gymreig a
Phrydeinig yn ymgiprys â'i gilydd' (t. 118). Yn ei waith mwyaf cyn-
hwysfawr ar y pwnc, mae Edwards yn dadlau bod yr 'Eisteddfod
Genedlaethol' yn Oes Fictoria yn rhan o ymgais, 'i droi'r "Eistedd-
fod" yn foddion i gyflenwi anghenion y genedl ar ôl i'r Llyfrau
Gleision ei gwneud o'r newydd yn ingol ymwybodol ohonynt'.[7]
Sefydlwyd yr Eisteddfod Genedlaethol honno felly mewn oes pan
oedd, '"arweinwyr" y genedl yn fawr eu gofid a'u gofal am ei
delwedd yng ngolwg Lloegr' (t. 380). Bryd hynny, daeth yr eistedd-
fod yn brawf o'u parodrwydd i gydymffurfio – ac un o'r agweddau
amlycaf o'r cydymffurfiad hwnnw oedd ymdeimlad o warth tuag
at yr iaith Gymraeg:

> Driven by utilitarianism, coated in *hwyl* it clattered towards its
> place in the imperial sun sounding aloud its belief all the while
> in the redemptive power of English, its incomparable loyalty
> to the Crown, its pre-eminent religious fervour, its deep moral
> earnestness, its genius for choral singing (strictly oratorio), and
> its innocent love of home.[8]

Trwy ddisgrifiadau fel yr uchod, mae Edwards yn dynodi cyfyng-
gyngor y Cymry yn ystod y bedwaredd ganrif ar bymtheg. Ar y
naill law, 'Craidd eu daionusrwydd moesol oedd y Gymraeg' tra,
ar y llaw arall, 'Gobaith eu cynnydd materol oedd y Saesneg'.[9]
Serch hynny, mae'r rhan helaethaf o ddarlith Edwards yn Llanelli
yn canolbwyntio ar eisteddfodau cenedlaethol yr 1930au am eu
bod nhw'n agor drws i gyfnod o drawsnewid a welodd yr eistedd-
fod 'genedlaethol' yn ymgymreigio. Yn Eisteddfod Genedlaethol
Machynlleth, 1937, derbyniwyd cyfansoddiad newydd a orseddodd
y Gymraeg yn iaith swyddogol y brifwyl[10] ac yn Eisteddfod Gened-
laethol Caerffili, 1950, gweithredwyd y rheol Gymraeg am y tro
cyntaf yn ei chyflawnder.[11] Dro ar ôl tro yn ei waith ysgrifenedig,
dychwel Edwards at bwysigrwydd y rheol Gymraeg fel egwyddor
hollbwysig i hanfod ac ystyr yr eisteddfod. Yn ôl Edwards, o

ganlyniad i fabwysiadu'r rheol Gymraeg yn 1950, gwaredwyd yr eisteddfod genedlaethol rhag y 'sgitsoffrenia a fu'n bygwth ei difetha ers chwedegau'r ganrif ddiwethaf'.[12]

Gan gadw'n driw i'w weledigaeth o bwysicrwydd yr eisteddfod fel cerbyd diwylliannol i'r iaith Gymraeg, mae darlith Edwards yn Llanelli yn fath o anerchiad, nid yn unig i'r eisteddfod, ond i'r mileniwm hefyd gan ei bod yn gosod strategaeth a chynllun clir i'r genhedlaeth nesaf ynglŷn â sut i gynnal iaith a diwylliant Cymru, trwy ganolbwyntio ar yr eisteddfod fel math o hedyn mwstard neu lefain. Mae'r dyfodol hwn yn cynnwys defnyddio posibiliadau technegol yr oes fel ffordd o ehangu cwmpas yr iaith a'r diwylliant ar lwyfan byd-eang:

> Yn y flwyddyn 2000 y mae'r We a'r chwyldro digidol yn cynnig iddi ddyfodol rhyfeddol ei bosibiliadau – fe fydd iddi gynulleidfa fyd-eang os myn – ac fe olyga hynny y bydd y ddelwedd o'r genedl a ddengys i'r byd o'r pwys mwyaf. Na foed inni ailymddangos ar lwyfan ein prifwyl fel dyn bach wedi drysu.[13]

Fodd bynnag, hanner ffordd trwy ei ddarlith, cyflwyna Edwards ddisgrifiad Caradoc Evans o'r eisteddfod fel, 'a meaningless and purposeless show. A spectacular pageant that may gratify the desires of the curious, whose minds are unable to read into it any meaning above the plane of a carnival parade' (t. 9). Yn draddodiadol, ystyrir carnifal fel digwyddiad lle mae normau a hierarchaethau bywyd beunyddiol yn cael eu troi ar eu pennau. Cynigia waith yr athronwr anarchaidd, Hakim Bey, ffordd arall o feddwl am garnifal, neu, yn y cyd-destun hwn, eisteddfod, sy'n rhoi iddi gyd-destun gwleidyddol-celfyddydol. Yn 1991 cyhoeddodd Bey draethawd sy'n cyflwyno'r cysyniad o'r parth ymreolaethol dros dro (sef *temporary autonomous zone*). Mae'r cysyniad yn disgrifio tacteg gymdeithasol-wleidyddol o greu gofodau dros dro sy'n osgoi strwythurau ffurfiol o reolaeth. Mae'r parth ymreolaethol dros dro yn cael ei ddynodi fel math o ŵyl, neu wrthryfel, digwyddiadau nad sy'n gallu digwydd bob dydd rhag iddynt ddyfod yn gyffredin, 'Like festivals, uprisings cannot happen every day – otherwise they would not be "nonordinary"'.[14] Yn rhinwedd eu harbenigrwydd, yn ôl Bey, 'such moments of intensity give shape and meaning to the entirety of a life' (*www.hermetic.com*). Yn unôl â'r model hwn, hoffwn gynnig y posibiliad o ystyried yr eisteddfod genedlaethol yn yr un modd, hynny yw, fel parth ymreolaethol dros dro.

Hyderaf bod ymateb Edwards i'r eisteddfod yn cefnogi neu hyd yn oed yn cyfiawnhau fy nadl. Er mwyn amlygu hynny, ystyriwn y pwyslais a roddwyd ganddo ar arwyddocâd yr eisteddfod i ddelwedd bywyd cenedlaethol Cymraeg yng nghyd-destun ei bryderon ynghylch statws yr iaith. Er bod ei ddarlith ym Mhrifwyl Llanelli yn llawn gobaith am ddyfodol yr eisteddfod, mae Edwards yn nodi pryderon am gyflwr yr iaith yn ardal Llanelli mewn erthygl yng nghylchgrawn *Barn* a gyhoeddwyd yn yr un mis â'i ddarlith eisteddfodol, 'Prifwyl Llanelli a'r Gymraeg'.[15] Yn yr erthygl, cyfeiria at gyflwr cyfredol Llanelli, gan drafod y dref fel un sydd o'r pwys strategol pennaf o ran ennill brwydr yr iaith. Mae'n ysgrifennu yn sgil datblygiad newydd yn yr ardal, Parc Arfordirol y Mileniwm, sy'n cynrychioli'r gobaith i adfywio'r ardal trwy ail-fframio'r dref oddi fewn i gyd-destun amgylchedd a thwristiaeth. Er bod Edwards yn canmol y fenter am yr ymdrech i fagu cymeriad newydd, apelgar i'r dref, mae hefyd yn cyhoeddi rhybudd cryf rhag i'r datblygiadau golli 'nod amgen personoliaeth Llanelli, sef ei Chymreigrwydd, ni bydd mwyach ond plisgyn o le a bydd y golled yn enfawr' (t. 39). Amlyga ei bryderon trwy ei ddisgrifiad Saesneg o'r hyn y gallai'r dref ddyfod i fod sef, 'a kind of Welsh place' (t. 39). Er mwyn osgoi'r posibilrwydd hwnnw, mae'n galw ar Gyngor y Dref a'r Cyngor Gwledig i gynllunio ar gyfer sefydlu canolfan Gymraeg, amlbwrpas yn y dref i fod yn bwerdy ar gyfer creu prosiectau a hyrwyddo gweithgareddau er bywiocáu diwylliant Cymraeg y dref a'r pentrefi o'i hamgylch. Mae'n dadlau o blaid y ganolfan yn nhermau ei harwyddocâd rhyngwladol, 'Fe fyddai creu canolfan o'r fath yn brosiect diwylliannol o arwyddocâd cyffredinol, oherwydd y mae brwydr y Gymraeg yn frwydr y bydd cannoedd o ieithoedd ledled y byd yn ei hwynebu'n fuan' (t. 39).

Yn 2012, rhoddodd yr athro David Crystal ddarlith yn Llyfrgell Genedlaethol Cymru ar bwnc tranc ieithyddol. Yn ystod ei anerchiad, dywedodd bod 96 y cant o ieithoedd y byd yn cael eu siarad

gan dim ond 4 y cant o boblogaeth y byd. Cyfeiriodd at ragfyneg-
iadau presennol y bydd hanner yr ieithoedd yn y byd yn marw
yn ystod y ganrif hon. Fframiodd yr argyfwng ieithyddol yn
nhermau'r argyfwng ecolegol sydd yn ein wynebu yng nghyd-
destun colli rywogaethau planhigion a chreaduriaid. Yn y cyd-
destun hwnnw, nododd fodolaeth y mudiad gwyrdd a'r amlyg-
rwydd mae ei bryderon ynglŷn â'r amgylchedd wedi hen dderbyn
ond nododd nad yw'r gofid ynglŷn â bygythiad i ieithoedd y byd
yn cael yr un parch na sylw. Er mwyn archwilio canlyniadau tranc
ieithyddol, cyfeiriodd at waith gosod gan yr artist Rachel Berwick[16]
o dan y teitl *may-por-é*.

Yn y gwaith hwnnw, mae'r artist yn archwilio hanes iaith
ddarfodedig y Maypure, llwyth o Venezuela a gafodd ei ddileu
gan lwyth cyfagos mewn brwydr. Ar ôl yr ymosodiad, cymerodd
y rhai oedd yn llwyddiannus anifeiliaid anwes y Maypure, eu
parotiaid. Yn hwyrach, rhoddwyd un o'r parotiaid hynny i'r
naturydd Almaeneg, Alexander Von Humboldt, oedd yn teithio
trwy'r ardal er mwyn trio darganfod tarddiad afon Orinoco.
Sylweddolodd y dyn hwnnw bod y parot yn siarad iaith gwahanol
i'r llwyth roedd e'n aros gydag e, sef iaith y llwyth a ddifawyd.
Y parotiaid, felly, oedd yr unig siaradwyr byw o'r iaith Maypure,
'the sole conduit through which an entire tribe's existence could
be traced' (*www. rachelberwick.com*). Penderfynodd Von Humboldt
ddogfennu geirfa'r parot ac mae ei nodiadau yn cynrychioli unig
olion ieithyddol y llwyth coll. Hyfforddodd Rachel Berwick ddau
barot o'r Amazon i siarad Maypure ar gyfer ei gosodiad hi. Mae'r
adar yn cael eu gosod mewn adardy cerfluniol ac fe'u gwelir fel
cysgodion trwy waliau tryloyw. Maent yn siarad ac mae eu hiaith
yn cael ei ymgorffori gyda lliaws o synau eraill a greir ganddynt
a'u hamgylchedd. Cyflwynodd Crystal y gwaith hwn fel un o'r
ychydig weithiau celf sydd yn mynd i'r afael â cheisio mynegi a
chynrychioli ymateb i golled ieithyddol. Yn nhyb Crystal, yr
hyn sydd ei angen er mwyn codi ymwybyddiaeth o argyfwng
ieithyddol yw'r gallu i greu gwell cysylltiadau cyhoeddus, hynny
yw, y gallu i gyfathrebu'n eang ynghylch bodolaeth a phrofiad
ieithyddol. Y bobl sydd yn y sefyllfa gorau i wneud hynny, cynigia,
ydy artistiaid.

Yn ystod 2006 cafodd Hywel Teifi Edwards ei gyfweld ar faes yr Eisteddfod Genedlaethol yn Abertawe ar gyfer rhaglen deledu o'r enw, 'Channel 4's Big Art Project'.[17] Pwrpas y rhaglen hon oedd archwilio'r broses o greu celf gyhoeddus trwy ddilyn bob cymal o'r broses o gomisiynu'r gwaith hyd at osod y prosiect. Bwriadai'r rhaglen ddarganfod pa mor llwyddiannus oedd artistiaid a'u prosiectau wrth ymateb i anghenion a gobeithion y cymunedau roeddynt yn creu gwaith ar eu cyfer. Ymhlith y chwech o drefi ym Mhrydain a ddewiswyd i gymryd rhan yn y rhaglen roedd tref yng Nghymru, Aberteifi, a hynny ar ôl i swyddog datblygu glannau'r afon Teifi gyflwyno cais llwyddiannus yn rhinwedd ei waith ar gynllun adfywio ardal y cei yn y dref. Nod y cynllun hwnnw oedd addasu'r ardal er mwyn hybu'r economi lleol trwy yr hyn y cyfeiriwyd ato ar y pryd fel eco-twristiaeth.[18] Yn ystod ffilmio ar gyfer y rhaglen ymwelodd cynlluniwr y prosiect ag Eisteddfod Genedlaethol Abertawe er mwyn cyfweld ag Edwards. Y rheswm penodol dros y cyfweliad oedd agosrwydd y safle oedd wedi ei benodi ar gyfer y gwaith celf yn Aberteifi at adfeilion castell Aberteifi, lleoliad a adnabyddir yn y llawysgrif ganoloesol *Brut y Tywysogion* fel man geni'r eisteddfod.[19]

Yn y cyfweliad, mae Edwards yn sylwebu ar ddigwyddiad yn Aberteifi yn 1176, gan bwysleisio'r gwaith marchnata fu ynghlwm ag e. Yn ôl y cofnod, dywed Edwards, hysbysebwyd y wledd Nadoligaidd trwy Gymru, yr Alban, Lloegr a'r ynysoedd tu hwnt, ac hyd yn oed yn America! Aiff ymlaen i gynnig esboniad gweddol ddiweddar yr Athro Caerwyn Williams ynglŷn â gwreiddyn y digwyddiad cyntaf, sy'n awgrymu i'r Arglwydd Rhys, tra ym myddin Henry II yn Normandi, Ffrainc, ddod ar draws math o gystadleuaeth o'r enw *puy* ble'r roedd beirdd a chantorion yn meistroli eu crefft. Mae'n gorffen wrth nodi:

Probably Lord Rhys to celebrate the building of his castle had fused two cultures, our own old Celtic Welsh culture, which was competitive in its essence, but he fused that with what he'd seen in France . . . that means from its inception the Eisteddfod has been a kind of international affair.[20]

Mewn ymateb i'r syniad hwn, mae ei holwr yn gofyn, 'so what you're saying is that . . . the very first one was very much outward looking and international' (*www.culturecolony.com*). Yn y cyd-destun hwn, mae gobeithion y datblygwr ar gyfer prosiect celf Aberteifi yn adleisio agwedd benodol ar fenter eisteddfodol yr Arglwydd Rhys. Adleisir yr elfen rhyngwladol a nodweddai'r eisteddfod gyntaf yn y cynlluniau ar gyfer y gwaith celf cyhoeddus y gobeithir ei osod yn Aberteifi, 'We are working with international artist Raphael Lozano-Hemmer on an installation that we hope will become a feature on Cardigan's waterfront'.[21] Ni ddarlledwyd mo'r cyfweliad gydag Edwards fel rhan o'r gyfres y Big Art Project ond mae'r darn yn ei gyfanrwydd i'w weld heddiw ar wefan 'Y Wladfa Newydd', gwasanaeth ar-lein ar gyfer y sector diwylliannol yng Nghymru sydd â chylch gwaith penodol sy'n canoli ar y celfyddydau gweledol. Lanlwythwyd y cyfweliad i'r safle fel teyrnged i'r hanesydd adnabyddus ar ôl ei farwolaeth ar 4 Ionawr 2010. Ni chafodd gwaith Lozano-Hemmer mo'i osod ar lannau'r afon Teifi chwaith. Yn 2010, cyhoeddwyd yn y wasg leol na fyddai'r artist yn bwrw ymlaen â'i brosiect oherwydd diffyg cefnogaeth yn y gymuned. Serch hynny, hoffwn archwilio'r cefndir i brosiect celf Aberteifi ymhellach gan gynnig cyswllt rhwng syniadaeth David Crystal ynglŷn â phwysigrwydd artistiaid wrth greu gwell rhwydweithiau cysylltiadau cyhoeddus fel modd o warchod ieithoedd lleiafrifol. Wrth wneud hynny, byddaf yn dadlau taw'r rheswm dros fethiant y Big Art Project yn Aberteifi oedd am-harodrwydd yr artist i fynd i'r afael ag ystyriaethau ieithyddol lleol, a'i fethiant i gydnabod y posiblrwydd o gyd-destun ryng-wladol, celfyddydol i'r iaith Gymraeg. Does dim dwywaith nad oes elfen gref o eironi ynghlwm â'r cyfryw fethiannau o ystyried bod lleoliad arfaethedig y gwaith yng nghysgod safle cyfarfod eisteddfodol Aberteifi, 1176.

Ar yr adeg y dewiswyd Lozano-Hemmer ar gyfer y prosiect celf gyhoeddus yn Aberteifi, roedd yn dod yn enw adnabyddus ym myd celf cyfryngau newydd ym Mhrydain ac ar lwyfan rhyng-wladol. Roedd ar fin cychwyn ar brosiect ar gyfer Sgwâr Trafalgar yn Llundain ac roedd ganddo waith hefyd yn y Barbican.[22] Yn aml, roedd ei weithiau wedi eu gosod mewn lleoliadau penodol cyhoeddus, dinesig ac ar raddfa fawr. Yn eu gwaith *Rethinking Curating: Art after New Media* mae'r awduron Graham a Cook yn cysylltu celfyddydau perfformio gydag ymarferion amlgyfrwng yn hytrach na theatr, gan gyfeirio at y defnydd o gyfryngau, sain, goleuadau a phresenoldeb corfforol. Wrth wneud y cyfryw gysylltiad maent yn cyfeirio at waith Rafael Lozano-Hemmer gan gynnig cyd-destun ehangach i'w ymarfer: 'New media may be immaterial, but it can also be "located", and this hybridity between the site specific and the online is often found in ... participative project[s]'.[23] Un o'i brosiectau cyfranogol a gaiff sylw yn llyfr Graham a Cook yw prosiect o'r enw *Body Movies: Relational Architecture 6* (2001). Mae'n brosiect sy'n cyflwyno natur ymarfer Lozano-Hemmer fel un sy'n ddibynnol ar bobl i ryngweithio gyda'r gwaith. Arsefydliad enfawr ar gyfer 'outdoor plazas and public squares' (t. 119) oedd *Body Movies, Relational Architecture 6*. Cynigiai'r prosiect y cyfle i gyfranwyr greu cysgodion cawraidd gyda'u cyrff; cysgodion mwy o faint nag 'advertising billboards' (t.119). Ffurfiai'r cyfryw ddelweddau math o sbectacl a ddeilliai o fewnbwn ac ymdrech y cyfranwyr.

Wedi iddo gael ei gomisiynu gogyfer prosiect Aberteifi, penderfynodd yr artist leoli ei brosiect celf ar yr afon Teifi ei hun, y nodwedd ddaearyddol y gellid dadlau iddi sicrhau bodolaeth y dref yn y lle cyntaf.[24] Gan ganfod ysbrydoliaeth o'r bwâu yr oedd wedi eu gweld ar yr afon ac ar yr aber, cynlluniodd yr artist osod nifer o fwâu ar yr afon, gyferbyn â'r cei oedd wedi ei ailddatblygu. Bwriadwyd goleuo'r bwâu gan oleuadau *LED* a oedd hefyd yn mynd i gynnwys seinydd. Roedd y seinydd yn gysylltiedig â meicroffonau ar lan yr afon ble gallai bobl adael negeseuon. Byddai'r sain yn cael ei recordio trwy'r meicroffonau ac wedyn yn cael ei ryddhau gyda symudiad llanw a thrai'r afon i greu trac sain cyfareddol. Roedd yna elfen ar-lein i'r gwaith hefyd oedd yn galluogi i bobl recordio sain o bell trwy wefan benodol. Y gobaith oedd y byddai modd cyfrannu at y gwaith yn Aberteifi ble bynnag roedd cyfranwyr ar draws y byd. Yn eu trafodaeth o waith Lozano-Hemmer, mae Graham a Cook yn rhoi sylw i'r cyfrifoldeb sy'n disgyn ar y gynulleidfa oherwydd natur cyfranogol y gwaith:

The opportunity for bombast and spectacle, not to mention for the amplified conflict of shadow-play violence and sex, is obvious. The artist has described, however, that trust should be placed in the participants to deal with the dynamics in ways appropriate to their own culture.[25]

Mae ymateb Lozano-Hemmer i agwedd ei gynulleidfa i'r gwaith yn rhagdybio bod ei gynulleidfa yn adnabod ei diwylliant ei hun. Fodd bynnag, fel mae'n mynd ymlaen i esbonio, 'local cultures deal with these choices in their own way. Shadows are live and fleeting, but participation that is recorded, especially as text, can be more problematic' (t. 119).

Yn y cyfarfod ble y datguddiodd yr artist ei syniad i dref Aberteifi am y tro cyntaf, disgrifiwyd y cynllun gan un aelod o'r gynulleidfa fel 'elephantine flatulence'.[26] Dilynodd cyfres o lythyron dadleugar ym mhapur lleol y *Tivy-side Advertiser* yn trafod y syniad. Ymysg y cwynion ynglŷn â'r hyn roedd yr artist wedi ei gyflwyno oedd y ffaith bod y bwâu eu hun yn cael eu gweld gan rai fel rhwystr peryglus i'r sawl a hwyliai gychod ar yr afon. Roedd yna bryderon hefyd ynglŷn â'r llygredd golau o'r bwâu a'u potensial i amharu ar anifeiliaid gwyllt yr afon, y pysgod yn benodol. Roedd cwynion mwy personol hefyd yn gofyn pam na ddewiswyd artist lleol ar gyfer y gwaith. Roedd ambell i gynnig o waith arall ar gyfer y cei, megis cerflun o'r Arglwydd Rhys, yn ogystal â phryderon ynglŷn â phobl yn rhegi i'r meicroffonau ac am y potensial o gyfraniadau gwrth-gymdeithasol eraill. Daeth hi'n amlwg o'r dangosiad cyntaf i'r artist gynnig syniad pryfoclyd a dadleuol i rai o drigolion y dref. Teitl ei waith oedd *Turbulence*. Hoffwn gynnig taw dibyniaeth prosiect Lozano-Hemmer ar gyfranogiad llafar, er mwyn dod â'r gwaith yn fyw, oedd wrth wraidd an-sicrwydd cymuned Aberteifi tuag ato a hynny am ei fod yn waith celfyddydol cyhoeddus. Yng nghyd-destun cymuned ddwyieithog, ble mae dewisiadau diwylliannol ynghlwm wrth ddewisiadau ieithyddol, mae datganiadau cyhoeddus, megis y rhai oedd wrth wraidd prosiect celfyddydol Lozano-Hemmer yn Aberteifi, yn rhoi cyfrifoldebau diwylliannol ychwanegol ar gyfranwyr/gynull-eidfa'r gwaith.

Yn 2005 gwrthodwyd cynnig celfyddydol arall ar gyfer safle cyfagos yn Aberteifi, prosiect sy'n cynnig persbectif arall ar gelf, iaith a'r cysyniad o'r eisteddfod fel math o gelf ryngwladol. Yn Ebrill 2005 ysgrifennodd Peter Lord adroddiad yn amlinellu ei weledigaeth ar gyfer Amgueddfa Hanes Diwylliant Gweledol Cymru. Yn ei adroddiad mae'n cyfeirio at gyfarfod cyhoeddus yn Aberteifi ym Mawrth 2005, lle cynigiodd ei syniad o'r amgueddfa ar gyfer safle'r castell yn Aberteifi.[27] Ar gychwyn ei gynnig, mae Lord yn nodi bod Cymru yn anarferol ymysg gwledydd Ewrop oherwydd nad oes ganddi amgueddfa wedi ei neilltuo'n gyfan gwbl at arddangos ei diwylliant gweledol hi'i hun.[28] Dychmyga Lord amgueddfa ble byddai'r dehongliad o'r delweddau yn berthnasol i'r modd roeddent yn adlewyrchu ac yn dylanwadu ar esblygiad cymdeithas yng Nghymru (t. 3). Yn ei adroddiad mae Lord yn cyfeirio at pa mor addas fyddai safle castell Aberteifi fel lleoliad ar gyfer amgueddfa sy'n canolbwyntio ar ddehongli diwylliant gweledol Cymru am ei fod yn adeilad o ddiddordeb pensaernïol ar safle gyda phwysigrwydd cenedlaethol oherwydd ei gysylltiad gydag eisteddfod gyntaf yr Arglwydd Rhys.

Trwy gydol ei gynnig, mae Lord yn cyfeirio at ei waith ysgolheigaidd, arloesol ar ddarganfod diwylliant gweledol Cymru, gan gynnwys ei gyfrol sy'n archwilio perthynas yr eisteddfod genedlaethol ei hun gyda chelf a chrefft, *Y Chwaer-Dduwies: Celf, Crefft a'r Eisteddfod* (1992). Yn y gyfrol hon, mae Lord yn archwilio perthynas yr eisteddfod, sefydliad cenedlaethol cyntaf Cymru, gyda syniadau am gelf yng Nghymru. O reidrwydd mae'n dadlau:

> yr Eisteddfod, am flynyddoedd lawer, oedd ffocws ymdrechion y rheini oedd am ddatblygu a diwygio'r diwylliant gweledol cynhenid. Serch hynny, sefydliad pur anaddas i'r swyddogaeth a gafodd ei gwthio arni gan amgylchiadau oedd yr Eisteddfod.[29]

Yn ôl Lord,

> Nid arddangosfa na chystadleuaeth flynyddol oedd yr ateb er mwyn creu traddodiad o gelfyddyd academaidd Cymreig. Academi go iawn oedd yr ateb, a chartref parhaol iddi ar dir

Cymru, yn ogystal â rhwydwaith o sefydliadau cyhoeddus eraill i gomisynu a chartrefu ei chynnyrch. (t. 14)

Caiff y berthynas rhwng yr eisteddfod a syniadau am gelf ei esbonio ymhellach gan Lord wrth iddo gyfeirio at arddangosfa y trefnodd Iorwerth Peate yn Aberteifi yn 1942.

Yn 1942 cynhaliwyd yr eisteddfod genedlaethol yn Aberteifi am yr eildro. Yn y flwyddyn honno, trefnwyd arddangosfa o wrthrychau yn perthyn i grefftau gwledig a diwydiannau'r sir gan Iorwerth Peate, ceidwad Adran Bywyd Gwerin yr Amgueddfa Genedlaethol. Yn ei gyfrol, mae Lord yn cyfeirio at honiad a wnaed gan Iorwerth Peate yn ystod 1938 – y degawd a welodd ymgymreigio'r eisteddfod yn ôl Hywel Teifi Edwards. Yn y flwyddyn honno, nododd Peate:

> 'nad oes y fath beth â phaentio cenedlaethol Gymreig' a bod yr holl syniad o nodweddion cenedlaethol yn eu hamlygu eu hunain mewn celfyddyd yn lol. Yr unig arwydd o genedligrwydd oedd iaith, 'geiriau a chystrawen, gyda'u gwerthoedd arbennig ym myd y galon a'r ysbryd, a'u hystyr arbennig i Gymro nas deallir yn llawn gan neb arall – dyna unig gyfrwng diwylliant cenedlaethol'.[30]

Fel yr esbonia Lord, roedd Peate yn ystyried traddodiad celfyddyd gain Ewrop yn uchel ael ac yn anghyson â'i ddelfryd ef o'r diwylliant gwerin Gymreig, a ddynodir ganddo fel crefftau gwledig yn hytrach nag arlunio. Ar ben hynny, teimlai Peate, 'yn reddfol fod artstiaid yn estron o ran dosbarth ac o ran cenedligrwydd' (t. 109).

Er gwaethaf syniadaeth Peate ynglŷn â phwysigrwydd celf megis crefftau gwerin i fywyd cenedlaethol yn Eisteddfod Genedlaethol 1951, newidiodd y drefn ynghylch arwyddocâd celf a'r parch a roddwyd iddi wrth i'r fedal aur gyntaf am gelfyddyd gain gael ei dyfarnu. Yn yr un flwyddyn, sefydlwyd pafiliwn arddangosfa arbennig ar y maes hefyd. Digwyddodd hyn oll yn Eisteddfod Ruthun, y flwyddyn ar ôl derbyn y rheol Gymraeg yng Nghaerffili. Hoffwn ddadlau nad cyd-ddigwyddiad oedd i'r datblygiad hwn ddilyn cyn gyflymed ar ôl gosod y rheol Gymraeg. Enillydd y fedal aur gyntaf am gelf oedd Brenda Chamberlain, awdures adnabyddus, oedd hefyd yn enwog am ei chanfasau mawr o dirluniau mynyddoedd Eryri y cyfeirir atynt fel paentiadau hollt. Mae'n bosib dehongli arwyddocâd pellach i'r cysyniad o hollt yng nghyd-destun derbyn iaith weledol fel ffordd ddilys o gyfathrebu mewn gŵyl lle mae un iaith llafar yn cael ei blaenoriaethu. Yn wir, mewn anerchiad cyhoeddus yn 1967 o dan y teitl, 'A rhaid i'r iaith ein gwahanu?', rhoddodd J. R. Jones sylw manwl i ddyfodol yr iaith Gymraeg wrth iddo adnabod hollt ieithyddol yng Nghymru a galw am ddeialog rhwng y Cymry Cymraeg a'r di-Gymraeg. Cynigiodd Jones bod yn rhaid, 'i ddeialog fod yn gyfathrebiad gwirioneddol rhwng dwy iaith, rhaid i'r cyfathrebwyr, o'r naill ochr a'r llall, fod yn ddwyieithog'.[31] Nid dyma sefyllfa ieithyddol pawb yng Nghymru ond er gwaethaf hyn, mae Jones yn annog, 'nid uno drwy ddeialog (yn Saesneg) dros yr hollt' ond 'uno drwy'r Gymraeg oddi tan yr hollt' (t. 8). Mae'n mynd ymlaen i esbonio'r syniadaeth hon ymhellach trwy gynnig y posibilrwydd o *weld* yr iaith:

Eithr y mae pontio drwy'r Gymraeg ei hun yn bosibl ar y gwastad arall – y gwastad ffurfiannol; sef, nid pontio drwy ei siarad hi – er y byddech am obeithio yr adferid hi yn yr ystyr honno hefyd – ond pontio trwy gael y trwch i'w *gweld* [myfi bia'r italeiddio] hi yng ngolau ei harwyddocâd ffurfiannol. (t. 8)

Disgrifiwyd yr eisteddfod genedlaethol gan Edwards yn ei ddarlith yn Llanelli yn 2000 fel digwyddiad oedd yn rhoi ffocws blynyddol i 'gynnwrf'[32] Cymru. Yn 1976, dathlodd yr eisteddfod ei wyth ganmlwyddiant a ddaeth yr ŵyl adref i dref Aberteifi unwaith eto. Gwahoddwyd Edwards i ysgrifennu cyfrol ddathlu, ei gyfrol gyntaf ynglŷn â'r eisteddfod (t. 1), ac aeth ati i ysgrifennu hanes yn carlamu trwy'r canrifoedd gan honni (fel yn ei gyfweliad hwyrach ar faes Eisteddfod Abertawe) fod stamp cynulliad 1176 ar ein eisteddfod genedlaethol heddiw. Fodd bynnag, wrth iddo adolygu eisteddfod yr wyth canmlwyddiant yng nghylchgrawn *Barn* mis Medi 1976, gofynna Edwards,

Tybed a wnaethom gyfiawnder a'r hen ŵyl yn Aberteifi o ran arddangos hynodrwydd ei hanes i'w charedigion cyfoes? Mae'n drueni na threfnwyd arddangosfa safonol, mewn adeilad gweddus, o'r holl ddefnyddiau sydd bellach ar gael . . . y dylid bod wedi gwario swmyn da i sicrhau y byddai adrawiad gweledol yr ŵyl eleni yn deilwng o'i chyfraniad nodedig i fywyd y genedl.[33]

Mae'n feddylfryd a adleiswyd ganddo wrth agor ei ddarlith mileniwm pan nododd, '[c]ymaint cryfach fyddai Cymry'r unfed ganrif ar hugain o gael *gweld* [myfi bia'r italeiddio] y genedl yn nrych yr Eisteddfod' (t. 285).

Roedd ymchwil Edwards, ei waith ysgrifenedig a'i ddarlithoedd cyhoeddus, yn cynrychioli ymdrech parhaol ganddo i ddatblygu disgwrs beirniadol cyhoeddus o gwmpas yr eisteddfod. Trwy gyfrwng yr erthygl hon, cynigiaf ymateb i'r her honno trwy ddadlau dros arwyddocâd yr eisteddfod fel ffurf ddiwylliannol sy'n cynrychioli math o gelf ryngwladol sydd hefyd yn fodd i wireddu bodolaeth weledol yr iaith Gymraeg yn ogystal â'i bodolaeth llenyddol. Rwyf hefyd wedi cynnig *gweld* yr eisteddfod fel math o barth ymreolaethol dros dro. Yn ysgrifennu yn ei gyfrol ddathlu yn 1976, mae Edwards yn nodi yr hyn y gallai, ac y dylai'r eisteddfod ei gyflawni. Benthyca eto o syniadaeth Saunders Lewis, sef, 'symbylu gwaith creadigol a gwaith datganol gloyw mewn llenyddiaeth a cherddoriaeth a chelfyddyd, a hefyd osod safon deilwng yn y pethau hyn a datblygu chwaeth y gymdeithas Gymraeg er mwyn harddu ei bywyd hi'.[34]

Wrth sôn am gyd-destun bodolaeth y parth ymreolaethol dros dro, mae Hakim Bey yn dadlau taw diflaniad yr artist ydy atalfa a gwireddiad celf ar yr un pryd. Dadleua, 'I believe, or would at least like to propose, that the only solution to the "suppression and realization" of Art lies in the emergence of the TAZ'.[35] Os ydym yn derbyn syniadaeth Edwards am bwysigrwydd yr eisteddfod i barhad bywyd cenedlaethol yn y Gymru fodern, beth am i ni ystyried y cyfryw bwysigrwydd yng nghyd-destun y cysyniad y gallai'r eisteddfod weithredu fel ffurf celfyddydol ynddo'i hun; megis parth ymreolaethol dros dro?

Rowan O'Neill

Nodiadau

1. Hywel Teifi Edwards, 'Yr Eisteddfod Genedlaethol a Delwedd y Cymry', Darlith Eisteddfodol Prifysgol Cymru, Eisteddfod Genedlaethol Llanelli a'r Cylch, (Caerdydd: Prifysgol Cymru, 2000), t. 1.
2. —— 'Eisteddfod Genedlaethol Frenhinol Cymru', *Cyfansoddiadau a Beirniadaethau*, 1995 (Bro Colwyn: Gwasg Dinefwr, 1995), t. 171.
3. —— 'Yr Eisteddfod Genedlaethol a Delwedd y Cymry', t. 1.
4. *Yr Eisteddfod: Cyfrol Ddathlu Wyth Ganmlwyddiant yr Eisteddfod, 1176–1976* (Llandysul: Gwasg Gomer, 1976); Gŵyl Gwalia: Yr Eisteddfod Genedlaethol yn Oes Aur Victoria 1858–1868 (Llandysul: Gwasg Gomer, 1980). *Eisteddfod Ffair y Byd: Chicago 1893* (Llandysul: Gwasg Gomer, 1990). The Eisteddfod (Caerdydd: Gwasg Prifysgol Cymru, 1990).
   Ar gyfer llyfryddiaeth lawn, gweler Tegwyn Jones a Huw Walters (goln), *Cawr i'w Genedl: Cyfrol Gyfarch yr Athro Hywel Teifi Edwards* (Llandysul: Gwasg Gomer, 2008), tt. 283–304.
5. Edwards, *Yr Eisteddfod Genedlaethol a Delwedd y Cymry*, t. 1.
6. Gweler Simon Brooks, *O Dan Lygaid y Gestapo* (Caerdydd: Gwasg Prifysgol Cymru, 2006), t. 116.
7. Edwards, *'Gŵyl Gwalia': Yr Eisteddfod Genedlaethol Yn Oes Aur Victoria*, t. 380.
8. —— 'Victorian Wales Seeks Reinstatement', *Planet* 52 (Awst/Medi 1985), 13.
9. —— *Eisteddfod Ffair y Byd*, t. xiii.
10. Dyma ddegawd geni Hywel Teifi Edwards.
11. Derbyniwyd y rheol Gymraeg, yn ôl Edwards, 'nid fel polisi ond fel mater einioes i'r Iaith Gymraeg, ac felly'n fater sy'n derbyn teyrngarwch diffuant pob gwir Gymro ar y pwyllgorau lleol fel ar y Cyngor' (Adroddiad Blynyddol Cyngor yr Eisteddfod Genedlaethol, 1950, 11). Gweler H. T. Edwards, 'Eisteddfod Genedlaethol Caerffili, 7–12 Awst 1950' yn H. T. Edwards (gol.), *Ebwy, Rhymni a Sirhywi* (Llandysul: Gwasg Gomer, 1999), tt. 190–218.
12. Edwards, *Yr Eisteddfod: Cyfrol ddathlu wythganmlwyddiant Yr Eisteddfod*, t. 80.
13. —— *Yr Eisteddfod Genedlaethol a Delwedd y Cymry*, t. 14.
14. Hakim Bey, *The Temporary Autonomous Zone* <www.hermetic.com/bey/taz_cont.html>
15. Gweler H. T. Edwards, 'Prifwyl Llanelli a'r Gymraeg', *Barn* 450/51 (2000), 36–9.
16. <www.rachelberwick.com/Maypore.php>
17. Rhaglen oedd yn cael ei gynhyrchu gan cwmni Carbon Media ar gyfer Sianel 4.

18 Gweler Jim Evans, erthygl argyfer gwefan y BBC yn 2007 <*www.bbc. co.uk/wales/mid/sites/cardigan/pages/teifi_estuary_project.shtml*>

19 Cyfeirir at gastell Aberteifi fel man geni'r Eisteddfod, ar sail y tystiolaeth a gynigir yn *Brut y Tywysogion* am wledd a gynhaliwyd yn 1176, o dan nawdd yr Arglwydd Rhys, oedd yn cynnwys seremoni cadeirio bardd.

20 <*www.culturecolony.com/videos?id=1241*>

21 Jim Evans, <*www.bbc.co.uk/wales/mid/sites/cardigan/pages/teifi_estuary_project.shtml*>

22 Canolfan celfyddydau yn Llundain sy'n agos at Smithfield.

23 B. Graham ac S. Cook, *Rethinking Curating: Art after New Media* (Llundain: MIT Press, 2010), t. 120.

24 Y bont yw'r man isaf i groesi'r afon cyn iddi ddychwelyd i'r môr. Nid syniad gwreiddiol Rafael Lozano-Hemmer ar gyfer Aberteifi oedd y bwâu ar yr afon. Ei gynnig cyntaf oedd cael gwared â'r bont droed dros yr afon a chau'r hen bont i draffig er mwyn ei thrin fel man canolog i'r dref neu 'sgwâr y pentref'. Mae'n debyg nad oedd y cyngor sir yn fodlon buddsoddi yn y syniad hwn.

25 Graham a Cook, *Rethinking Curating*, t. 119.

26 Cyflwynodd Lozano-Hemmer ei syniad i gyfarfod cyhoeddus yn neuadd yr ysgol uwchradd ym mis Tachwedd 2007. Yn ystod y broses hon roedd pob cyfarfod yn cael ei ffilmio gan gwmni teledu *Carbon* a oedd yn cynhyrchu'r rhaglen ar gyfer Sianel Pedwar.

27 Yn ôl y ddogfen honno, 'The consensus within the meeting was that Council should pursue the restoration of Castle Green House with a view to eventual partnership with the Museum of Welsh painting'. [GB 0212] CSC/DCLS/T/3/6, Amgueddfa Arlunio Cymru/Museum of Welsh Painting, report by Peter Lord, 2005, t. 58. The report includes aproposal to use the castle site as a museum.

28 CSC/DCLS/T/3/6, Amgueddfa Arlunio Cymru/Museum of Welsh Painting, t. 4

29 Peter Lord, *Y Chwaer-Dduwies: Celf, Crefft a'r Eisteddfod* (Llandysul: Gwasg Gomer, 1992), t. 14.

30 Lord, *Y Chwaer-Dduwies*, t. 112.

31 J. R. Jones, *ein A rhaid i'r iaith gwahanu?* (Undeb Cymru Fydd, 1967), t. 6.

32 Edwards, *Yr Eisteddfod Genedlaethol a Delwedd y Cymry*, t. 1.

33 —— 'Y Dathlu Mawr', *Barn*, 164 (1976), 285.

34 —— Yr Eisteddfod: Cyfrol ddathlu wythganmlwyddiant Yr Eisteddfod, t. 82.

35 Hakim Bey, *The Temporary Autonomous Zone* <*www.hermetic.com/bey/taz_cont.html*>

Llyfryddiaeth Gyfeiriadol

Archifdy Ceredigion [GB 0212] CSC/DCLS/T/3/5, Cardigan Castle, options and feasibility study prepared by Richard Keen Associates, 2004.

Archifdy Ceredigion [GB 0212] CSC/DCLS/T/3/6, Amgueddfa Arlunio Cymru/Museum of Welsh Painting, report by Peter Lord (including proposal to use castle site as a museum) 2005.

Bey, Hakim, *The Temporary Autonomous Zone* <*www.hermetic.com/bey/ taz_cont.html*>

Brooks, Simon, *O Dan Lygaid y Gestapo: Yr Oleuedigaeth Gymraeg a Theori Lenyddol yng Nghymru* (Caerdydd: Gwasg Prifysgol Cymru, 2004).

Davies, C. A., '"A oes heddwch?" Contesting meanings and identities in the Welsh National Eisteddfod', yn F. Hughes-Freeland (gol.), *Ritual, Performance, Media* (Llundain: Routledge, 1998).

Edwards, Hywel Teifi, 'Y Dathlu Mawr', *Barn*, 164 (Medi 1976), 283–285

Edwards, Hywel Teifi, *Yr Eisteddfod: Cyfrol Ddathlu Wythganmlwyddiant yr Eisteddfod, 1176–1976* (Llandysul: Gomer, 1976).

Edwards, Hywel Teifi, 'Trugareddau Eisteddfodau Wrecsam' *Barn*, 174/75 (Gorffennaf/Awst 1977), 239–241.

Edwards, Hywel Teifi, *"Gwyl Gwalia": Yr Eisteddfod Genedlaethol Yn Oes Aur Victoria* (Llandysul: Gwasg Gomer, 1980).

Edwards, Hywel Teifi, 'Victorian Wales Seeks Reinstatement, Edwards on the Jubilee Eisteddfod of 1887', *Planet*, 52 (Awst/Medi 1985), 12–24.

Edwards, Hywel Teifi, 'Yr Eisteddfod Genedlaethol a Pwllheli 1875, 1925 a 1955'; traddodwyd y ddarlith hon yn Eisteddfod Bro Madog, 3 Awst 1987 (Pwllheli: Gwasg yr Arweinydd, 1987).

Edwards, Hywel Teifi, *Codi'r Hen Wlad Yn Ei Hôl 1850–1914* (Llandysul: Gomer, 1989).

Edwards, Hywel Teifi, 'Eisteddfod Genedlaethol Pen-y-bont ar Ogwr, 1948' yn H. T. Edwards (gol.), *Llynfi ac Afan, Garw ac Ogwr* (Llandysul: Gomer, 1998).

Edwards, Hywel Teifi, *Eisteddfod Ffair y Byd: Chicago 1893* (Llandysul: Gomer, 1990).

Edwards, Hywel Teifi, 'Teimlo'n Sal', *Golwg* (30 Awst 1990), 8.

Edwards, Hywel Teifi, *The Eisteddfod* (Caerdydd: Gwasg Prifysgol Cymru, 1990).

Edwards, Hywel Teifi, 'Yr ŵyl yn Rali: Hywel Teifi, yr Eisteddfod a'r Ddeddf Iaith', *Golwg* (3 Mai 1990), 8.

Edwards, Hywel Teifi, 'Y Prifardd wedi'r Brad', yn Prys Morgan (gol.), *Brad y Llyfrau Gleision: Ysgrifau ar Hanes Cymru* (Llandysul: Gwasg Gomer, 1991), tt. 166–200.

Edwards, Hywel Teifi, 'Tair Prifwyl Castell-nedd', yn H. T. Edwards (gol.), *Nedd a Dulais* (Llandysul: Gomer, 1994) tt. 131–72.

Edwards, Hywel Teifi, 'Sgwrs ddychmygol rhwng Eisteddfodwr ddoe ac Eisteddfodwr heddiw', yn *Beirniadaeth Eisteddfod Genedlaethol Frenhinol Cymru, Cyfansoddiadau a Beirniadaethau*, 1995 (Bro Colwyn: Gwasg Dinefwr, 1995).

Edwards, Hywel Teifi, 'Diwygiad . . . yn 1950!', *Golwg* (21 Tachwedd 1996), 17.

Edwards, Hywel Teifi, 'Ffarwel i 97, Ffarwel, Dame Wales', *Barn*, 420 (Ionawr 1998), 40–1.

Edwards, Hywel Teifi, 'Dechrau rhifo', *Barn* (Hydref 1999), 441.

Edwards, Hywel Teifi, 'Eisteddfod Genedlaethol Caerffili, 7–12 Awst 1950' yn H. T. Edwards, *Ebwy, Rhymni a Sirhywi* (Llandysul: Gomer, 1999), tt. 190–218

Edwards, Hywel Teifi, 'Prifwyl Llanelli a'r Gymraeg', *Barn*, 450/51 (Gorffennaf/Awst 2000), 36–9.

Edwards, Hywel Teifi, 'The Eisteddfod Poet: An Embattled Figure', yn H. T. Edwards (gol.), *Welsh Literature c.1800-1900*, vol. 5 (Caerdydd: Gwasg Prifysgol Cymru, 2000), tt. 24– 47.

Edwards, Hywel Teifi, *Yr Eisteddfod Genedlaethol a Delwedd y Cymry*, Darlith Eisteddfodol Prifysgol Cymru, Eisteddfod Genedlaethol Llanelli a'r Cylch (Caerdydd: Prifysgol Cymru, 2000).

Edwards, Hywel Teifi, 'Os etholiad, etholiad go iawn . . .', *Golwg* (10 Mehefin 2004), 7.

Edwards, Hywel Teifi, 'Y Ddarlith Lenyddol', Eisteddfod Genedlaethol Cymru Meirion a'r Cyffuniau 2009 (S.l.: Eisteddfod Genedlaethol Cymru)

Evans, Jim, *On the waterfront* <www.bbc.co.uk/wales/mid/sites/cardigan/pages/teifi_estuary_project.shtml>.

Graham, B. ac S. Cook, *Rethinking Curating: Art after New Media* (Llundain: MIT Press, 2010).

Jones, J. R, *A rhaid i'r iaith ein gwahanu?* (S.l: Undeb Cymru Fydd, 1967).

Llywodraeth Cynulliad Cymru, *Cymru'n Un: Rhaglen flaengar ar gyfer llywodraethu Cymru* (2007) <www.hefcw.ac.uk/documents/publications/external_reports_and_studies/One_Wales%20Cy.pdf>

Lord, Peter, *Gwenllian: Essays on Visual Culture* (Llandysul: Gomer, 1994).

Lord, Y *Chwaer-Dduwies: Celf, Crefft a'r Eisteddfod* (Llandysul: Gomer, 1992).

Celfyddydau Perfformiadol Cymru: Hanes Newydd, Hanesyddiaeth Newydd – Hywel Teifi Edwards a Phasiant Cenedlaethol Cymru, 1909

Anwen Jones

Mewn cyfrol a gyhoeddwyd ar droad y mileniwm o dan y teitl *Women, Theatre and Performance: New Histories, New Historiographies*, nododd y beirniad ffeministaidd, Susan Bennett:

> One of the most thorough and radical changes in drama studies since the early 1980s has been the orientation and reorganisation of dramatic, and more generally literary canons, to include work by 'hitherto' excluded minorities.[1]

Gwnaiff Bennett y sylw hwn fel cyflwyniad i'r ddadl y dylid datblygu hanesyddiaeth newydd, herfeiddiol a fyddai'n gwerthuso a gwerthfarwogi allbwn dramataidd a gweithgaredd theatraidd merched heb gyfeirio at normau'r feirniadaeth lenyddol, batri-archaidd sy'n tra-arglwyddiaethu yn yr unfed ganrif ar hugain. Mae'r ysgrif hon yn cyflwyno trafodaeth yr hanesydd a'r ysgolhaig, Hywel Teifi Edwards, o Basiant Cenedlaethol Cymru yn ei gyfrol, *The National Pageant of Wales*,[2] fel cyfraniad radical i ddatblygiad dadl Bennett. Mewn erthygl a gyhoeddwyd yn 2007, gresynai Edwards i genedl y Cymry gyrraedd ddechrau'r ugeinfed ganrif heb fawr o grebwyll hanesyddol o gwbl. Waeth byth, meddai, oedd y ffaith:

> i'r graddau fod iddynt ymwybod o fath â'u hanes y mae'n sicr na wyddent sut i ymelwa arno, sut orau i'w droi'n gyflwyniadau

graffig a wnâi gyffroi dychymyg ac esgor ar wladgarwch. Roeddent
eto heb ddysgu sut i ddefnyddio hanes er eu mantais hwy fel
Cymry.[3]

Cydnabyddir Edwards fel hanesydd a wnaeth lawer i unioni'r
cam hwn trwy gynnig dadansoddiad beirniadol, treiddgar o
Gymru'r ddeunawfed ganrif ac y tu hwnt, i'w gyd-Gymry mewn
modd gafaelgar o boblogaidd. Yn ganolog i'r fenter hon roedd
ei astudiaeth gyson, gydol yr ugeinfed ganrif, o ddwy fenter
gelfyddydol, berfformiadol a fu'n allweddol i fynegiant o genedl-
ligrwydd Cymraeg a Chymreig o'r 1860au ymlaen – yr Eisteddfod
Genedlaethol a'r mudiad drama amatur a phroffesiynol yng
Nghymru. Ond yn 2010, yn negawd cynta'r mileniwm newydd,
trodd Edwards ei olygon yn ôl, at drothwy'r ugeinfed ganrif a
chyhoeddi cyfrol odidog ar gyfrwng perfformiadol na fu, hyd yma,
yn nodwedd o'i astudiaeth o genedligrwydd creadigol Cymru –
Pasiant Cenedlaethol Cymru, Caerdydd, 1909.

Dehonglir y Pasiant, yn unol â methodoleg beirniadol, arferol
Edwards, fel conglfaen ymdrech i feithrin cof cymunedol, cened-
laethol a fyddai'n dathlu hanfodion yr ysbryd a'r *mores* Cymraeg
a Chymreig. Ond ynghanol portread cyfoethog Edwards o'r Pasiant,
daw'r darllenydd modern wyneb yn wyneb â nifer o anawsterau.
Yn eu plith, mae'r tensiynau sy'n clystyru o gylch y tueddiadau
imperialaidd a ddadlennir gan y Pasiant, y defnydd o fframwaith
Prydeinig i asesu a datgan natur cenedligrwydd Cymreig, y duedd
i ganiatáu i'r Saesneg dra-arglwyddiaethu ar y Gymraeg yn
sgript y Pasiant, yn ogystal â gwamalrwydd ei seiliau hanesyddol.
Archwilir y cyfryw anawsterau yn agored a hyderus gan Edwards,
ond ar derfyn ei drafodaeth, fe erys un cwestiwn heb ei ateb – pam
y bu i un o haneswyr mwya'r ugeinfed ganrif yng Nghymru goroni
gwaith oes gydag astudiaeth o gyfrwng a oedd mor heriol yng
nghyd-destun trafodaethau am ddilysrwydd celfyddydol; cyfrwng
eithriedig, eilradd; nemor gwell nag, 'an elaborate fancy dress
ball'.[4] Beth oedd wrth wraidd diddordeb Edwards yn y cyfrwng
mwngrel hwn na allai sefyll ysgwydd wrth ysgwydd gyda theatr
fel ffurf celfyddydol, gweithredol oedd yn cynnig cyfranogiad
creadigol i gynulleidfa?

Er nad aiff Edwards i'r afael â'r ddadl hon yn uniongyrchol, datguddir ei ymwybyddiaeth o ddadl ysgolheigaidd ynghylch rhagoriaeth drama a theatr dros basiantau a phasianta mewn erthygl a gyhoeddwyd ganddo yn 2006. Yma, aiff ati i gynnig rhesymeg dros ymroddiad llwyr Owen Rhoscomyl i'r pasiant fel cyfrwng celfyddydol o bwys ar sail ei gydnabyddiaeth, 'fod theatr a drama heriol yn anhepgorion diwylliant cynhaliol'.[5] Dadleua taw'r un ymwybyddiaeth oedd yn gyfrifol am gefnogaeth brwd Arglwydd Howard de Walden i ymdrechion i sicrhau theatr genedlaethol i Gymru. Yn eironig ddigon, er bod y gymhariaeth hon yn awgrymu nad yw Edwards yn derbyn rhagoriaeth un cyfrwng dros y llall, mae ei ddisgrifiad o'r hyn a gynigiai gweledigaeth theatraidd Howard de Walden i Gymru yn amlygu'r union beth sydd ar goll mewn pasiant, sef gallu theatr genedlaethol i ddod â'r genedl 'wyneb yn wyneb â'r math o bobol oeddent a'r math o fywyd cenedlaethol yr oeddent yn ei fyw' (t. 114). Yn ôl ei ddisgrifiad ei hun o'r pasiant, roedd yn ddathliad ysblennydd o naratif hanesyddol, wedi ei wreiddio yn y gorffennol ac wedi ei gyflwyno i gynulleidfa lluosog o wylwyr goddefol. Yn wir, pwysleisir yr elfen oddefol ar brofiad y gynulleidfa ym mhasiant cenedlaethol Caerdydd gan Rhoscomyl wrth iddo drafod rhai o anawsterau ymarferol llwyfannu'r pasiant:

> Mae'n ddigon hawdd hefyd adrodd chwedl fel dramod lafar mewn chwareudy lle'r eistedd yr holl bobl yn ddigon agos i ddal pob gair ac i ganfod arwyddocâd pob ystum. Ond pan gymroch chwi faes o saith-erw-ar-hugain, a phan gofioch fod eich chwareuwyr yn rhifo cannoedd ar y tro, fe welir fod hwn i gyd yn waith newydd. Y mae yn wahanol iawn i . . . wrando chwareuwyr ar chwareufwrdd.[6]

Mae'r ysgrif hon yn dadlau bod rhodd llenyddol olaf Edwards i'w genedl yn gyfraniad allweddol i'r ddadl gyfoes a amlinelliwyd gan Bennett. Ar droad yr unfed ganrif ar hugain, mynnodd Edwards gyfrif a chydnabod Pasiant Cenedlaethol Cymru 1909 yn un o 'leiafrifoedd eithriedig' Bennett y dylid eu mesur yn unol â chanllawiau newydd a oedd yn herio normau hanesyddiaeth bartriarchaidd sefydliedig, hyd yn oed, o bosibl, yr eiddo fe'i hun.

Boed a fo am ddadleuon cyffredinol am statws y pasiant fel ffurf gelfyddydol o bwys, does dim dwywaith nad oedd Pasiant Cenedlaethol Caerdydd, 1909 yn fenter odidog. Yn wir, hawlia Edwards taw hon oedd yr ymgais gyntaf i gyflwyno hanes y genedl i gynulleidfa luosog o Gymry'r ugeinfed ganrif; 'the only attempt of its kind, to this day, to present a mass audience with a version of Welsh history from Caradoc's defiance of the Roman Empire to the Act of Union in 1536'.[7] Wrth iddo olrhain hanes y gwaith marchnata rhagarweiniol o werthu'r cysyniad o basiant cenedlaethol i gefnogwyr posibl, cyfeiria Edwards at ffydd addysgwyr, cynghorwyr a chyfeillion y genedl yng ngallu naratif hanesyddol, dramataidd i ennyn, 'a charge of patriotic fervour and . . . a spirit of self-assertion' (t. 2). Yn 1950, wrth dremio yn ôl ar hanes cenedlaetholdeb Cymreig a Chymraeg, dadleuodd D. Gwenallt Jones bod cysylltiad uniongyrchol rhwng methiant system addysg hanner ola'r bedwaredd ganrif ar bymtheg yng Nghymru i drwytho'r Cymry ifanc yn hanes eu cenedl a'u methiant hwythau i ymateb i'r alwad i ddatblygu cenedligrwydd gwleidyddol ddiwedd y bedwaredd ganrif ar ddeg:

> Nid oedd i Gymru Fydd ddyfodol am na allai'r ieuenctid, a godid yn ysgolion Deddf Addysg 1870, yr ysgolion lle'r oedd y Gymraeg yn 'Welsh Not' a hanes Cymru yn ango, ymuno ag ef.[8]

Yn 1909, dathlwyd Pasiant Cenedlaethol Caerdydd yn y wasg boblogaidd fel man cychwyn i fudiad adloniant addysgiadol, cymunedol a allai feithrin cenedlaetholdeb; 'a new educational force . . . in our land, which would foster a greater patriotism, which would reflect itself in a quickened national life, and all that results from it'.[9] *Raison d'être* Pasiant Cenedlaethol Caerdydd, 1909, oedd addysgu'r genedl am ei gorffennol fel modd o'i chymell i ddarganfod a diffinio ei hunaniaeth genedlaethol, gyfredol.

Arwr Pasiant Cenedlaethol Caerdydd yng ngolwg Edwards oedd Owen Rhoscomyl neu Arthur Owen Vaughan, né Robert Scourfield Mills. Mae'n amlwg bod Edwards wedi ei gyfareddu gan gymeriad a bywyd anturus Rhoscomyl a chan rym, 'his extra-ordinary persona'.[10] O dudalennau *The National Pageant of Wales*, cyfyd gŵr o faintioli cawr, milwr deallus a dewr, carwr rhamantus, hanesydd a llenor brwdfrydig; gŵr a chanddo'r gallu i hudo'r sawl a ddeuai i gyswllt ag ef. Nid rhyfedd cyfaredd Edwards o bosibl, o ystyried ei daerineb wrth ddarbwyllo ei gyd-Gymry i gydnabod, neu'n hytrach i ymhyfrydu yn nyfnder y profiad a'r cymeriad cenedlaethol, boed hynny mor amrwd, anghyson, anystywallt ag y bo. Mynnai y dylai llenyddiaeth Cymru fodern ddathlu:

> [b]ywyd prysur, hoenus, deufor gyfarfod poblogaeth gymysgliw, tafarn a chapel yn cystadlu, gweddiau, rhegfeydd yn torri ar glustiau ieuainc, paffio a phregethu yn uchel eu bri . . . i mi, y golled fwyaf i'n diwylliant yn y cyfnod modern fu methiant ein llên ddychymygus, yn gerdd a stori a drama, i ddelweddu'r bywyd hwnnw yn ei holl aruthredd.[11]

Does dim dwywaith nad oedd Owen Rhoscomyl yn gymeriad aruthrol. Roedd hefyd yn arwr amryliw, un a briododd yn eofn mewn mwy nag un ystyr, a dreuliodd ieuenctid fel cowboi ac fel milwr ac a fynnodd, wedyn, wedi dychwelyd i Gymru, sefydlu methodoleg creadigol ar sail achau, nad oedd yna, 'absolutely nothing, on the face of any one . . . to prove them true'[12] mewn modd a godai wrychyn nifer o'i gyd-haneswyr.[13]

Er gwaethaf argyhoeddiad Edwards o ddyfnder ac amrywiaeth cymeriad neu 'berson' ei arwr, Rhoscomyl, mae yr un mor sicr ei fod, wrth lunio Pasiant Cenedlaethol Caerdydd, yn dilyn y gwys yn hytrach na thorri cwys cwbl newydd. Yn ôl Edwards, brawd i'r pasiant Parkeraidd oedd Pasiant Caerdydd; menter a ddeilliodd o'r 'widespread involvement with pageantry that stemmed from Louis Napoleon Parker's innovative Sherborne Pageant in 1905'.[14] Mae diffiniad o natur ac amcan y math o basiant a wnaed yn boblogaidd gan Parker, felly, yn ganllaw hanfodol wrth bwyso a mesur arwyddocâd a chyfraniad y pasiant a lwyfanwyd yng Nghaerdydd yn 1909 i fywyd y genedl.

Yn ddi-os, fe gyflwynodd y pasiant Parkeraidd, 'a significant – and significantly new – cultural development'[15] i Brydain. Mewn teyrnged gan Robert Withington, awdur yr astudiaeth fwyaf trylwyr a chynhwysfawr o'r pasiant fel ffurf ar gelfyddyd, disgrifir Parker fel 'the inventor and founder of modern pageantry'.[16] Siawns nad oes amheuaeth o fawredd cyfraniad Parker i boblogrwydd ac apêl pasiant troad yr ugeinfed ganrif ym Mhrydain a thu hwnt. Yn wir, mae disgrifiad Parker ei hun o newydd-deb y ffurf a'i rôl allweddol yntau yn ei chreadigaeth yn atgyfnerthu ei hawl i'w alw'n greadwr y pasiant. Wrth olrhain hanes datblygiad y ffurf, mae Withington yn diffinio ei phrif nodweddion:

> *Pageant* was a word loosely used; it meant vaguely a 'spectacle,' a 'splendid show', without much acting, involving many people and much color and movement; and when Mr Parker used it to describe the production he was giving, it caught the popular imagination immediately (t. 512).

Diddorol nodi bod Parker yntau, er iddo gydnabod perchnogi'r term, yn ymhelaethu trwy esbonio nad oedd fawr o gig ar esgyrn y syniad ar y pwynt hwn yn hanes ei ddatblygiad. O ganlyniad, meddai, bu'n rhaid iddo ymateb yn greadigol i'r her a ddilynodd ei ddewis a'i ddefnydd o'r gair:

> I had talked grandly about the Pageant of Sherborne, because I enjoyed the sound of the words . . . Now my grandiloquence came home to roost, and I had to invent a meaning for my words (t. 512).

Mae'n amlwg i Parker fathu ffurf newydd ar gelfyddyd ddramataidd ac mae trafodaethau o'i waith yn ferw o gyffro'r newydd-deb hwn. Eto i gyd, ynghanol y bwrlwm, anodd osgoi elfen o densiwn sy'n ymgropian i'r disgwrs beirniadol o gylch Parker ac o gylch y pasiant ei hun. Er gwaetha'r ganmoliaeth a roddir iddo gan Withington ac eraill, ceir yr argraff bod angen brwydro yn erbyn y llif i unioni'r cam a wnaed â Parker ac â'r pasiant yn sgil methiant hanes i gloriannu gwir werth y ffurf hon ar gelfyddyd. Hawlia Withington i Parker sicrhau hygrededd y pasiant fel ffurf ar gelfyddyd ddilys a gwerthfawr trwy broses greadigol bwrpasol, drefnus: 'since he is the founder of pageantry . . . Mr Parker's definitions and rules of procedure carry particular weight' (t. 514). Eto i gyd, mae ieith-wedd a chywair sylwadau Withington yn dadlennu'r ffaith ei fod yntau, hyd yn oed, yn gochel rhag hawlio lle rhy flaengar i greawdwr y pasiant yn hanes helaethach datblygiad y ddrama a'r theatr ym Mhrydain. 'Future historians of the drama', meddai, 'will find that Mr Parker has done his part in preparing for the rich development of the modern theater' (tt. 519–20) (myfi biau'r ital-eiddio).

Dichon bod disgrifiad Edwards o'r pasiant Parkeraidd fel 'a newfangled display of historical romanticism suffused with English patriotism'[17] yn deillio o'i ymwybyddiaeth yntau o'r broses o bwyso a mesur ysgolheigaidd oedd ar waith wrth drafod hawl y pasiant i'w alw'n gelfyddyd o bwys. Hyd yn oed yn awr ei anterth, ar droad yr ugeinfed ganrif, cyhuddwyd y pasiant o ddiffyg sylwedd celfyddydol, eto hawliai Parker bod i'w basiantau rhamant, hyfryt-wch a barddoniaeth. Yn wir, dadleuai eu bod yn ymateb cwbl bwrpasol yn erbyn moderniaeth:

> [t]his modernising spirit, which destroys all loveliness and has no loveliness of its own to put in its place, is the negation of poetry, the negation of romance . . . This is just precisely the kind of spirit which a properly organized and properly conducted pageant is designed to kill.[18]

Mae astudiaeth dwy gyfrol Robert Withington o hanes y pasiant yn cynnig canllawiau cynhwysfawr i bwyso a mesur gweledigaeth Parker ac i gategoreiddio'r pasiant mewn cyd-destun hanesyddol o safbwynt gwrthrychol. Gwahaniaetha Withington rhwng y model Parkeraidd a'i ragflaenwyr canoloesol a hynny ar sail amlygrwydd hanes fel egwyddor creadigol, canolog yng nghyd-destun strwy-thur, cynnwys ac amcan artistig pasiantau Parker. Mae ei astudiaeth hefyd yn cadarnhau'r honiad bod y pasiant Parkeraidd yn gyfrwng addysgol, yn bennaf, a bod y newid ffocws o'r cyfnod canoloesol i'r cyfnod modern a arweiniodd at newid yn amlygrwydd alegori, mytholeg a symbolaeth fel elfennau hanfodol o wead pasiant, wedi ei liniaru gan ffocws ffres ar hanes.[19] A dweud y gwir, nid dysgu goddefol oedd amcan y pasiant Parkeraidd ond yn hytrach meithrin, trwy wybodaeth a dealltwriaeth o orffennol y genedl, falchder ac ymrwymiad cenedlaethol yn y presennol a'r dyfodol; '[t]he pageants also developed a determination, almost subconscious, that the future should be worthy of the past.'[20] Rhoddwyd lle blaengar i hanes fel deunydd thematig ond fe'i ystyriwyd hefyd yn 'educational force';[21] modd o addysgu'r gynulleidfa am eu treftadaeth ddiwylliannol a gwleidyddol. Mae asesiad Readman o rôl y gorffennol yn niwylliant Lloegr, droad yr ugeinfed ganrif, yn amlinellu'r berthynas hanfodol rhwng portreadu'r gorffennol a mynegi a meithrin cenedligrwydd yn y presennol. Yr hyn sy'n neilltuol ddiddorol am weledigaeth Readman yn nghyd-destun y ddadl a gyflwynir yn yr erthygl hon yw'r ffaith y gwna ei sylwadau yn nghyd-destun trafodaeth am brinder y sylw ysgolheigaidd a roddwyd, ac a roddir, i'r pasiant fel cyfrwng celfyddydol, difrifol:

> whilst spectacular theatre and the public rituals of royalty have attracted extensive scholarly attention, the same cannot be said for historical pageantry. Yet this was a significant – and significantly new – cultural development. Its novely is important . . . While early twentieth-century pageants had some aesthetic affinities with their predecessors, the emphasis on the past had not been there before. The emergence of a distinctively historical pageantry was due largely to Louis Parker . . . Parkerian pageants presented history as community drama, arranged in short chronological episodes.[22]

Hanes felly oedd ysbrydoliaeth y pasiant Parkeraidd ac er bod Freeman ac eraill wedi dadlau bod yna gymhlethdod cysyniadol o gylch yr union bethynas rhwng y portread o'r gorffennol fel y'i dyluniwyd yn y pasiant hanesyddol ac amodau ac amgylchfyd ei lwyfannu, yn ogystal â chwestiynau am ddilysrwydd yr honiad bod y profiad pasiantaidd yn un hegemonaidd, mae'n bur amlwg o sylwadau Parker ei hun ei fod yn gwbl argyhoeddiedig o 'the educational virtue of historical embodiment'[23] fel modd o ddatgelu a dathlu cenedligrwydd imperialaidd. Er gwaethaf hyn, mae hi hefyd yn glir na fu amlygrwydd hanes fel egwyddor ganolog yn y broses o addysgu creadigol yn ddigon i achub y pasiant rhag cyhuddiadau o israddoldeb celfyddydol.

Mae Withington yn treulio cryn amser yn dadlau o blaid hygred-
edd y pasiant fel ffurf ar gelfyddyd ddilys yn nwylo Parker, gan
honni iddo ei ddyrchafu, 'as an art above the *tableaux vivants* of
historic scenes, the street processions which include historic figures,
and the revivals of local legends'[24] ond Stratton a Davol a wnaiff
fwyaf i wreiddio trafodaeth o werth y cyfrwng yng nghyd-destun
datblygiad cyffredinol mudiadau celfyddydol mawrion y bedwar-
edd ganrif ar hugain a'r ugeinfed ganrif gynnar. Yn unôl â'r hyn
a hawliodd Parker, dadleuant taw ysfa i wrthrhyfela yn erbyn
moderniaeth a roddodd waed yng ngwythiennau'r pasiant. Yn
rhinwedd y broses honno, hawliant werth y pasiant fel cyfrwng
celfyddydol o bwys ar sail ei ymgorfforiad ffurf-benodol o hardd-
wch. Ar yr olwg gyntaf, ni ymddengys y diffiniad a gynigir o
basiant gan Stratton yn arbennig o uchelgeisiol. Dywed:

> The practical object lesson of a pageant is two-fold; the visualisation
> of an epoch and the realisation by allegory of aesthetic principles
> . . . Its religious purpose is past. It has become mainly civic and
> educational . . . It is a bigger way of showing and teaching.[25]

Cydnabydda Stratton swyddogaeth addysgiadol y cyfrwng ond
mae termau ei ddiffiniad hefyd yn cymryd yn ganiataol bod i'r
pasiant le blaengar wrth gyfleu egwyddorion esthetig. Aiff Ralph
Davol â'r weledigaeth hon ymhellach wrth iddo ddadlau, '[p]
ageantry may be considered both as one of the useful and as one
of the fine arts'.[26] Cytuna'r ddau feirniad bod yna ddeuoliaeth i'r
cyfrwng ac er bod ambell i gymal gwan yn eu dadleuon, at ei
gilydd maent yn llwyddo i ddatblygu gweledigaeth o'r pasiant fel
celfyddyd cyfunol sy'n dod ag amryw o wahanol elfennau a berthyn
i gyfryngau celfyddydol unigol at ei gilydd mewn cyfanwaith.
Dyma, hawlia Davol, sy'n galluogi i'r pasiant, er gwaetha'r ffaith
nad ydyw'n 'fundamental art like painting, sculpture or musical
composition', foddhau egwyddor mwyaf creiddiol hygrededd
celfyddydol sef '[b]eauty which makes for happiness . . . the criterion
among the fine arts' (t. 299).

Os oedd gan basiantau Parker y gallu i greu a chynhyrchu
harddwch trwy lunio 'a composite symposium partaking of the

elements of various arts',[27] chwedl Davol, neu 'the beauty of whole-ness',[28] chwedl Stratton, sut y cyrhaeddwyd y cyfryw nod? Wrth drafod pwysigrwydd yr agwedd hanesyddol ar basiantau Parker, dadleua Simpson bod Parker yn gwbl argyhoeddiedig y dylid gwreiddio'r episodau unigol, yn ogystal â'r cyfanwaith artistig, mewn ymchwil hynafiaethol, trylwyr a chywir. Roedd hanesoldeb, felly, yn egwyddor greadigol, ganolog, dadleua Simpson, ac mae'n amlwg bod yr egwyddor hon yn pennu natur a rychwant y berthynas rhwng y gynulleidfa a'r pasiantau Parkeraidd.[29] Yn ei rhagair i Basiant Warwick, mae Parker yn nodi'r pwysigrwydd a roddir i gywirdeb hanesyddol yn ogystal â'i reolaeth lwyr dros y broses o ddyblygu hanesyddol yn y pasiant:

> in arranging the WARWICK PAGEANT I have clung as closely as the exigencies of time and space would allow to history and tradition. My chief authorities have been the Countess of Warwick's 'Warwick Castle' and Mr Thomas Kemp's 'A History of Warwick and its People' . . . I think I may say that I have some sort of authority for every action represented, if not for every word spoken.[30]

Gellid dadlau taw goruchafiaeth cywirdeb hanesyddol fel modd o addysgu cynulleidfa sy'n arwain at awydd Parker i guddio'r elfen o ffugio yn ei basiantau. Mae disgrifiad Simpson o'r agwedd gynrychioladol ar y pasiant yng nghyd-destun y berthynas rhwng y lleol a'r cenedlaethol yn hanfodol i ddealltwriaeth o fethodoleg Parker. Dywed Simpson:

> By presenting local history against the overall frame of the national story, a town could define its importance and take justifiable pride in having played a part in the march of progress.[31]

Roedd ymrwymiad Parker i gynrychiolaeth uniongyrchol, triw o hanes lleol yn agwedd graidd ar ei fethodoleg creadigol. Mynnai y dylid llwyfannu ei basiantau yn y lleoliadau hanesyddol rheiny oedd yn ganolog i'r dref a gartefai'r digwyddiad. Gwelai leoliad daearyddol y pasiant fel pwerdy i rym hanesyddol y gellid ei fwyngloddio a'i becynnu'n gelfyddydol ddeniadol i ddefnyddwyr diwylliannol. O ganlyniad '[h]e insisted always on finding the centre of historical interest in a town, and that was the site of the pageant'.[32] Does dim dwywaith nad oedd Parker yn gweld cyfatebiaeth rhwng gwahanol beuau Lloegr, Warwick, Efrog neu Dofr a'r wlad yn ei chyfanrwydd na chwaith ei fod yn canfod Lloegr fel elfen hanfodol ar rym imperialaidd Prydain. Eto i gyd, roedd ei egwyddor sylfaenol o lwyfannu'r pasiantau mewn lleoliadau o arwyddocâd hanesyddol canolog ym mhrofiad y trigolion yn mynnu bod perthynas gynrychioladol, syml, cwbl uniongyrchol rhwng gofod cysyniadol y perfformiad a'i lleoliad daearyddol. Arwyddocâd y fethodoleg greadigol hon yw cyfyngu'r galwadau ar ddychymyg y gynulleidfa fel nad oes gofyn am 'willing suspension of disbelief' yn gymaint â derbyn bod llinyn cyswllt, uniongyrchol rhwng lleoliad y perfformiad cyfredol a lleoliad y digwydd hanesyddol, gwreiddiol.

Wrth rhestru nodweddion pasiantwr llwyddiannus mewn erthygl fer yn y *New Boston*, 1910, honnir y dylai pasiant-feistr feddu ar 'the genius of personality . . . a genius for organizing . . . he must never get out of touch with details, he must have the ability to assert his authority'.[33] Mae'n amlwg bod trefn yn egwyddor cwbl ganolog wrth i Parker fynd ati i gynllunio a chreu pasiant. Roedd ei lwyfannau yn ddestlus a gwnaethpwyd bob ymdrech i warchod y gynulleidfa rhag sylwi ar unrhyw gyfarpar theatrig, ymarferol oedd yn rhan o drefniadaeth mecanyddol y perfformiad. Yn ogystal â mynnu gwreiddio a chyflwyno'r gwaith yn lleoliadau honedig y digwyddiadau hanesyddol gwreiddiol, gwnai bob ymdrech i gyflwyno'r pasiantau fel gweithiau celfyddydol, cywrain, organig a ymddangosent yn annibynnol bron ar eu creawdwr. Gwyddom ei fod yn ystyried ei basiantau yn brotest yn erbyn moderniaeth ac mae lle i ddadlau, fel y gwna Davol, bod '[t]he cultural side of life is emphasized in pageantry in order that idealism may not be crushed under the iron heel of materialism'.[34] Diddorol nodi bod Parker yn diffinio 'hyfrytwch' celfyddydol mewn termau telynegol, rhamantus ac eto ei fod yn hyderus y gellir cyrraedd y fath hyfrytwch trwy drefn, a'r trefn hwnnw nid yn unig yn fodd o atgyfnerthu, ar y naill law, naratif hanesyddol, llinynol, parhaus ond, ar y llaw arall, symlrwydd cynrychioladol y pasiant. A dweud y gwir, ymddengys Parker yn obsesiynol driw i'r egwyddor o wadu neu, o leiaf, liniaru ar rôl dychymyg, awgrym neu gyn-rychiolaeth symbolaidd yn ei waith creadigol. Ni fynnai gydnabod y pasiant fel gweithgarwch pwrpasol, artiffisial o *greu* cynnyrch celfyddydol. Yn wir, brawychai rhag i'w gynulleidfa ganfod arwyddion gweledol o beirianwaith y pasiant. Yn ôl awdur *What is a Pageant?*, '[t]he arena, where the action took place, was kept like a first-class stage. The orchestra was concealed, and none of the "machinery" of the pageant was shown.'[35] Disgrifia Withington rhwystredigaeth Parker yn wyneb tueddiadau naturiol actorion amatur ei basiantau i symud i mewn ac allan o bersona'r perfform-iad yn rhy ddisymwyth, a gwaethaf oll, yn rhy weladwy:

> Mr Parker tells us of the difficulties which a pageant-master meets and overcomes: of the actors in one episode who *will* peep at the other episodes, to see how the show is getting on. 'But when they peep they destroy all illusion and distract the attention of the audience. When I die, the words "Keep out of sight!" will be found engraved . . . on my lungs. I have often wished I had a shot-gun'.[36]

Mae'n amlwg ei fod yn gwbl argyhoeddiedig: 'Once let the public feel that they are being deceived, and you lessen their faith in the educational value of every pageant.'[37]

Nodais bod yna ddwy brif egwyddor greadigol ar waith wrth i Parker ymroi i sefydlu statws y pasiant fel ffurf gelfyddydol o sylwedd ac o werth mewn cyd-destun cymdeithasol, diwylliannol. Yr egwyddor gyntaf oedd cywirdeb hanesyddol, yr ail oedd pwysig-rwydd cyfranogiad cydweithredol fel rhan weithredol ar y broses greadigol. Mynnai Parker bod ei basiantau wedi eu tanio a'u bwydo gan egwyddor ddemocrataidd. Yn wir, galwai ar, 'every kind of person, from peer to day-laborer, and even tramp' i gyfrannu i waith y pasiant, 'on a footing of absolute equality'.[38] Mae trafodaeth Mark Freeman yn ei astudiaeth o basiantau hanesyddol yr ugeinfed ganrif ym Mhrydain yn nodi amryw o ddeongliadau deallusol o'r berthynas rhwng y pasiant a syniadau o gydraddoldeb neu oruchaf-iaeth cymdeithasol. Yn yr un modd, gellir ymateb i ddatganiadau

Parker am ddemocratiaeth ei basiantau mewn amryw o ffyrdd. Dichon y gellid dadlau nad oedd gweithdrefnau cynhyrchu na llwyfannu ei basiantau yn gwneud digon i herio normau cymdeithasol; eto, does dim amheuaeth nad oedd y lliaws yn ymroi i bob agwedd ar weithgaredd y pasiant. Anodd ymatal rhag codi ael amheus wrth ddarllen am wrthodiad unbeniaethol Parker i dderbyn hawl unigolion i *ddewis* peidio â chyfrannu i basiant, eto mae'n amlwg bod ei ymrwymiad i'r pasiant fel, 'an artistic enterprise for its own or a purely social sake, without any admixture of baser aims' (t. 204) yn weledigaeth hanfodol, gynhwysol. Yn wir, aiff Parker cyn belled ag i ddadlau bod ei basiantau nid yn unig yn gyfrwng i addysgu'r lliaws trwy enghraifft hanesyddol berthnasol a phenodol am hanes eu cenedl a natur eu cenedligrwydd, ond yn hytrach ei fod, yn rhinwedd ei amcan artistig sylfaenol, yn darparu drama cenedlaethol i Loegr:

> Here it is. Drama covering all English history from 800 BC to the Great Rebellion; written by Englishmen, set to music by Englishmen, costumed and acted by Englishmen and women – acted by thirteen thousand of them – and listened to by half a million spectators in twelve weeks. Drama lifting our souls to God, and our hearts to the King – is not that National Drama? [39]

Pa mor ddifrifol, felly, y gallwn gymryd honiad Parker bod yma theatr genedlaethol ddilys gogyfer yr ugeinfed ganrif ym Mhrydain? Gall y math hwn ar bwyso a mesur arwain at asesiad weddol gytbwys o'r cymhlethdod oedd ynghlwm â gwireddu delfryd gynhwysol Parker, ond mae yna un anhawster a erys wedi'r ymresymu – effaith methodoleg greadigol Parker ar brofiad ymarferol carfan o gyfranogwyr nad yw'n trafod nemor ddim arnynt wrth drin ei waith – y gynulleidfa. Roedd methodoleg ddeublyg Parker o flaenoriaethu cywirdeb hanesyddol ar y naill law, a chyfranogiad cydweithredol, cytbwys ar y llall, yn ddull ymarferol o wireddu un ddelfryd gelfyddydol, ganolog, sef goruchafiaeth ymwybyddiaeth a gweithgarwch *lluosog*, neu, mewn geiriau amgen, gwireddu 'this feeling that we are indeed greater than we know' (t. 204). Yr hyn sy'n eironig am y pasiant Parkeraidd yw'r ffaith nas gwireddir y ddelfryd ganolog hon ym mhrofiad y gynulleidfa. Wrth drafod cyfnod o basianta yn Ffrainc yn fuan wedi gwrthryfel 1789, nodais natur rhaglen weithredol y pasiant oedd yn cynnig dathliadau ochr yn ochr â'r pasiant ei hun, megis dawns fawreddog y Champ de Mars, ble 'the stamping of hoards of dancing feeet was to purify the ruins of the Bastille.'[40] Amcan canolog pasiantau'r cyfnod ôl-wrthryfel yn Ffrainc, ddiwedd y ddeunawfed ganrif, oedd bathu gofod neu leoedd newydd. Diben pasiant oedd medd-iannu gofod y llwyfannu a'i hawlio fel mangre newydd gan greu tirlun oedd yn rhydd o nodau cymdeithasol, diwylliannol, hanes-yddol. Yn nhyb y beirniad Cécile Fridé roedd y pasiantau ôl-wrthryfel yn digwydd wrth i'r 'moment seek[s] to embody itself and to besiege space' (t. 37). Mae'n amlwg nad dyma oedd wrth galon y pasiant Parkeraidd. Yn wir, gellid dehongli perthynas pasiantau Parker gyda'u hamgylchfyd mewn modd gwrthgyfer-byniol. Nid dealltwriaeth gwrth-linol o hanes a gawn gan Parker ond, yn hytrach, ymgais cwbl fwriadol i glymu'r foment bresennol wrth orffennol hanesyddol mewn modd cydnaws a chyson. Wedi dweud hynny, nid y gwahaniaeth hanfodol rhwng dau draddodiad o basianta sydd yn bwysig yng nghyd-destun y ddadl bresennol ond y ffaith bod ymgais Parker i wireddu presennol sy'n oludog o orffennol wedi arwain at ddirymuso ei gynulleidfa. Gwyddom bod lleoliadau ac amodau ymarferol llwyfannu pasiantau troad yr ugeinfed ganrif ym Mhrydain yn heriol yn yr ystyr 'that audiences often found it difficult to hear what actors were saying.'[41] Ond yn fwy tyngedfennol, mae hi'n amlwg fod y pasiant Parkeraidd wedi ei lunio ar egwyddor o oddefgarwch yn nermau cyfranogiad y gynulleidfa i wireddu prosiect celfyddydol, creadigol-ddychmygus oedd yn gwrthddweud ei amcan mwyaf hanfodol, sef deffro, meithrin a chynnal balchder cenedlaethol ym mhrofiad pob un a ddeuai i gyswllt ag e.

Os ydym bellach wedi dod i ddealltwriaeth weddol groyw o nodweddion, cryfderau a ffaeleddau'r pasiant Parkeraidd, y cwestiwn nesaf ydyw beth oedd y berthynas rhwng y model Parkeraidd a'i olynydd yng Nghaerdydd, 26 Gorffennaf i 7 Awst 1909? Dadleua Edwards mai ymddangosiad erthygl fer yn y *Western Mail*, 5 Gorffennaf 1906 gan James Mullin, yn disgrifio pasiant hanesyddol Warwick, oedd man cychwyn y busnes pasianta yng Nghymru'r ugeinfed ganrif. Mae'n gwbl amlwg o dystiolaeth Edwards bod yna un brif ddelfryd yn tanio ymdrechion y sawl a fu'n braenaru'r tir rhwng 1906 ac 1909 mewn ymateb i wreichonyn cychwynol Mullin. Y weledigaeth honno oedd y gellid cyflwyno hanes fel modd o ddysgu cenedl am y gorffennol a oedd wrth galon ei phresennol a thrwy hynny feithrin gwladgarwch a balchder cenedaethol a allai, yn ei dro, ddwyn ffrwyth diwylliannol, cym- deithasol a gwleidyddol – delfryd oedd yn gwbl gyson gyda gweled- igaeth ac amcanion y model Parkeraidd. Unwaith y dechreuwyd o ddifri ar brif waith y pasiant, amlygwyd y ffaith bod yr egwyddor hon wrth wraidd ymdrechion bob un a ddeuai i gyswllt ag ef. Roedd G. P. Hawtrey, Pasiant-feistr, yn awyddus i hoelio ei liwiau yntau wrth fast addysgiadol Pasiant Caerdydd gan egluro:

A pageant's value as an educative agent is incalculable. At Cheltenham the school children all had a holiday every afternoon during the week, and the headmistress of one of the principal schools there told me afterwards that the scenes had opened the minds of the pupils in an amazing way to . . . past events . . . the children returned to school with an intelligent grasp of history which oral teaching had not been able to impart. They had not only heard and read the historical stories, but had now actually witnesed the scenes reproduced, and appeciated their signficance.[42]

Roedd gan Hawtrey weledigaeth theatraidd gynhenid ac roedd yn feistr ar y grefft o lunio hanes yn ddrama. Yn gynnar iawn yn y broses greadigol, roedd wedi deall potensial dramataidd nifer o episodau o hanes Cymru. Roedd yn argyhoeddiedig, er na fyddai anhawster wrth geisio deunydd hanesyddol i'w ddramateiddio, y byddai'n rhaid wrth un egwyddor ganolog wrth ddethol cynnwys y pasiant. 'It must be remembered', meddai, 'that every historical episode, however important in itself, cannot be dramatised with effect, and spectacular effects are everything in a pageant'.[43] Ni ellid dysgu heb ddiddanu, mae'n amlwg.

Er gwaetha'r ffaith bod Edwards yn honni na wyddai Hawtrey ddim oll am hanes Cymru, roedd ganddo ddigon o grebwyll i awgrymu nifer o ddigwyddiadau hanesyddol fel craidd adloniant Pasiant Caerdydd. Yn ei drafodaeth gyda gohebydd y *Western Mail*, cydnabu y byddai angen cyngor pellach arno yn y maes ond honodd hefyd iddo fod yn gloddesta ar 'Welsh historical details with surprising voracity for a long time past'.[44] Efallai bod ei frwdfrydedd dros gynnwys yr olygfa o *Henri V* gan Shakespeare ble mae Fluellen yn yn gwneud i Pistol fwyta cenhinen yn gosb am wawdio ei genedligrwydd yn awgrymu bod ei adnabyddiaeth o hanes Cymru yn eildwym a'i brif gonsyrn yn ymwneud â theatricaliaeth y deunydd yn hytrach na'i gywirdeb hanesyddol, eto anodd coelio taw diffygion gwybodaeth Hawtrey oedd yr unig ysbrydoliaeth dros frwdfrydedd T. Marchant Williams, J. Austin Jenkins ac eraill i benodi Rhoscomyl fel sgriptiwr a hanesydd i'r pasiant. Cyflwyna Marchant Williams benodiad Rhoscomyl yn ddirprwy basiantydd yng nghyd-destun yr angen i sicrhau cysondeb rhwng theatricaliaeth y pasiant ar y naill law, a'i hygrededd hanesyddol ar y llall. Dadleua:

> One cannot fairly expect Mr Hawtrey to go hunting after episodes; he can weave them together better than anybody, and this is all he should be asked to do, it seems to me . . . I am naturally anxious that the pageant should be a success from a historical point of view, as well as from a spectacular point of view, and I cannot avoid telling you what is passing through my mind in regard to the very essence of the venture.[45]

Dichon nad oedd gafael Hawtrey ar hanes Cymru cyn sicred ag un Rhoscomyl, digon posibl nad oedd crebwyll dramataidd Rhoscomyl cystal ag un Hawtrey ac eto, mae adroddiadau'r wasg yn y misoedd cyn llwyfannu'r pasiant yn rhoi'r argraff nad oedd y dosrhaniad swyddogol o sgiliau, yr hanesydd ar y naill law a'r pasiantydd ar y llaw arall, mor syml ag yr ymddangosai ar yr olwg gyntaf. Mae'n bur amlwg i Rhoscomyl gyfareddu pwyllgor gweithredol y pasiant gyda'i gynlluniau dramataidd i lwyfannu episodau hanesyddol megis 'Ifor Bach's Onslaught', ble 'the seasoned footballers of Cardiff and district . . . led by Lord Aberdare or some other captain, would be capable of presenting an onrush which would be magnificent in its effects'.[46] Mae hi yr un mor eglur bod gan Hawtrey afael ar agweddau ar hanes Cymru a braslun ar gyfer gweu'r hanes yn basiant oherwydd mae nifer o'r episodau a amlinella fel deunydd craidd y pasiant i'r wasg ym mis Chwefror, 1909 – episod Arthuraidd, golygfa gyda'r Brenin Caradog a Hywel Dda a'r olygfa o *Henri V* – yn ymddangos yn sgript terfynol Rhoscomyl.

Beth felly oedd wrth wraidd natur rhanedig arweinyddiaeth Pasiant Cenedlaethol Caerdydd 1909? Wedi'r cyfan, er gwaethaf bob democratiaeth honedig, roedd y model Parkeraidd yn unbeniaethol a'r awennau creadigol yn sicr yn nwylo Parker ei hun. Ar un wedd, roedd y naratif cyhoeddus, yn y pwyllgorau ac yn y papurau newyddion, yn cyflwyno Hawtrey a Rhoscomyl fel unigolion oedd yn dod â sgiliau gwahanol i bair dadeni'r pasiant. Yr agraff a roddwyd oedd na allai'r naill na'r llall ddiwallu gofynion hanfodol y pasiant ar eu pennau eu hunain ond eu bod, fel pâr a rannai sgiliau gwahanol, yn sicrhau creu cyfanwaith artistig cyflawn. Ar wedd arall, mae darlleniad manylach o dystiolaeth yr un papurau newydd a'r un pwyllgorau yn awgrymu os nad oedd y dosraniad sgiliau rhwng meistr a dirprwy-feistr yn gwbl artiffisial nad oedd chwaith yn gwbl naturiol. Pam felly na wnai un meistr y tro i Basiant Cenedlaethol Caerdydd 1909? Teflir peth goleuni ar y penbleth gan ddisgrifiad yn y wasg o drafodaeth triffordd rhwng meistr y pasiant, Hawtrey, ei ddirprwy, Rhoscomyl, a'r gohebydd neu gynrychiolydd y cyhoedd. Disgrifir siart sy'n mapio:

a most bewildering compilation of dates, personages, epoch-making events . . . from the earliest days of Welsh history, and one judged by the concentrated air with which Mr Hawtrey scanned it that he was determined to master its minutest detail however difficult the task. Owen Rhoscomyl stood alongside with characteristic, confident pose, explaining here and there . . . 'I shall want some details of that character later on', the visitor ventured to remark. 'We shall be delighted', was the reply of the Master, whose eyes seemed to glint with a mixture of enthusiasm and puzzledom. 'But', he added, scratching his forehead, 'I must master it myself first of all, and then we shall fear no criticism.'[47]

Roedd dau feistr ar basiant cenedlaethol Caerdydd am fod hon yn fenter tanseiliol oedd yn manteisio ar gyfrwng adloniant poblogaidd i gynnig fersiwn newydd, heriol o hanes Cymru a oedd yn hanfodol wahanol i unrhyw fersiwn a gyflwynwyd cyn hynny. Mae'n amlwg nad cyflwyno hanes cyfarwydd cenedlaethol ar gefnlen lleol yn unol â'r model Parkeraidd oedd gwaith Pasiant Caerdydd, ond yn hytrach bathu hanes o'r newydd, ei feistrioli digon i'w ddrama-teiddio'n effeithiol a wedyn darbwyllo'r genedl i'w fabwysiadu'n fersiwn awdurdodol, newydd o hanes Cymru. Ar yr achlysur hwn, hanes Cymru oedd un o 'leiafrifoedd eithriedig' Bennett a'r pasiant oedd y canon a allai ei gyfreithloni.

Nid newyddbeth oedd y frwydr hon i Rhoscomyl na chwaith i gefnogwyr y pasiant. Mewn gohebiaeth personol rhwng Rhoscomyl a J. Glyn Davies dadlennir y ffaith iddo gael mewnbwn i drafod-aethau cynnar ynghylch natur y pasiant erbyn ac, mae'n bur debyg, cyn Hydref 1906. Mewn llythyr i'w gyfaill sy'n trafod darlith ar hanes ac achyddiaeth Cymru y mae newydd ei rhoi yng Nghaer-dydd, dywed Rhoscomyl:

> Well. Glyn bach, I'm just back from Cardiff, and I didn't make the Liverpool mistake there . . . I went in and told them as much as would keep them from getting up and going out to avoid being bored to extinction. It was all very pleasant, laughter upon laughter from start to finish, and pretty compliments to each other at the finish, yet I gained one point, in that the 'national pageant' is to be revised in accordance with my 'discoveries' and a handbook to it published.[48]

Mae'n amlwg nad oedd y ddarlith ond yn un agwedd ar genhad-aeth gyson i gyflwyno hanes Cymru o'r newydd i'r genedl. Mewn erthygl yn y *Western Mail* o dan y pennawd digon ymfflamychol, 'Owen Rhoscomyl's Outburst', cawn argraff o faint y dasg a wynebai'r pasiant ac o ddyfnder ymroddiad Rhoscomyl i'w llwyddiant. Erbyn cyhoeddi'r erthygl, roedd eisoes wedi ysgrifennu ei gyfrol odidog, *Flame Bearers of Welsh History*, llyfr y bwriadwyd iddo weddnewid profiad addysgiadol plant Cymru gan gynnig iddynt hanes cened-laethol y gallent ymfalchio ynddo. Mewn gwirionedd, er bod

Von Zeil yn disgrifio'r llyfr fel 'best-seller' ac yn honni i Rhoscomyl ennill 'country-wide acclaim as a new Welsh historian'[49] yn sgil ei gyhoeddi, ni ddilynodd y diwygiad hanesyddol disgwyliedig. Mae asesiad un o gyfeillion mawr Rhoscomyl o'r llyfr yn crisialu prif nodweddion ei awdur, dygnwch a dychymyg, tra hefyd yn agor cil y drws ar y resymau nas cyrhaeddodd ei brif nod, sef gweddnewid canfyddiad y Cymry ifainc o hanes eu cenedl. Yn ôl J. Glyn Davies, 'Plodding work on scant and weak sources and an outstripping imagination went into the making of 'The Flame Bearers'.[50] Fawr o syndod na fentrai cenhedlaeth a oedd yn dal i wingo o dan lach Brad y Llyfrau Gleision groesawu fersiwn a oedd mor amlwg anghydnaws gyda hanesyddiaeth bartriarchaidd, brif ffrwd, Brydeinig. Siawns nad oedd Rhoscomyl yn iawn i honni taw'r Cymry eu hunain oedd bennaf gyfrifol am ddiffygion addysg eu plant a gwamalrwydd eu canfyddiad o'u cenedligrwydd:

> Something that is called history is taught in the schools . . . It is, after all, our own fault that we are treated in this way. You accept the English history and estimate of yourselves. You buy and you read English books . . . We have let them cram it down the throats of Welsh children, that they belong to a nation of conquered fugitives, and it is a lie. It is for us to see that the true history of our race is taught, not only in Wales, but in England and all over the world.[51]

Tasg y pasiant fyddai unioni'r cam hwn. Ac i'r graddau hynny, roedd hi'n unigryw, yn hanfodol wahanol i unrhyw basiant a'i rhagflaenodd; 'I ddechreu, mae y Pashant hwn i fod yn rhywbeth newydd mewn mwy nâg un ystyr. Dyma'r cyntaf i ddangos Pashant gwlad a chenedl gyfan ac nid rhyw ranbarth neu adran.'[52]

Er i mi ddisgrifio rhaglen y Pasiant cenedlaethol fel un tanseiliol, nid oedd hynny'n wir ond i'r raddau ei bod yn cynnig fersiwn newydd o Gymru i ddisodli'r fersiwn swyddogol, cydnabyddiedig. Doedd yna ddim byd yn danseiliol yng ngweledigaeth Rhoscomyl o le Cymru mewn cyd-destun Prydeinig. Yn wir, fel y noda Edwards, 'Rhoscomyl was a diehard royalist and an Empire man'.[53] Blynydd-oedd wedi llwyfannu'r Pasiant, byddai Rhoscomyl yn dadlau'n daer o blaid sefydlu catrawd o farchfilwyr Cymraeg oddi fewn i'r fyddin Brydeinig a hynny ar sail hawl y Cymro i wasanaethu'r ymerodraeth Brydeinig.[54] Yn y cyd-destun hwn, roedd gweledigaeth Rhoscomyl o rôl y pasiant wrth leoli hanes oddi fewn i gyd-destun ehangach yn gyson ag un Parker. Fel y noda Simpson, yn y pasiant Parkeraidd, 'By presenting local history against the overall frame of the national story, a town could define its importance and take justifiable pride in having played a part in the march of history'.[55] Cefnogir ei ddehongliad gan ddadl Readman bod pasiantau'r cyfnod Edwardaidd yn ymgnawdoli 'the perceived significance of individual localities in the broader tapestry of English identity'.[56] Un cymhlethdod yn achos Pasiant Cenedlaethol Caerdydd oedd y ffaith taw hanes cenedl gyfan oedd o dan sylw. Cymlethdod pellach oedd y ffaith nad oedd gan y genedl honno hanes y gallai'r un Cymro neu Gymraes ymflachio ynddo na chwaith ei dderbyn fel fersiwn awdurdodol o hanes eu gwlad. Gwyddai Rhoscomyl bod yn rhaid i basiant Caerdydd greu hanes Cymru o'r newydd.

Yn y bôn, roedd ymdrech Rhoscomyl yn un hanfodol greadigol. Nid mater o fapio'r lleol ar y cenedlaethol ac y tu hwnt i hynny'r Prydeinig oedd tasg Pasiant Cenedlaethol Caerdydd ond mwyn-gloddio hanesyddol er mwyn canfod a datguddio fersiwn newydd o hanes y genedl. O ganlyniad, aeth Rhoscomyl ati i geisio method-oleg hanesyddol gwbl unigryw, methodoleg greadigol a oedd yn agosach at ymwneud dychmygus Iolo Morganwg gyda hanes ei ardal nag at y broses o atgynhrchu hanesyddol triw a nodweddai'r pasiant Parkeraidd. Unwaith yr archwiliwn statws Rhoscomyl fel hanesydd, daw'n amlwg bod cryn ddadlau ynghylch ei waith. Fe'i disgrifir gan Edwards ei hun fel, 'a fife and drum historian',[57] ac er gwaethaf brwdfrydedd Marchant ac eraill am ei gyfraniad i'r pasiant, mae adolygiad yr Athro J. E. Lloyd o Fangor ar ei gyfrol *The Matter of Wales* ym 1913 yn brawf bod yna gryn wrthwynebiad i'w waith a'i fethodoleg ymysg cyd-haneswyr. Wrth ddyfynnu o feirniadaeth Lloyd, amlyga Rhoscomyl yr hyn oedd wrth wraidd yr ymryson; parchusrwydd a dilysrwydd hanesyddol mewn cyd-destun ysgolheigaidd:

Building upon a notorious compilation known as the 'Brut of Aberpergwm', the author advances the theory that in 890 a Cambrian host come down from the North, took possession of a country which had to a large extent become Saxon, and gave it the new name of Cymru. It seems to weigh little with Mr Vaughan that no reference to this great achievement is to be found in any contemporary or respectable ancient authority.[58]

Wrth ddarllen ymosodiad Lloyd, anodd peidio cydymdeimlo gydag asesiad un o gyfeillion Rhoscomyl, J. Glyn Davies:

Even if we say that Rhoscomyl is off the track again it is simply to say that his book is no better than that of his contemporaries; though I doubt if it will come to that when I call to mind the dull re-hashes I have read. For none of them could write narrative like him; none had his literary gifts; none could approach his style, for style is a matter not of grammar, but of personality.[59]

Gwelir dylanwad y bersonoliaeth hon wrth glywed Rhoscomyl yn hawlio bod 'ideas that may not be historically accurate are aceptable for presentation'.[60] Yn wir, er gwaetha'r ffaith iddo gael ei apwyntio'n ddirprwy basiantydd yn rhinwedd ei wybodaeth hanesyddol, ac yn benodol yn wyneb diffygion Hawtrey yn y cyfryw gyd-destun , ni wridai wrth wrthwynebu bob ymgais gan Hawtrey i'w gyfyngu i wirioneddau hanesyddol wrth lunio rhaglen y pasiant. Does dim dwywaith nad oedd Edwards, fel hanesydd ei hun, yn ymwybodol o'r cyhuddiadau o wamalrwydd a wynebai Rhoscomyl ond mae hi yr un mor amlwg ei fod wedi ei wefreiddio gan wrthodiad ei arwr o'r '"on the one hand, on the other" school of historiography'.[61] Cydnabu Edwards hynod-rwydd hanesyddiaeth Rhoscomyl ond dadleuodd yn ddygn o blaid gwerth ei greadigrwydd fel ymarfer diwylliannol o bwys. Noda Edwards:

after boasting that his script would be 'historically accurate to the smallest detail', what most concerned him was that the history staged should be worthy of 'reverence' – nothing less . . . While

talk of 'reverence' could be said to indicate a sacerdotal involvement
with Welsh history, it seems more apt in Rhoscomyl's case to
describe it as heraldic . . . Rhoscomyl's espousal of Welsh history
was that of a man who 'had his very soul in pageantry'.[62]

Busnes Pasiant Caerdydd oedd creu hanes o'r newydd ac o'r
perspectif hwn; gellir dehongli gwrthodiad Rhoscomyl o hanes fel
gwirionedd fel ymgais hanfodol greadigol i flaenoriaethu'r elfen
weithredol yn hanes a bywyd ei genedl . 'In ancient times', dadleuai,
land was the source of all sustenance, and it was, therefore, all
important that the title to it should be clear'.[63] Dyma oedd wrth
wraidd ei ymroddiad i basiant Caerdydd, nid sefydlu'r gwirionedd
am hanes y genedl, ond yn hytrach hawlio teitl oesol cenedl.

Er mwyn cyflawni'r dasg a osododd iddo'i hun, aeth Rhoscomyl
ati i gyflwyno ei fersiwn unigryw o hanes Cymru wedi ei selio ar
astudiaeth fanwl o achau hynafol Cymraeg a Chymreig. Roedd yn
fentrus, ac o bosibl yn ddifater, mewn cyd-destun personol.[64]
Mynnai wreiddio ei weledigaeth hanesyddol yn y ffynhonell
anarferol hwn ond disgwyliai hefyd i'w gynulleidfa chwarae ei
rhan wrth gadarnhau ei ddarlleniad gwrth-hanesyddol o'i ffynon-
ellau. Nid yw'n caniatáu perthnasedd ond un egwyddor arweiniol,
sef y rheol bod bob cenedlaeth yn hanes Cymru oddeutu'r un hyd.
Amlinella ei fethodoleg gan ddatgelu ei ffydd ddiamodol yn ei
dilysrwydd:

> In searching through the genealogies, the student must cast away
> all epithets, and indeed all dates as well. He must go further. He
> must ignore everything but the stem of male names. Doing this,
> and comparing one genealogy with another, he will find in the
> end no disagreement.[65]

Ni fynnai Rhoscomyl gyfyngu ei weledigaeth hanesyddol o fewn
i furiau llyfrgell na chwaith rhwng cloriau llyfr, ac yn wir, rhoddodd
iddo fywyd ym Mhasiant Cenedlaethol Caerdydd trwy gyfrwng
cyfraniad uniongyrchol llu o gynrychiolwyr teuluoedd hynaf y
ddinas yn y pasiant ei hun. Roedd ei basiant, fel un Parker, yn weith-
garedd sifil a ddibynai ar gefnogaeth a mewnbwn tirfeddianwyr

lleol megis yr ardalydd Bute, a ddarparodd Gerddi Soffia fel cartref
i'r pasiant, yn ogystal â lliaws o aelodau'r cyhoedd – swyddogion
y cyngor, athrawon, chwaraewyr mabolgampau a phlant ysgol.
Broliai cyhoeddiau'r pasiant am safle cymdeithasol breintiedig
nifer o actorion y pasiant ac mae'n rhaid bod Rhoscomyl wrth ei
fodd bod ganddo gyfle i ymgorffori ei greadigaeth achyddol o
hanes Cymru ym mhersonau rhai o'i gyflwynwyr mwyaf aristo-
crataidd. Fel y datganodd E. A. Morphy:

> [m]ost remarkable of all, however, is the fact that so many of the
> historic personages in the cast are represented by individuals who
> are the direct descendants of those personages . . . in one instance,
> for example – that of the Bassets of Beaupre – the whole family
> and its retainers come on the field in practically identical complete-
> ness to what they did in the reign of King John.

> But the Pageant presents another example of a family survival
> that is more than twice as remarkable . . . in the case of the Misses
> Mostyn of Talacre, we have a survival from the fifth century. It is
> open to doubt that all Europe could produce a more distinguished
> example of remote genealogy.[66]

Gellid dehongli edmygedd Rhoscomyl o arwyr ac arwriaeth hanes-
yddol Cymru fel tystiolaeth bellach o'i berthynas ddychmygus
gyda hanes a'i ysfa i atgynhyrchu hanfod cyfnod hanesyddol
yn hytrach na phortread ffyddlon o wirioneddau hanesyddol
ffeithiol. Yn wir, mae Edwards yn dadlau'r taw'r rheswm ei fod
yn 'hanesydd pasiant da iawn oedd ei fod yn rhamantydd diedifar
a blediai hanes arwr-ganolog'.[67] Yn hyn o beth, roedd gweledigaeth
Edwards ar y naill law, a Rhoscomyl ar y llall, o bwysigrwydd
arwyr i'r broses o greu a meithrin hunaniaeth genedlaethol yn
gydnaws. Gwylltiai Edwards wrth nodi'r duedd i buro hanes
Cymru trwy greadigaeth arwyr modern yn unôl ag arfer Tennyson.
Gwrthodai ddelweddau cenedlaethol megis y glöwr Mabonaidd
neu'r 'chwarelwr, y bugail a'r Gymraes rinweddol',[68] oll yn crisialu
nodweddion dof, gwerinol a fyddai'n gonglfaen i Gymru wâr,
ôl- Lyfrau Gleision. Ar droad y mileniwm, daliai Edwards i resynu

nad oedd dychymyg hanesyddol Cymru wedi aeddfedu dim ers datguddio'r gofeb i Llewelyn yng Nghilmeri yn 1956. 'We did not', meddai, 'as a nation, do Llewelyn proud, but we could redress the wrong in a fitting celebration of Glyndŵr's vision'.[69]

Os na fedrodd yr un artist o Gymro greu 'arwr cenedlaethol digyfaddawd o Lywelyn yn y cyfnod Fictoraidd',[70] tybed beth fedrai Rhoscomyl yn 1909? Roedd Rhoscomyl am ddylunio'r genedl yn ei holl amrywiaeth gan rhoi lle dilys i '[dd]eddf rhodd-wyr . . . [b]ardd . . . [d]ysg . . . y Fenyw',[71] eto, ni fynnai liniaru ar bwysigrwydd dehongliad arwr-ganolog, gorchestgar ar hanes ei genedl. Rhyfel oedd prif nodwedd Pasiant Cenedlaethol Caer-dydd ac mae Edwards yn tybio petai Rhoscomyl yn rhydd o ddylanwad Hawtrey, a fyddai mwy o le wedi bod i rhyfelwyr, 'pasiant heb elfennau pathetig'[72] efallai? Mae'n amlwg o drafod-aeth gymharol Simpson o basiantau Caerdydd a Gwent bod arwyr Rhoscomyl o faintioli epig, yn anwar ac, yn nhyb rhai, yn farbar-aidd. Ystyria Simpson basiant Caerdydd yn eilradd o ganlyniad i ddylanwad elfen o farbareiddiwch ar y golygfeydd. Hawdd adnabod y cyfryw nodweddion wrth ddarllen Interliwd 4, golygfa 2, sy'n datguddio mawredd arwriaeth go waedlyd yn y pasiant:

> The eighteen men, whom Llewelyn had posted on the Bridge over the Irvon, fought till the last man died. Llewelyn and his squire, running down (without armour) to their assistance were met and speared by the charging horsemen. We bring them on in solemn procession. On each man's forehead is a splash of blood in token of his gallant death.[73]

Mae rhu'r frwydr, rhuthr meirch, rheibio merched a dadweinio cyllyll yn nodweddion cyson o basiant Rhoscomyl. Cwyna Simpson, yn benodol, bod i'r olygfa pan wneir Arthur yn Frenin Tegeingl 'a determinedly Dark Age ambiance: in both physical location and moral ethos, life seems fiercely combative and brutally direct'.[74] Anodd anghytuno â'i asesiad, os nad â'i feirniadaeth, wrth ddarllen sut y glyna Arthur at fawredd ei rhyddid fel rhyfelwr gan ymwrthod â moethusrwydd dof brenhiniaeth ddoeth:

Arthur: I'll not be King – in council to be over-ruled by the Elders. In battle, to follow where his champion leads . . . Think not to tempt me. To a King all things come too easily. What I have, let me win.[75]

Anodd coelio y byddai beirniadaeth Simpson wedi cyffroi fawr ar Rhoscomyl a oedd, wedi'r cyfan, yn gweld 'his heroes as they would have been regarded by their own bards. His own life had been akin to that of the ancient warriors: he felt as a soldier for a soldier'.[76]

I'r graddau bod pasiant Rhoscomyl yn cynnwys elfennau o hagrwch, ei seiliau hanesyddol yn wamal a'i ddathliad o arwriaeth barbaraidd, waedlyd yn heriol, roedd yn pellhau o'r model Parker-aidd. Ar ben hynny, daethai'r pasiant ei hun, boed ar model Parker neu Rhoscomyl, o dan y lach yn gyson gydol yr ugeinfed ar sail ei hygrededd fel ffurf celfyddydol. Hawliai Parker ddilysrwydd y pasiant ar sail ei berthynas agos gyda theatr, yn gymaint felly nes iddo wawdio ymdrechion, 'those dilettantes and quidnuncs campaigning for a national drama'.[77] Honnai bod ei basiantau yn gyfystyr ac yn gyfwerth â theatr am eu bod yn cyflwyno dilyniant llinynol o weithgareddau theatraidd, yn defnyddio dialog fel prif gyfrwng cyfathrebu ac yn cael eu cyflwyno i gynulleidfa mewn un man canolog, sefydlog. Os ydy dadl Parker yn ein darbwyllo i'r pasiant modern ddatblygu'n sylweddol o gyfnod ei gyndeidiau canoloesol, 'the least dramatic of all dramatic forms' (t. 231), prin ei fod yn ateb digonol i'r her a osodwyd gan Harley Granville Barker a William Archer wrth iddynt ddadlennu eu delfryd ar gyfer theatr genedlaethol. Hyd yn oed yn awr ei anterth, cyhuddwyd y pasiant o fod nemor gwell nag, 'an elaborate fancy dress ball'.[78] Roedd Edwards yn sicr na fu Pasiant Cenedlaethol Caerdydd yn 'mere exercise in dressing up and play-acting but through graphic use of history had tried to make a loud statement about the right of Wales to be recognized and properly valued as a British, Imperialist asset'.[79] Eto, erbyn troad yr unfed ganrif ar hugain a dyfodiad y mileniwm newydd, roedd pasianta o bob math wedi colli poblogrwydd ac hyd yn oed y beirniaid mwynaf yn teimlo ei fod yn perthyn i 'society of the spectacle, making us onlookers, rather than participants in the recreation of past events'.[80]

Beth felly oedd a wnelo Pasiant Cenedlaethol Caerdydd â Chymru'r unfed ganrif ar hugain? Pam y bu i Edwards godi ei lais ar ran Pasiant Cenedlaethol Caerdydd ar ôl oes o waith a oedd wedi canoli ar astudiaeth o ffurfiau traddodiadol, y ddrama, theatr, celfyddydau'r Eisteddfod ac agweddau adnabyddus ar hanes diwylliannol a diwydiannol Cymru? Mentraf hawlio i Edwards ddewis gysegru ei gyfrol olaf i'r pasiant, ac i Basiant Cenedlaethol Caerdydd, yn benodol *am* ei fod yn eithredig, yn israddol, yn gelfyddyd eilradd – y gynulleidfa yn oddefol, y gelfyddyd yn wan, y methodoleg hanesyddol yn wamal ac, ar ben hynny, yn ymgorffori agweddau dadleuol ar bersonoliaeth Rhoscomyl ei hun, imperialaeth, misogynistaeth a thuedd i fawrygu agweddau barbaraidd bywyd. Yr hyn a gyffroai Edwards oedd mynegiant y pasiant o ysbryd creadigol, cenedlaethol. Siawns nas gallai'r fath sbardun amharchus, eofn, ddeffro'r ymwybod a'r dychymyg Cymraeg a Chymreig o drwmgwsg canrifoedd, cyfnod a gynhwysai gyhoeddi swmp a phrif sylwedd ei waith ei hun, fel hanesydd o Gymro. I Edwards, fel i Rhoscomyl, nid chwarae bach oedd y pasiant:

If only, the same spirit could be rekindled when the Welsh, facing nothing more terrible than a referendum to determine their own future, their own standing in the world, are called upon to vote. Perhaps, recalling our capital city's dispiriting response to the referendum of 1997, it is time to think of staging another National Pageant before 2011 . . . Let a creative Rhoscomyl spirit speak aloud for a nation's advance. The battlefield, as it has been over the centuries, is the Welsh mind. We are long overdue a decisive victory.[81]

Ers cyhoeddi *The National Pageant of Wales*, collodd Cymru hanesydd a gyflawnodd y gamp arobryn o 'ddadansoddi hanes, diwylliant a llenyddiaeth Cymru, mewn ffordd . . . berthnasol i'r Gymru gyfoes'.[82] Tybed na fyddai cydnabyddiaeth o bwysigrwydd 'Rhwysg Hanes Cymru' fel lleiafrif eithredig, yng nghyd-destun prif gorff gwaith Edwards yn ogystal ag yng nghyd-destun methiant hanesyddol Cymru fodern i chwarae rhan weithredol wrth ddychmygu dyfodol y genedl, yn ymateb teilwng i'r cyfryw golled.

Nodiadau

1. Susan Bennett, 'Theatre History, Historiography and Women's Writing', in *Women, Theatre and Performance: New Histories, New Historiographies* (Manceinion: Gwasg Prifysgol Manceinion, 2000), t. 46.

2. Hywel Teifi Edwards, *The National Pageant of Wales* (Llandysul: Gwasg Gomer, 2009).

3. —— 'Owen Rhoscomyl (1863–1919) a 'Rhwysg Hanes Cymru', *Transactions of the Honourable Society of Cymmrodorion*, 13 (2007), 109.

4. John Palmer, *The Future of the Theatre* (Llundain: G. Bell a'i Feibion Cyf., 1913), t. 173.

5. Edwards, 'Owen Rhoscomyl; 'Rhwysg Hanes Cymru', 131.

6. G. P. Hawtrey and Owen Rhoscomyl, *The National Pageant of Wales, Cardiff, July 26th to August 7th 1909, Book of the Words* (Caerdydd: Western Mail, 1909), t. 58.

7. Edwards, *The National Pageant of Wales*, t. ix.

8. D. Gwenallt Jones, 'Hanes Mudiadau Cymraeg a Chenedlaethol y bedwaredd ganrif ar bymtheg', yn A. Wade Evans (gol.), *Seiliau Hanesyddol Cenedlaetholdeb Cymru* (Caerdydd: Plaid Cymru, 1950), t. 125.

9. Edwards, *The National Pageant of Wales*, t. 188.

10. —— *The National Pageant of Wales*, t. 30.

11. H. T. Edwards, *Arwr Glew Erwau'r Glo (1850–1950)*, (Llandysul: Gwasg Gomer, 1994), t. 9.

12. Llythyr o A. O. Vaughan i J. Glyn Davies, 1.1.1913, Llyfrgell Genedlaethol Cymru, Owen Rhoscomyl Papers / 483.

13. Cydnabydda Edwards bod nifer o gymheiriaid Rhoscomyl yn ei ystyried yn 'fife and drum historian' (gweler Edwards, *The National Pageant of Wales*, t. xi.). Gweler hefyd ymateb Rhoscomyl i ymosodiad cyhoeddus yr Athro J. E. Lloyd, Bangor ar hygrededd academaidd methodoleg hanesyddol T*he Matter of Wales*, mewn llythyr o A. O. Vaughan i J. Glyn Davies, 10.7.1913, Llyfrgell Genedlaethol Cymru, Owen Rhoscomyl Papers / 483,

14. Edwards, *The National Pageant of Wales*, t. x. Llwyfanwyd Pasiant Sherborne gan Louis Napoleon Parker yn 1905 i ddathlu deuddeng canmlwyddiant sefydlu'r dref. Fe'i cynlluniwyd fel gweithred drama gymunedol oedd yn dathlu hanes ac achyddiaeth y dref a gosododd y seiliau gogyfer y patrwm a ddilynwyd gan Parker yn Warwick, Bury St Edmunds, Dofr, Efrog a Colchester rhwng 1906 a 1909.

15. P. Readman, 'The Place of the Past in English Culture, *c.*1890–1914', *Past and Present*, 186 (2005), 168.

16. R. Withington, 'Louis Napoleon Parker', *New England Quarterly*, 12/3 (1939), 518.

17 Edwards, *The National Pageant of Wales*, t. 18.
18 Dyfynnwyd yn R. Withington, *English Pageantry: An Historical Outline*, cyf. 2, (Efrog Newydd, 1963), t. 195.
19 Gweler R. Withington, *English Pageantry*, t. 194.
20 R. Withington, 'Louis Napoleon Parker', 513.
21 Withington, *English Pageantry*, t. 201.
22 Readman, 'The Place of the Past in English Culture', 168.
23 M. Freeman, '"Splendid Display; Pompous Spectacle:" historical pageants in twentieth-century Britain', *Social History*, 38/4, 426.
24 Withington, *Louis Napoleon Parker*, 514.
25 H. F. Stratton, 'The Meaning of Pageantry', *American Magazine of Art*, 13/ 8 (1922), 265, 268.
26 R. Davol, 'Pageantry as a Fine Art, *Art and Progress*, 5/8 (1914), 299.
27 —— 'Pageantry as a Fine Art', 299.
28 Stratton, 'The Meaning of Pageantry', 265.
29 Gweler R. Simpson, 'Arthurian Pageants in Twentieth-century Britain', *Arthuriana*, 18/ 1, (2008), 65.
30 Louis Napoleon Parker, *Warwick Pageant, 2nd to 7th July 1906* (Evans: Warwick, 1906), dim tud.
31 Simpson, 'Arthurian Pageants in Twentieth-century Britain', 63.
32 'What is a Pageant?', *New Boston*, Tachwedd 1910, 199.
33 'What is a Pageant?', 201.
34 Davol, 'Pageantry as a Fine Art', 302.
35 'What is a Pageant?', 199.
36 Withington, 'Louis Napoleon Parker', 513.
37 Gweler R. Withington, *English Pageantry: An Historical Outline*, cyf. 2, (Efrog Newydd, 1963), t. 204.
38 —— *English Pageantry*, t. 202.
39 —— *English Pageantry*, t.196.
40 Anwen Jones, *National Theatres in Context: France, Germany, England and Wales*, (Caerdydd: Gwasg Prifysgol Cymru, 2007), t. 39.
41 Freeman, '"Splendid Display: Pompous Spectacle"', 430.
42 G. P. Hawtrey, 'The Master of the Pageant', *Western Mail*, 2 Chwefror 1909, 3, col 8.
43 —— 'The Master of the Pageant', 3, col. 8.
44 —— 'The Master of the Pageant', 3, col. 6.
45 'The Business of Pageantry', *Western Mail*, 3 Chwefror 1909, 3, col. 7–8.
46 'Cardiff Castle Capture', *Western Mail*, 17 Chwefror 1909, 4, col. 8.
47 'At the Pageant House', *Western Mail*, 16 Chwefror 1909, 4, col. 5.
48 Llythyr o A. O. Vaughan i J. Glyn Davies, 20 Hydref 1906, Llyfrgell Genedlaethol Cymru, Owen Rhoscomyl Papers / 98.

[49] Anthony Von Zeil, *Battle Scars and Dragon Tracks* (Cape Town: Style Lab 2000, 2010), t. 151.

[50] J. Glyn Davies, 'Owen Rhoscomyl: Tribute by the man who knew him best', t. 3, Llyfrgell Genedlaethol Cymru, Owen Rhoscomyl Papers / 20.

[51] 'Owen Rhoscomyl's Outburst', *Western Mail*, 22 Chwefror 1909, 5, col. 8.

[52] G. P. Hawtrey ac Owen Rhoscomyl, *National Pageant of Wales* (Cardiff, 1909), t. 58.

[53] Edwards, *The National Pageant of Wales*, t. 192.

[54] 'Extracts from the Western Mail', 19, Owen Rhoscomyl Papers 19, Llyfrgell Genedlaethol Cymru.

[55] Simpson, 'Arthurian Pageants in Twentieth-century Britain', 63.

[56] Readman, 'The Place of the Past in English Culture, *c.*1880–1914', 177.

[57] Edwards, *The National Pageant of Wales*, t. xi.

[58] 'To the Editor', *Manchester Guardian*, 2–3, Owen Rhoscomyl Papers (1913), Llyfrgell Genedlaethol Cymru.

[59] J. Glyn Davies, 'Owen Rhoscomyl: Tribute', 5, Owen Rhoscomyl Papers / 20, Llyfrgell Genedlaethol Cymru.

[60] Von Zeil, *Battle Scars and Dragon Tracks*, t. 152.

[61] Edwards, *The National Pageant of Wales*, t. xi.

[62] —— *The National Pageant of Wales*, t. 162.

[63] Hawtrey a Rhoscomyl, *National Pageant of Wales*, t. v.

[64] Mynegodd J. Glyn Davies ei ofid cyson yn wyneb ymroddiad diwyro a llafur beichus Rhoscomyl wrth gyflawni ei ymchwil hanesyddol. Gresynai Davies, 'And how much profit did Rhoscomyl make out of his labours in Welsh history . . . What it cost him two or three of his old friends know. I see in one of his letters that I begged him to throw up the work.' (LLGC, Owen Rhoscomyl Papers /20, 9). Noda Rhoscomyl yntau mewn erthygl i'r *Western Mail*, 'No man ever wrote a Welsh history and got back his expenses out of it.' (*Western Mail*, 22. 2.1909, 5).

[65] Hawtrey a Rhoscomyl, *National Pageant of Wales*, t. viii.

[66] E. A. Morphy, 'Some Performers in the Pageant', *Official Souvenir, Pictorial and Descriptive, with a full list of Performers in the National Pageant of Wales, Cardiff 26th July – 7th August 1909*, (Caerdydd: E. Rees), dim tud.

[67] Edwards, 'Owen Rhoscomyl (1863–1919)', 116.

[68] —— *Arwr Glew Erwau'r Glo* (1850–1950), t. 7.

[69] —— 'Who remembered Llewelyn?' *Cambria*, (2000), 11.

[70] —— *Coffáu Llywelyn 1856–1956*, (Llandysul: Gwasg Gomer) 1983, t. 35.

71 Hawtrey a Rhoscomyl, *National Pageant of Wales*, t. 59.
72 Edwards, 'Owen Rhoscomyl (1863-1919)', 130.
73 Hawtrey a Rhoscomyl, *National Pageant of Wales*, t. 40.
74 Simpson, 'Arthurian Pageants in Twentieth-century Britain', 67.
75 Hawtrey a Rhoscomyl, *National Pageant of Wales*, t. 17.
76 Davies, 'Owen Rhoscomyl: Tribute', 5, Owen Rhoscomyl Papers/ 20, Llyfrgell Genedlaethol Cymru.
77 Gweler R. Withington, *English Pageantry*, t. 196.
78 Palmer, T*he Future of the Theatre*, t. 173.
79 Edwards, *The National Pageant of Wales*, t. 199.
80 A. Taylor, 'Pageants for the Millenium', *Planet*, 118 (1996), 85.
81 Edwards, *The National Pageant of Wales*, t. 199.
82 Alun Ffred Jones, Gweinidog dros Dreftadaeth, dyfynnwyd o news.bbc.co.uk/welsh [Cyrchwyd: 7 Rhagfyr 2012].

Llyfryddiaeth Gyfeiriadol

Bennett, Susan, *Women, Theatre and Performance: New Histories, New Historiographies* (Gwasg Prifysgol Manceinion: Manceinion, 2000).

Davol, R., 'Pageantry as a Fine Art', *Art and Progress*, 5/8 (1914), 299–303.

Edwards, Hywel Teifi, *Arwr Glew Erwau'r Glo (1850–1950)*, (Llandysul: Gwasg Gomer, 1994).

Edwards, Hywel Teifi, 'Owen Rhoscomyl (1863–1919) a "Rhwyg Hanes Cymru"', *Transactions of the Honourable Society of Cymmrodorion*, 13 (2006), 107–33.

Edwards, Hywel Teifi, *The National Pageant of Wales*, (Llandysul: Gwasg Gomer, 2009).

Evans, Arthur Wade, *Seiliau Hanesyddol Cenedlaethol Cymru* (Caerdydd: Plaid Cymru, 1950).

Freeman, M., '"Splendid Display; Pompous Spectacle"': Historical Pageants in Twentieth-century Britain', *Social History*, 38/4 (2013), 423–55.

Hawtrey, G. P. (Master of the Pageant) and Owen Rhoscomyl(Historian), *The National Pageant of Wales, CARDIFF July 26th to August 7th 1909, Book of the Words* (Caerdydd: Western Mail, 1909).

Jones, Anwen, *National Theatres in Context: France, Germany, England and Wales* (Caerdydd: Gwasg Prifysgol Cymru, 2007).

Morphy, E. A., *Official Souvenir, Pictorial and Descriptive with a full list of Performers in the National Pageant of Wales, Cardiff 26th July–7th August 1909*, (Caerdydd: E. Rees, 1909).

Palmer, John, *The Future of the Theatre* (Llundain: G. Bell a'i Feibion Cyf., 1913).

Parker, Louis Napoleon, *Warwick Pageant, 2nd to 7th July 1906* (Warwick: Evans, 1906).

Readman, P.,'The Place of the Past in English Culture c. 1890–1914', *Past and Present*, 186 (2005), 147–99.

Simpson, R., 'Arthurian Pageants in Twentieth-century Britain', *Arthuriana*, 18/1 (2008), 63–87.

Stratton, H. F., 'The Meaning of Pageantry', *American Magazine of Art*, 13/8 (1922), 265–69.

Taylor, A., 'Pageants for the Millennium', *Planet*, 118 (1996), 85–92.

Von Zeil, Anthony, *Battle Scars and Dragon Tracks* (Cape Town: Style Lab 2000, 2010).

Withington, R., 'Louis Napoleon Parker', *New England Quarterly*, 12/3 (1939), 510–20.

Withington, R., *English Pageantry: An Historical Outline*, cyf. 2 (Efrog Newydd: Benjamin Blom, 1963).

Mynegai